KB182866

주요노동법을 콕 찍어주는

원포인트 개인레슨 인사노무관리

주요노동법을 콕! 찍어주는

원포인트 개인레슨 인사노무관리

2020년 2월 20일 초판 인쇄
2020년 2월 26일 초판 발행

저　　자 | 이채형
감　　수 | 박진호
발 행 인 | 송상근
발 행 처 | 삼일인포마인
등록번호 | 1995. 6. 26. 제3－633호
주　　소 | 서울특별시 용산구 한강대로 273 용산빌딩 4층
전　　화 | (02)3489－3100
팩　　스 | (02)3489－3141
정　　가 | 28,000원

ISBN　978－89－5942－826－7　93320

주요노동법을 콕 찍어주는

원포인트 개인레슨 인사노무관리

이채형 지음 박진호 감수

SAMIL | 삼일인포마인

머리글

직장인들은 매일 출퇴근을 하고, 한 달에 한 번 월급을 받고, 몇 달에 한 번 휴가를 가고, 몇 년에 걸쳐 승진을 합니다. 언제나 '일'하고 있지만 '노동'이란 단어는 왜인지 모르게 어렵습니다.

우리에게 익숙하지만 낯설기만 한 노동법을 되도록 쉽게 설명하고자 이 책을 썼으나 부족한 점이 많아 아쉽습니다. 책을 쓰기까지 몇 년간 강의한 내용을 다시 돌아보고, 국회에서 개정 근로기준법이 통과되기를 고대하며 몇 달 손을 놓고 있다가 또 급작스럽게 변경된 개정법들을 반영하는 과정의 연속이었습니다. 이 기간 동안 응원해준 노무법인 한수, 함께 해준 노무사들에게 감사의 말을 꼭 전하고 싶습니다.

이 책은 노동현장에서 공인노무사에게 많이 질의하는 내용과 2020. 1. 1.부터 30인 이상 사업장에 시행되는 주 52시간, 30여년 만에 전면개정되는 산업안전보건법 등을 중심으로 서술되어 있습니다. 때문에 노동조합과 사용자 간의 단체교섭, 단체협약 및 쟁의행위와 같은 집단적 노사관계는 최소한의 내용만 담았습니다.

부족하지만 인사노무담당자나 노동법에 관심 있는 독자분께 조금이나마 도움이 되기를 바랍니다.

2020. 2.

감수 박진호

저자 이재형

목 차

04. 임금

05. 근로계약서, 연봉계약서 및 월급명세서

06. 휴일, 휴가, 휴업

07. 연차유급휴가

08. 인사권과 징계권

09. 근로관계종료

10. 노동법의 적용범위

법령명 및 약칭

- 고용보험 및 산업재해보상보험의 보험료징수 등에 관한 법률(약칭: 고용산재보험료징수법)
- 고용보험법
- 고용상 연령차별금지 및 고령자고용촉진에 관한 법률
- 국민건강보험법
- 국민연금법
- 근로기준법
- 근로자참여 및 협력증진에 관한 법률(약칭: 근로자참여법)
- 근로자퇴직급여 보장법(약칭: 퇴직급여법)
- 기간제 및 단시간근로자 보호 등에 관한 법률(약칭: 기간제법)
- 남녀고용평등과 일·가정양립 지원에 관한 법률(약칭: 남녀고용평등법)
- 노동조합 및 노동관계조정법(약칭: 노동조합법)
- 대한민국헌법
- 산업안전보건법
- 산업재해보상보험법(약칭: 산재보험법)
- 채용절차의 공정화에 관한 법률(약칭: 채용절차법)
- 최저임금법
- 파견근로자보호 등에 관한 법률(약칭: 파견법)

01

채용과 입사

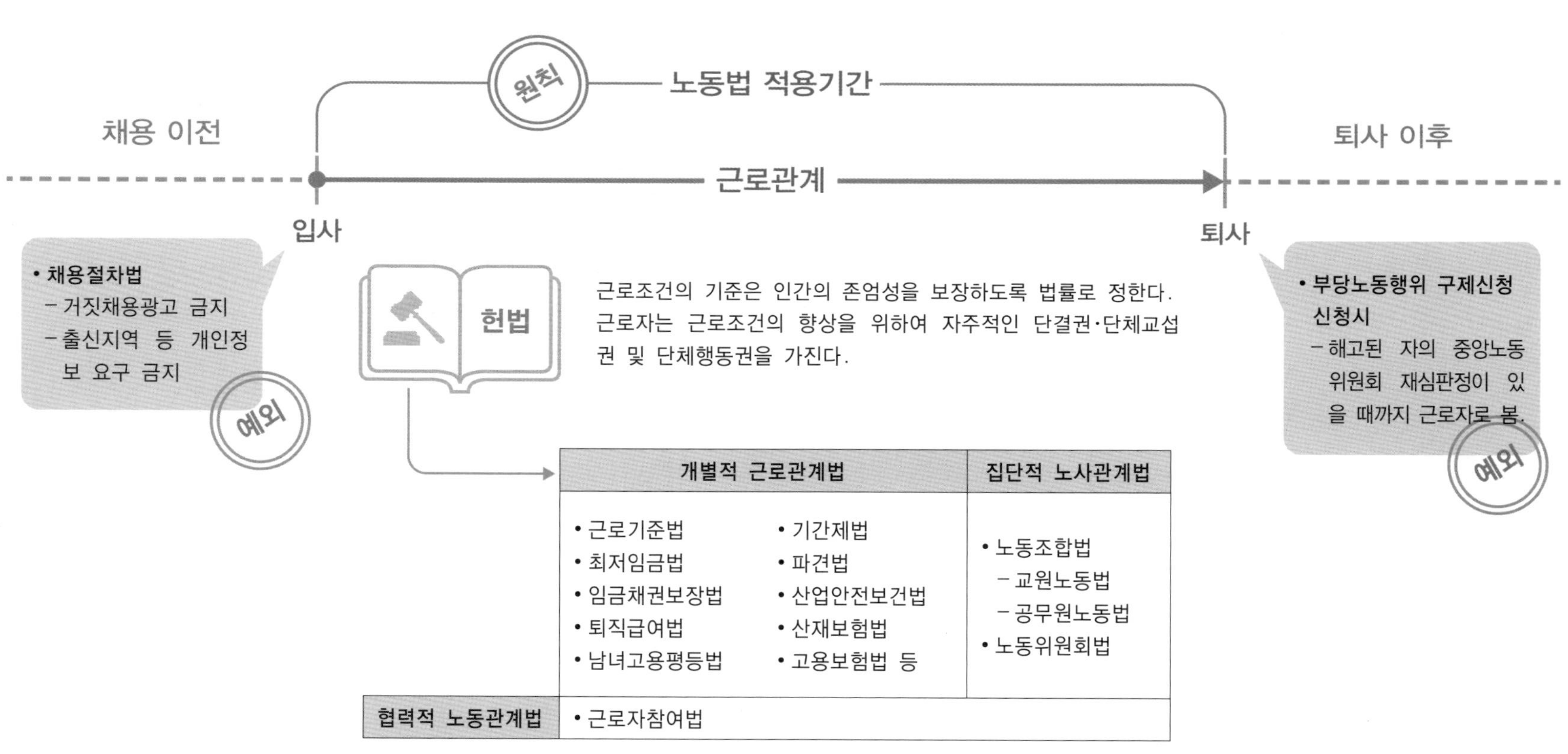

근로조건의 기준은 인간의 존엄성을 보장하도록 법률로 정한다. 근로자는 근로조건의 향상을 위하여 자주적인 단결권·단체교섭권 및 단체행동권을 가진다.

	개별적 근로관계법		집단적 노사관계법
	• 근로기준법 • 최저임금법 • 임금채권보장법 • 퇴직급여법 • 남녀고용평등법	• 기간제법 • 파견법 • 산업안전보건법 • 산재보험법 • 고용보험법 등	• 노동조합법 - 교원노동법 - 공무원노동법 • 노동위원회법
협력적 노동관계법	• 근로자참여법		

(1) 노동법의 의미 및 구분

놀랍게도 노동법이란 법률은 없습니다. 그렇다면 노동법은 무엇일까요? 일반적으로 많이 알고 있는 「근로기준법」, 「노동조합법」, 「최저임금법」을 떠올릴 수 있지만, 그 외에도 「건설근로자의 고용개선 등에 관한 법률」, 「고용보험 및 산업재해보상보험의 보험료징수 등에 관한 법률」, 「고용보험법」, 「고용상 연령차별금지 및 고령자고용촉진에 관한 법률」, 「공무원의 노동조합 설립 및 운영 등에 관한 법률」, 「교원의 노동조합 설립 및 운영 등에 관한 법률」, 「국민건강보험법」, 「국민연금법」, 「근로자참여 및 협력증진에 관한 법률」, 「근로자퇴직급여 보장법」, 「기간제 및 단시간근로자 보호 등에 관한 법률」, 「남녀고용평등과 일·가정양립 지원에 관한 법률」, 「노동위원회법」, 「산업안전보건법」, 「산업재해보상보험법」, 「외국인근로자 고용 등에 관한 법률」, 「임금채권보장법」, 「직업안정법」, 「채용절차의 공정화에 관한 법률」, 「파견근로자보호 등에 관한 법률」 등 예상보다 많고 다양한 노동관련 법률이 있습니다.

노동에 관련된 법률은 크게 근로조건의 최저기준을 정한 '개별적 근로관계법', 노동조합의 활동을 보장하는 '집단적 노사관계법' 그리고 노사의 관계를 경영적인 측면에서 바라보는 '협력적 노동관계법'으로 구분할 수 있습니다. 노동법이란 개별적 근로관계법, 집단적 노사관계법 및 협력적 노사관계법을 합친 학술적 개념이라고 이해하면 됩니다.

노동법이라는 명칭의 법률은 없지만 노동관련 법률이 많은 이유는 우리나라는 「대한민국헌법」에서 근로조건의 기준을 법률로서 정하고 있기 때문입니다.

이 책에서는 「근로기준법」, 「남녀고용평등법」, 「최저임금법」 등 개별적 근로관계법에 관해 집중적으로 다루고자 합니다.

(2) 노동법의 적용기간

그렇다면 노동법은 언제 적용받을 수 있을까요? 원칙적으로 근로자라는 신분 즉, 사용자와 근로관계가 있는 경우에만 적용됩니다.

다만, 성별이나 출신지역 등을 이유로 취업 시 불이익을 받지 않도록 하는 「채용절차법」, 퇴사한 이후에 새로운 직장에 취업하기 전까지 실업급여를 지급하는 「고용보험법」, 노동조합 활동을 이유로 한 해고 시 일정기간 근로자의 지위를 인정하는 「노동조합법」 등 회사에 입사하기 전이나 회사에서 퇴사한 이후에도 예외적으로 노동법의 보호를 받을 수 있습니다.

채용 이전

입사

헌법

여자의 근로는 특별한 보호를 받으며, 고용·임금 및 근로조건에 있어서 부당한 차별을 받지 아니한다.

남녀고용평등법

사업주는 여성 근로자를 모집·채용할 때 그 직무의 수행에 필요하지 아니한 용모·키·체중 등의 신체적 조건, 미혼 조건, 그 밖에 고용노동부령으로 정하는 조건을 제시하거나 요구하여서는 아니 된다.

채용절차법

이 법은 채용과정에서 구직자가 제출하는 채용서류의 반환 등 채용절차에서의 최소한의 공정성을 확보하기 위한 사항을 정함으로써 구직자의 부담을 줄이고 권익을 보호하는 것을 목적으로 한다.

(1) 채용절차에서 구직자의 보호

취업하기 전에는 노동법을 적용받을 수 없으므로, 채용과정에는 노동법이 적용되지 않는 것이 원칙입니다.

그러나 면접비를 구직자에게 부담시키거나, 채용공고에서 본 업무내용과 다른 업무를 수행할 것을 요구하거나, 구직자의 아이디어가 담긴 포트폴리오를 사용자가 돌려주지 않는 등 불공정한 회사의 정책 때문에 취업을 포기하거나 울며 겨자먹기 식으로 입사하는 문제가 있습니다.

이에 채용의 모든 단계에서 다음과 같은 조처를 통해 구직자를 보호하려는 「채용절차법」이 제정되어 있으므로, 상시 30명 이상의 근로자를 사용하는 사업 또는 사업장에서는 이를 준수하여야 합니다.

채용단계	법 내용
채용광고 이전 단계	채용강요 등의 금지
채용광고 단계	거짓 채용광고의 금지 채용일정 및 채용과정의 고지
응시·접수 단계	출신지역 등 개인정보 요구 금지 전자우편 등을 통해 채용서류의 접수 입증자료·심층심사자료의 제출 제한
채용과정 단계	채용광고 내용의 불리한 변경 금지 채용심사비용의 부담금지
채용확정 단계	채용여부의 고지
채용확정 이후 단계	채용광고에서 제시한 근로조건 변경 금지 채용서류 등의 귀속 강요 금지 채용서류의 반환 등

(2) 모집·채용과정에서 여성근로자의 보호

「대한민국헌법」에서 "여자의 근로는 고용에 있어서 부당한 차별을 받지 아니한다"고 규정하고 있으므로 회사에 취업하기 전 단계인 모집과 채용과정에서 「남녀고용평등법」에 따라 남녀를 차별하지 못합니다. 특히 사용자가 업무수행에 불필요한 용모·키·체중 등의 신체적 조건, 미혼 조건 등을 채용공고에 기재하거나 면접 시 여성구직자에게 질문해서는 안됩니다.

또한 헤드헌팅업체와 같이 직업소개업체를 통하는 경우에도 성별, 연령, 종교, 신체적 조건, 사회적 신분 또는 혼인 여부 등을 이유로 차별하지 못하도록 「직업안정법」에서 이를 금지하고 있습니다.

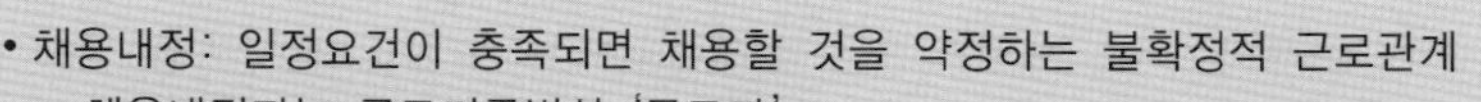

- 채용내정: 일정요건이 충족되면 채용할 것을 약정하는 불확정적 근로관계
  ☞ 채용내정자는 근로기준법상 '근로자'
- 현실적으로 취업되어 노무를 제공하였는지 여부와 상관없이 채용내정취소는 실질적으로 해고에 해당한다.[1]
  ☞ 채용내정취소는 근로기준법상 '해고'
- 채용내정취소에 정당한 이유가 없는 한 채용내정취소는 무효이다.[2]
  ☞ 채용내정취소시 '정당한 이유' 필요

채용 이전 → 채용여부 확정 → 채용내정 → 근로제공 개시 → 근로조건 위반 및 근로계약서 미작성 → 본채용여부 결정 → 수습근로

근로제공 개시

- 근로계약서상 근로조건 등이 사실과 다를 경우
  ☞ 손해배상 청구 및 근로계약해제 가능
- 근로조건 위반으로 근로계약 해제시 취업목적으로 거주를 변경한 근로자
  ☞ 귀향여비 지급
- 근로계약서 미작성 또는 항목누락
  ☞ 위반시 벌금 또는 과태료
- 임금의 구성항목·계산방법·지급방법, 소정근로시간, 휴일, 연차유급휴가
  ☞ 근로계약서상 서면·교부사항의 규정

본채용여부 결정

- 수습(시용, 인턴 등): 자질·성격·능력·성실성·근무태도 등 일에 대한 적격성 여부를 결정하기 위한 조건부 채용
  ☞ 해고권이 유보된 근로계약
- 계속근로 3개월 미만시 해고예고 제외
- 통상근로자에 대한 해고기준과는 상이하나, 수습근로자의 본채용거부의 합리적 이유가 존재하고 사회통념상 상당한 이유가 인정되어야 함.
  ☞ 본채용거절시 '합리적 이유' 필요
- 1년 이상의 기간을 정하여 근로계약을 체결하고 수습 중에 있는 근로자로서 수습시작일로부터 3개월 이내
  ☞ 최저시급 10% 감액 가능

(1) 근로계약 관련 노동법의 적용

'근로자'가 되어야 노동법의 보호를 받을 수 있으므로 '근로관계가 성립되었는지'는 매우 중요한 판단기준이 됩니다. '근로관계의 성립'은 실제 근로를 제공하였는지, 근로계약서를 작성하였는지 등과 관계없이 당사자 간에 근로계약을 체결하기로 구두 또는 서면 등으로 의사의 합치가 이루어졌는지를 기준으로 판단합니다.

(2) 채용내정: 근로관계만 성립하고 실제근로를 제공하지 않은 경우

예를 들어 간호사면허를 취득하기 전에 병원의 간호사모집공고에 응시하여 채용이 된 경우, 이는 간호사 국가시험에 합격하여 적법한 직무능력을 획득할 것을 전제로 채용된 것이므로 채용이 확정된 시점에 근로계약이 성립됩니다.

이와 같이 일정요건이 충족되면 채용할 것을 약정하는 불확정적 근로관계를 '채용내정'이라 하고, 채용내정자는 「근로기준법」상 근로자의 지위를 가지므로 간호사자격을 취득하였음에도 병원이 정당한 이유 없이 채용내정을 취소하는 것은 「근로기준법」상 부당해고에 해당합니다.

근로계약이 적법하게 성립된 경우에는 실제 근로를 제공하지 않은 채용내정도 노동법의 보호를 받을 수 있습니다.

(3) 근로계약 위반 및 근로계약서 미작성

근로계약서를 작성하지 않고 아르바이트 등을 하는 경우가 많은데, 근로계약은 정상적으로 성립합니다. 근로계약서의 작성 여부가 근로계약의 효력에 영향을 미치는 것은 아니기 때문입니다. 이때 근로계약서를 서면으로 작성하지 않는 사용자는 「근로기준법」에 따른 500만 원 이하의 벌금이나 「기간제법」에 따른 500만 원 이하의 과태료가 부과됩니다.

근로계약서를 작성한 경우에도 근로계약서상 근로조건이 사실과 다를 경우에 근로자는 근로조건 위반을 이유로 손해의 배상을 청구할 수 있으며, 즉시 근로계약을 해제할 수 있습니다. 또한 이를 이유로 근로계약이 해제되었고 근로자가 취업을 목적으로 거주를 변경한 경우, 사용자는 근로자에게 귀향 여비를 지급하여야 합니다.

(4) 해고권을 유보한 근로계약: 수습, 시용, 인턴 등의 경우

수습, 시용, 인턴 등을 거쳐 정규직으로 입사하는 경우가 있습니다. 각 회사별로 다양한 명칭으로 부르고 있으나, 이는 '확정적인 근로관계를 체결하기 전에 시험적으로 사용하는 기간'이 있는 '해고권이 유보된 근로계약'입니다. 이 역시 근로계약으로 인정되므로 3개월 미만 시 해고예고의 미적용 등 일부 규정을 제외한 대부분의 법적 보호를 받을 수 있습니다.

수습근로자의 본채용 거부는 해고로서 사용자가 해고권을 남용할 수 없습니다. 이 경우 통상근로자의 엄격한 해고 기준(정당한 이유의 유무)이 아닌 다소 완화된 기준(객관적으로 합리적인 이유가 존재하여 사회통념상 상당하다고 인정되는지 여부)에 의해 본채용 거부의 정당성을 판단합니다.[3]

채용과정 중 건강검진 결과에 따른 채용취소

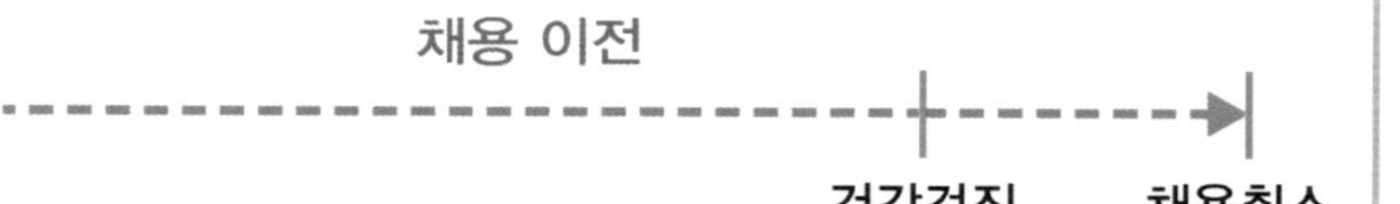

채용과정에서 건강검진 결과에 따라 채용여부를 결정하지 않은 경우 근로관계가 성립되기 전이므로 근로기준법상 '해고'에 해당하지 않음.

채용확정 후 건강검진 결과에 따른 채용취소

채용 이전　　　근로관계 성립

채용확정　건강검진　채용취소

실제 근로제공여부와 무관하게 근로관계가 성립되었으므로 채용취소는 근로기준법상 '해고'에 해당함.

☞ 관련법령 등에 채용제한이 있는 경우 해고의 '정당사유'가 입증됨.

개인정보 보호에 관하여는 다른 법률에 특별한 규정이 있는 경우를 제외하고는 이 법에서 정하는 바에 따른다.

사용자는 각 사업장별로 근로자명부를 작성하고 근로자의 성명, 생년월일, 이력 등을 적어야 한다.
- 성명, 성별, 생년월일, 주소, 이력 등

입사시 근로자에게 요구하는 개인정보는 근로자명부나 4대보험 가입을 위해 근로기준법 등에 따라 수집, 이용, 보관하여야 하는 것으로서 원칙적으로 위법소지가 없으나, 관련 법령에 근거없이 정보주체의 동의를 받지 않고 개인정보를 수집·이용하는 경우 문제가 될 수 있습니다.

(1) 건강검진 결과에 따른 채용취소가 해고인지 여부

채용건강검진 결과 B형 간염 보균자여서 회사가 채용을 취소할 수 있을까요? 채용이 취소되면 해고일까요?

건강검진결과가 채용과정에 속하는지에 따라 해고가 될 수도, 해고에 해당하지 않을 수도 있습니다. 앞서 설명한 것처럼 노동법은 근로자로서의 지위가 인정될 때에 적용되는 것이 원칙이므로, 회사에 입사하기 위한 채용과정 중 건강검진이 하나의 채용단계라면 건강검진결과를 이유로 채용이 취소되더라도 해고가 아닙니다. 반면 입사가 결정되고 나서 첫 출근일에 건강검진결과를 제출하도록 하는 경우라면 실제 근무를 하지 않더라도 근로계약은 성립되었으므로 채용취소는 해고입니다.

앞서 채용내정이란 일정요건이 충족되면 채용할 것을 약정하는 '불확정적 근로관계'라고 설명한 것처럼, 근로관계가 완벽하게 성립 전에 취소한 것은 노동법상 해고로 보지 않는 것입니다.

반면 이미 근로관계가 성립된 상황에서 채용취소 결정은 해고이므로 「근로기준법」에 따라 정당한 이유가 있는 해고인지 여부를 살펴 회사에 다시 입사할 수 있고, 근로하지 못한 기간만큼의 임금을 요구할 수도 있습니다.

채용취소의 정당성, 즉 해고의 정당한 이유는 각 사안별로 판단하게 됩니다. 예를 들어 B형 간염 보균자가 식품위생과 관련된 직무에 입사지원한 것이라면 「산업안전보건법」 및 「식품위생법」 등 관련 법령에 의해 채용이 제한되므로 채용취소로 인한 불이익을 구제받을 수 없습니다. 그러나 사무직에 입사지원한 것이라면 B형 간염 보균자를 이유로 한 채용취소는 정당한 이유없는 해고이므로 법적 보호를 받을 수 있습니다.

(2) 입사 시 근로자의 개인정보수집

처음 취직을 하면 회사에서 작성하라고 요구하는 개인정보수집이용 동의서, 영업비밀에 관한 서약서 등에 종종 불안함을 느끼실 수 있습니다.

결론부터 말씀드리면 큰 위험은 없습니다. 입사 시 근로자의 주민등록번호, 자택주소, 계좌번호 등을 요구하는 것은 「개인정보 보호법」이 아닌 「근로기준법」 및 「고용보험법」 등에 따라 사용자가 수집하여야 하는 근로자의 정보이므로, 불안해하지 않고 입사 서류를 작성하시면 됩니다. 그럼에도 불구하고 개인정보수집이용 동의서를 작성하게 하는 것은 회사가 급여나 세금 등을 사무대행기관에 맡기는 경우에 「개인정보 보호법」에 따라 근로자 본인의 동의를 받아야 하기 때문입니다.

일반적인 영업비밀에 관한 서약서는 직원들에게 회사 기밀을 유출하지 않도록 경각심을 갖도록 하기 위해 작성하게 하는 경우가 많습니다.

이와 달리 업무상 알게 된 고객의 주민등록번호나 개인정보를 동료직원들과 단체대화방에서 주고 받는 등의 행위는 영업비밀이 아닌 「개인정보 보호법」에 저촉될 수 있습니다.

특별법 우선의 원칙에 따라 기간제 근로자 및 단시간근로자의 근로계약서 작성시 근로계약기간, 휴게시간, 취업장소 및 종사업무 등이 추가로 기재되어야 합니다.

구분	기간제근로자 (일용직근로자 포함)	단시간근로자 (정규직 및 비정규직)	**정규직근로자 (무기계약직)**
의미	• 기간의 정함이 있는 근로계약을 체결한 근로자	• 1주 동안의 소정근로시간이 그 사업장에서 같은 종류의 업무에 종사하는 통상 근로자의 1주 동안의 소정근로시간에 비하여 짧은 근로자	• 그 외 모든 "근로자" – 직업의 종류와 관계없이 임금을 목적으로 사업이나 사업장에 근로를 제공하는 자
근로계약 서면명시	• 근로계약기간 • 근로시간 • 휴게시간 • 임금: 구성항목, 계산방법 및 지급방법 • 휴일 • 휴가: 연차유급휴가 등 • 취업장소 및 종사업무	• 근로계약기간 • 근로시간 • 휴게시간 • 임금: 구성항목, 계산방법 및 지불방법 • 휴일 • 휴가: 연차유급휴가 등 • 취업장소 및 종사업무 • 근로일 및 근로일별 근로시간	• 근로시간 • 임금: 구성항목, 계산방법 및 지불방법 • 휴일 • 연차유급휴가

(1) 근로계약서 작성의 원칙

근로계약서를 작성하지 않아도 근로관계가 성립되었다면 임금이나 퇴직금 등을 받는데 지장이 없습니다. 그러나 채용 시 말한 임금과 실제 받은 임금액의 차이가 있는 등 근로조건에 관한 갈등이 발생했을 때 근로자를 보호하기 위해 「근로기준법」에서는 사용자로 하여금 종이로 된 근로계약서를 작성하여 근로자에게 교부하도록 하고 있습니다.

근로계약서를 작성하지 않는 회사가 있지만 몇 장에 걸쳐서 길고 복잡하게 작성하는 회사도 있습니다. 아무리 많은 내용을 적었다고 하더라도 필수적으로 기재되어야 할 사항이 누락된 근로계약서는 위법합니다. 근로계약서에 반드시 적혀있어야 할 사항은 임금의 구성항목·계산방법·지급방법 및 소정근로시간, 휴일, 연차유급휴가입니다.

(2) 기간제근로자의 근로계약서 작성방법

법 적용의 원칙 중 특별법 우선의 법칙이 있습니다. 일반법과 특별법 중에서 특별법을 먼저 적용한 후에 일반법을 적용한다는 의미입니다. 계약직, 비정규직 등으로 불리는 기간제근로자는 '기간의 정함이 있는 근로계약'을 체결하여 정규직보다 근로조건이 열악하므로 「근로기준법」의 특별법인 「기간제법」을 우선하여 적용합니다.

기간제근로계약을 체결한 경우 근로계약서에 임금의 구성항목·계산방법·지급방법 및 소정근로시간, 휴일, 연차유급휴가뿐만 아니라 근로계약기간, 휴게시간, 취업의 장소와 종사하여야 할 업무에 관한 사항이 추가적으로 기재되어야 합니다.

기간제근로계약을 체결한다고 말하고 실제 근로계약서에 언제부터 언제까지 근로한다는 근로계약기간이 적혀져 있지 않다면 '기간의 정함이 없는' 정규직으로 근로계약을 체결한 것으로 봅니다.

(3) 단시간근로자의 근로계약서 작성방법

주말 아르바이트처럼 8시간씩 일하지만 근무횟수가 적어 주 40시간 미만 근로하거나, 주5일 근무하되 1일 근로시간이 8시간보다 적게 일하는 근로자 등을 '단시간근로자'라고 말합니다.

「기간제법」의 정식 명칭은 「기간제 및 단시간근로자 보호 등에 관한 법률」로서 정규직인지 여부와 관계없이 단시간근로자라면 특별법 우선의 원칙에 따라 「기간제법」을 우선 적용받습니다.

따라서 단시간근로자의 근로계약서에는 기간제근로자와 마찬가지로 근로계약기간, 휴게시간, 취업의 장소와 종사하여야 할 업무가 기재되어야 하고 추가적으로 근로일 및 근로일별 근로시간도 적혀 있어야 합니다.

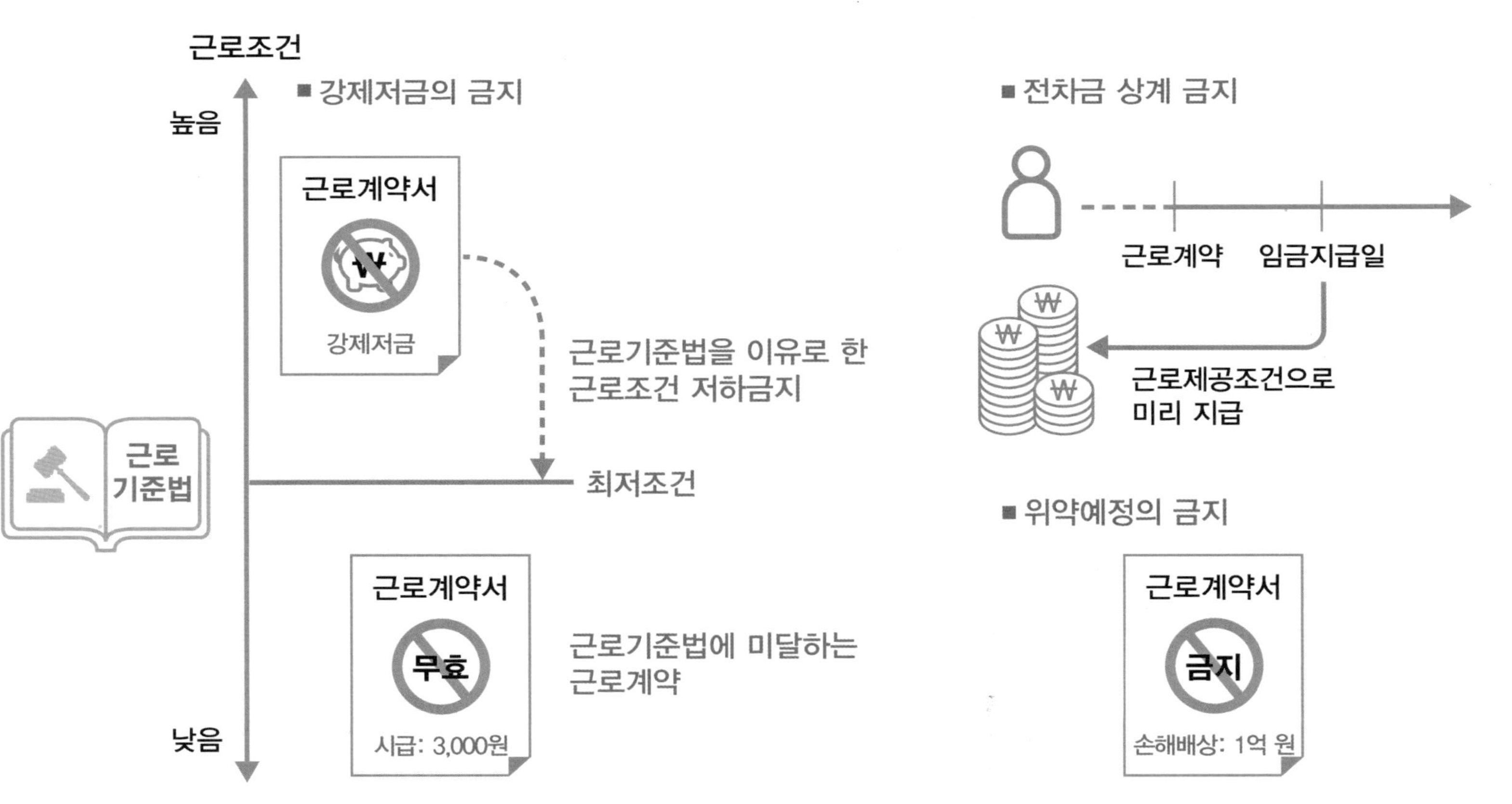
근로조건
높음
낮음
근로
기준법
■ 강제저금의 금지
근로계약서
강제저금
근로기준법을 이유로 한
근로조건 저하금지
최저조건
근로계약서
무효
시급: 3,000원
근로기준법에 미달하는
근로계약
■ 전차금 상계 금지
근로계약
임금지급일
근로제공조건으로
미리 지급
■ 위약예정의 금지
근로계약서
금지
손해배상: 1억 원

(1) 근로계약 체결 시 금지되는 근로조건

임금, 소정근로시간, 휴일, 연차유급휴가 등이 기재되어 있지만 근로자에게 일방적으로 불리한 근로계약서는 적법할까요? 임금을 강제로 저금하게 하거나, 최저임금에 미달하는 금액을 임금으로 정하거나, 취업 후 임금 대신 빚을 갚는 조건으로 미리 돈을 빌려주기로 하거나, 사직하면 손해배상금을 지급하도록 정한 근로계약 등은 언제나 무효입니다.

(2) 강제저금의 금지

사용자가 임금을 지급하는 대신 은행·우체국·공제조합 등에 저축하도록 강제하거나 근로자의 통장과 인감을 사용자가 보관하는 등 저축금을 관리하도록 하는 근로계약은 금지됩니다.

근로자로 하여금 일정액을 강제로 저축하게 하면 저축된 금액의 반환이 어렵고, 혹여나 사용자가 저축액을 경영자금으로 사용하면 돌려받지 못해 강제로 근로할 우려가 있기 때문입니다.

근로자가 사용자에게 저축을 위탁하는 예외적인 경우에도 저축의 종류·기간 및 금융기관을 근로자가 결정하여 근로자명의로 저축하고 근로자가 저축관련 자료를 요구하거나 반환을 요구할 때 사용자는 즉시 이에 따라야 합니다.

(3) 전차금 상계금지

취업할 것을 조건으로 사용자가 근로자나 근로자의 가족 등에게 미리 돈을 빌려주면서 근로에 따른 임금을 지급하지 않는 행위 역시 강제로 근로하게 하여 퇴직의 자유를 막으므로 허용되지 않습니다.

(4) 노동법을 이유로 한 근로조건 저하 또는 법에 미달하는 근로계약

최근 계속근로기간이 1년 미만인 근로자의 연차유급휴가 확대, 최저임금 인상, 육아휴직 확대 등 근로조건의 향상이 이루어지고 있습니다. 사용자가 법대로 하면 근로조건이 좋아지니 월급을 낮추자고 한다면 이는 명백한 위법입니다. 「근로기준법」 등에서 정하는 근로조건은 최저기준이므로 이를 이유로 근로조건을 낮출 수 없기 때문입니다.

법에서 정하는 기준에 미치지 못하는 근로조건을 정한 근로계약 역시 무효입니다. 심지어 근로자가 진심으로 동의하였다 하더라도 무효이고, 무효로 된 근로조건은 법으로 정한 기준에 따라야 합니다.

(5) 위약금 또는 손해배상액 예정의 금지

퇴사를 하면 위약금 또는 손해배상액을 납부하도록 하는 근로계약을 체결할 수 없습니다. 미리 위약금이나 손해배상액을 정하게 되면 근로자가 사용자에 끼친 손해에 비해 부당하게 큰 금액을 부담하게 되어 강제근로의 위험이 있기 때문입니다.

다만, 사용자의 지원금으로 국·내외 연수교육을 받은 대신 의무근무기간을 정하고 실제 소요된 연수비용이나 장학금을 배상하기로 한 약정은 연수교육에 대한 선택권이 근로자에게 있고 의무기간을 채우면 사용자에 지급할 금원이 없으므로 위약예정에 해당하지 않습니다.[4)]

근로기준법상 '근로자' 가입 원칙

구분		건강보험 (직장가입자)	국민연금 (사업장가입자)	고용보험 (피보험자)	산재보험
근로기준법상 '근로자'	원칙	적용	적용	적용	적용
	65세 이후 고용된 자	적용	제외	제외	적용
	60세 이상인 자	적용	제외	적용	적용
	소정근로시간 60시간 미만인 자	제외	생업 목적으로 3개월 이상 +사용자동의+가입희망시 적용	3월 이상 계속근로시 적용	적용
	일용직근로자	월 8일 이상 근로시 적용	월 8일 이상 근로시 적용	적용	적용
	사립학교 교직원	적용	제외(사립학교교직원 연금법 등 적용)		
특수형태근로종사자		지역가입자	지역가입자	제외	특례 적용가능
근로기준법상 '사업주'		적용	적용	제외	제외

(1) 직장가입자로서 건강보험 및 장기요양보험

건강보험 및 장기요양보험은 대한민국 국민을 가입대상으로 하고 있으므로 근로자가 아니더라도 건강보험에 가입할 의무가 있습니다. 사업주와 근로자는 연령 제한 없이 직장가입자로 가입하게 됩니다.

비상근근로자와 월 소정근로시간이 60시간 미만인 단시간근로자는 직장가입자로서 가입이 제한되는데, 일용직근로자가 월 8일 이상 근로 시(월 8일×1일 8시간 기준) 직장가입자로 가입하여야 합니다.

(2) 사업장가입자로서 국민연금

국민연금도 건강보험과 마찬가지로 대한민국 국민이 가입대상이므로 근로자가 아니더라도 국민연금에 가입할 의무가 있습니다. 다만, 건강보험과 달리 다른 법률에 의한 연금을 적용여부와 가입연령을 살펴 국민연금 자체가 적용되지 않을 수도 있습니다.

공무원은 「근로기준법」상 근로자가 아니라 적용대상이 아니고, 사립학교교직원은 근로자이지만 「사립학교교직원 연금법」을 적용받으므로 국민연금이 적용되지 않습니다. 또한 18세 미만이거나 60세 이상이면 사업장가입자로서 국민연금가입대상이 아닙니다.

일용직근로자는 국민연금에 가입할 수 없다고 알고 있는 경우가 있는데, 1개월 동안 근로일수가 8일 이상이거나 1개월 동안 근로시간이 60시간 이상이라면 일용직근로자도 사업장가입자로 가입하여야 합니다.

월 소정근로시간 60시간 미만인 근로자도 '생업을 목적으로 3개월 이상 계속하여 근로를 제공하는 사람으로서 사용자의 동의를 받아 근로자로 적용되기를 희망하는 사람'은 사업장가입자로 가입이 가능합니다.

(3) 근로자로서 고용보험

고용보험은 만 65세 이하인 「근로기준법」상 근로자만 가입할 수 있습니다. 따라서 「근로기준법」상 근로자가 아닌 사업주와 공무원, 골프장캐디와 같은 특수형태근로종사자는 고용보험에 가입할 수 없으며, 근로자라도 65세 이후 새로 취업하면 고용보험에 가입할 수 없습니다. 반면 사립학교교직원은 근로자이지만 「사립학교교직원 연금법」을 적용받으므로 고용보험을 적용받지 않습니다.

월 소정근로시간이 60시간 미만인 단시간근로자는 고용보험에 가입할 수 없지만, 월 60시간 미만인 단시간근로자라도 3개월 이상 계속근로하면 3개월 이후부터는 고용보험에 가입하여야 합니다.

(4) 근로자로서 산재보험

산재보험 역시 「근로기준법」상 근로자만 가입하는 것이 원칙이므로, 근로자가 아닌 사업주, 공무원 등은 산재보험에 가입할 수 없습니다.

고용보험과 달리 산재보험에는 연령이나 근로시간으로 가입을 제한하지 않으므로, 「근로기준법」상 근로자인지가 매우 중요한 판단기준입니다.

근로자가 아니지만 특수형태근로종사자 즉, 계약의 형식에 관계없이 근로자와 유사하게 노무를 제공함에도 「근로기준법」 등이 적용되지 않아 업무상 재해로부터 보호할 필요가 있는 자에 대해서는 특례를 통해 산재보험에 가입할 수 있도록 하고 있습니다.

반면 「공무원 재해보상보험법」, 「국인연금법」, 「사립학교교직원 연금법」 등에 따라 재해보상이 적용되는 사업과 가구내 고용활동, 농업·입업·어업 및 수렵업 중 법인이 아닌 사업으로서 상시근로자 수가 5인 미만인 사업에는 산재보험이 적용되지 않습니다.

02

취업규칙

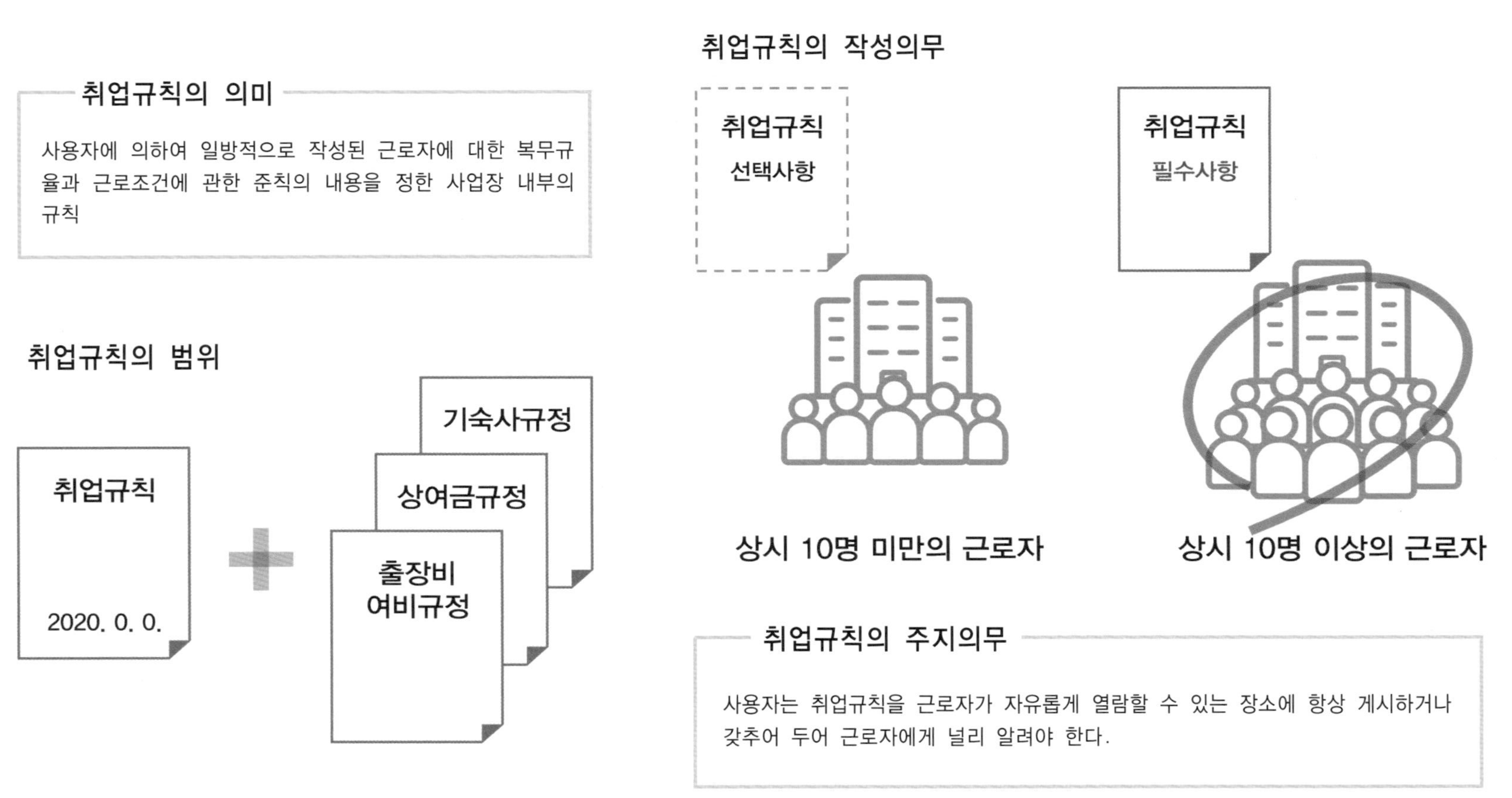
취업규칙의 의미
사용자에 의하여 일방적으로 작성된 근로자에 대한 복무규율과 근로조건에 관한 준칙의 내용을 정한 사업장 내부의 규칙
취업규칙의 범위
취업규칙
2020. 0. 0.
기숙사규정
상여금규정
출장비
여비규정
취업규칙의 작성의무
취업규칙
선택사항
취업규칙
필수사항
상시 10명 미만의 근로자
상시 10명 이상의 근로자
취업규칙의 주지의무
사용자는 취업규칙을 근로자가 자유롭게 열람할 수 있는 장소에 항상 게시하거나 갖추어 두어 근로자에게 널리 알려야 한다.

(1) 취업규칙의 의미와 범위

취업규칙에 대해서 아시나요? 소규모 사업장의 경우 취업규칙이 없어 실제로 취업규칙을 본 적 없을 수 있습니다. 아니면 우리 회사는 취업규칙은 없고 사규만 있다고 생각하실 수 있습니다.

상시 사용하는 근로자의 수가 10인 이상인 사업 또는 사업장은 '취업규칙'을 반드시 작성하여야 하고, 이름이 취업규칙이 아니더라도 근로조건에 관해 적어놓은 규정이 있다면 이는 취업규칙입니다.

어떤 회사는 취업규칙이 하나이지만, 어떤 회사는 사규를 두면서 출장비 여비규정, 상여금규정, 기숙사규정 등을 각각 두는 경우도 있습니다. 취업규칙은 하나의 규정만을 말하는 것은 아니므로 명칭이 무엇이든, 여러 개의 규정이 있더라도 이는 모두 취업규칙입니다.

즉, '취업규칙'이란 '사용자에 의하여 일방적으로 작성된 근로자에 대한 복무규율과 근로조건에 관한 준칙의 내용을 정한 사업장 내부의 규칙'으로서 사규, 내규, 규정 등 그 명칭이 무엇이든 근로자집단에게 적용될 근로조건에 관해 정한 것이 있다면 취업규칙에 해당합니다.

(2) 취업규칙의 작성의무 및 주지의무

상시적으로 근로하는 근로자가 10명 이상인 경우에 사용자는 취업규칙을 반드시 작성하여야 하고, 상시 근로하는 근로자가 10명 미만인 경우에는 사용자의 선택에 따라 취업규칙을 작성할 수 있습니다.

사용자는 취업규칙을 작성하고 난 뒤 근로자들이 자유롭게 열람할 수 있는 장소에 항상 게시하거나 쉽게 접근할 수 있도록 조치를 취하여야 합니다. 별도의 허락이나 승인과정없이 취업규칙을 볼 수 있도록 하는데 목적이 있으므로, 회사 내의 특정장소뿐만 아니라 온라인게시판을 활용하는 것도 가능합니다.

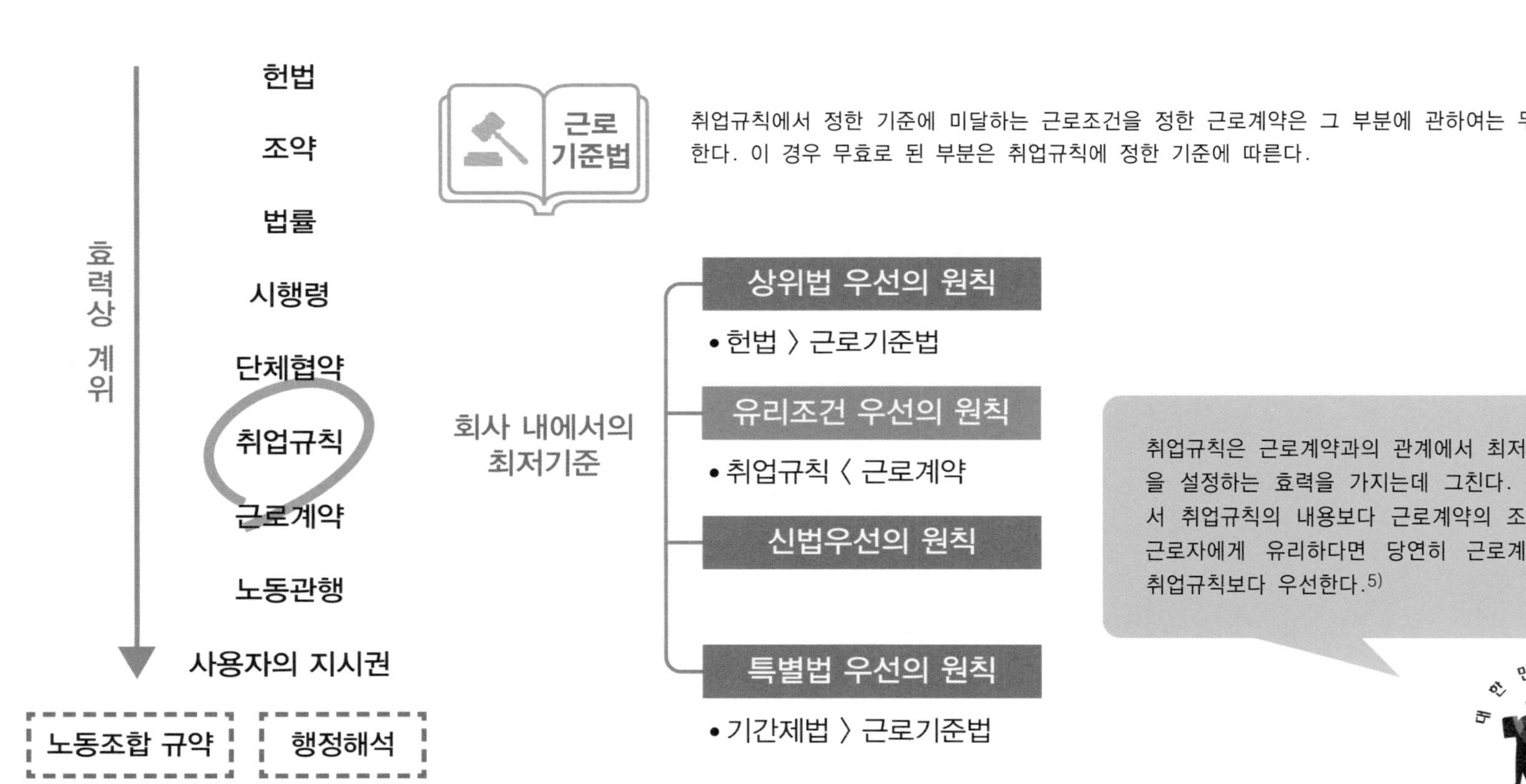
효력상 계위
헌법
조약
법률
시행령
단체협약
취업규칙
근로계약
노동관행
사용자의 지시권
노동조합 규약
행정해석
근로기준법
취업규칙에서 정한 기준에 미달하는 근로조건을 정한 근로계약은 그 부분에 관하여는 무효로 한다. 이 경우 무효로 된 부분은 취업규칙에 정한 기준에 따른다.
회사 내에서의 최저기준
상위법 우선의 원칙
• 헌법 〉 근로기준법
유리조건 우선의 원칙
• 취업규칙 〈 근로계약
신법우선의 원칙
특별법 우선의 원칙
• 기간제법 〉 근로기준법
취업규칙은 근로계약과의 관계에서 최저기준을 설정하는 효력을 가지는데 그친다. 따라서 취업규칙의 내용보다 근로계약의 조건이 근로자에게 유리하다면 당연히 근로계약이 취업규칙보다 우선한다.5)
대한민국법원

(1) 법의 적용순서

법을 생기게 하는 근거로서 법관이 재판 기준으로 적용하는 기준을 '법원(法源)'이라 하는데, 법의 대원칙으로서 '상위법 우선의 법칙'이 있습니다. 법원 중에서 높은 위계를 가진 법형식부터 먼저 적용한다는 의미입니다. 노동법의 경우 한 국가 통치체제의 기초인 '헌법', 국가 간에 권리와 의무를 합의하여 정한 '조약', 국회 의결을 거쳐 대통령이 서명하고 공포하여 성립하는 '법률', 법률을 시행하는데 필요한 구체적 규정인 '시행령', 노동조합과 사용자 간에 체결하는 자치법규인 '단체협약', 사용자 내 근로에 관한 공통적 기준인 '취업규칙', 근로자와 사용자 간에 근로 제공과 임금지급을 약속하는 '근로계약'순으로 적용됩니다.

단체협약, 취업규칙, 근로계약은 법이 아님에도 법원으로서 법적 효력을 갖습니다. 그 이유는 「대한민국헌법」에서 노동권을 명시하고 있고 「근로기준법」과 「노동조합법」에서 각 회사 내부에서 정한 단체협약, 취업규칙, 근로계약에 대해 '법'으로서 힘을 갖도록 정하고 있기 때문입니다.

반면 노동조합 내에서 서로 지키도록 협의하여 정한 규칙인 '노동조합 내규'나 행정부의 의견인 '고용노동부 행정해석'은 법원이 아니므로 법적인 분쟁이 생겼을 때 법관이 재판 시 판단기준으로 사용하지 않습니다.

정리하면 「대한민국헌법」이 우선 적용되고 그 다음 「ILO(International Labour Organization, 국제노동기구)협약」, 「근로기준법」, 「근로기준법 시행령」, 단체협약, 취업규칙, 근로계약 순대로 효력을 갖게 됩니다.

(2) 유리조건 우선의 원칙

우리 회사에 「근로기준법」보다 더 유리한 취업규칙이 있으면 법이 취업규칙보다 더 높은 위치에 있으니 법이 적용될까요? 취업규칙보다 더 좋은 조건으로 근로계약을 체결했는데도 취업규칙이 적용될까요?

노동법은 '유리조건의 원칙'을 두고 있는데, 근로자에게 더 유리한 근로조건이 우선하여 적용되는 것을 말합니다. 법보다 취업규칙이 유리하다면 취업규칙이, 취업규칙보다 근로계약이 유리하다면 근로계약이 우선하여 적용됩니다.

(3) '회사 내에서의 최저기준으로 근로조건'인 취업규칙

반대로 회사 내의 취업규칙보다 불리하게 근로계약을 체결하면 어떻게 될까요? 부양가족이 있으면 가족수당을 지급한다고 취업규칙에 정해져 있는데, 내 근로계약서에 부양가족이 있어도 가족수당은 적용되지 않는다고 정해져 있으면 가족수당을 받을 수 있을까요?

「근로기준법」은 취업규칙에서 정한 근로조건보다 낮은 근로조건으로 근로계약을 체결할 때에는 해당 근로계약은 무효로 되고 취업규칙에서 정한 근로조건에 따른다고 정해져 있습니다. 이에 따라 근로계약서에 가족수당이 적용되지 않는다 하더라도 부양가족이 있다면 가족수당을 받을 수 있습니다.

취업규칙의 필수적 기재사항

- 업무의 시작과 종료 시각, 휴게시간, 휴일, 휴가에 관한 사항
- 임금의 결정·계산·지급 방법, 임금의 산정기간·지급시기
- 퇴직에 관한 사항
- 「근로자퇴직급여 보장법」상 퇴직급여, 최저임금에 관한 사항
- 출산전후휴가·육아휴직 등 근로자의 모성보호 및 일·가정양립 지원에 관한 사항
- 안전과 보건에 관한 사항
- 직장 내 괴롭힘의 예방 및 발생 시 조치 등에 관한 사항

취업규칙의 임의적 기재사항(해당되는 사업장만)

- 교대 근로에 관한 사항
- 승급(昇給)에 관한 사항
- 가족수당의 계산·지급 방법에 관한 사항
- 상여금에 관한 사항
- 근로자의 식비, 작업 용품 등의 부담에 관한 사항
- 근로자를 위한 교육시설에 관한 사항
- 근로자의 성별·연령 또는 신체적 조건 등의 특성에 따른 사업장 환경의 개선에 관한 사항
- 업무상과 업무 외의 재해부조(災害扶助)에 관한 사항
- 표창과 제재에 관한 사항

모성보호

- 근로기준법
  - 출산전후휴가(다태아 규정 포함)
  - 유·사산휴가
  - 임신기 근로시간 단축
  - 태아검진 시간의 허용
- 남녀고용평등법
  - 배우자출산휴가
  - 난임치료휴가

일·가정 양립지원

- 근로기준법
  - 육아시간
- 남녀고용평등법
  - 육아휴직
  - 육아기 근로시간 단축
  - 가족돌봄휴직
  - 가족돌봄휴가

(1) 취업규칙에서 반드시 정하여야 할 근로조건

회사마다 취업규칙의 명칭도 다르고, 취업규칙의 개수도 다르고, 그 내용도 다릅니다. 그러나 다음과 같은 사항은 「근로기준법」에 따라 반드시 취업규칙에 기재하여야 합니다.

- 업무의 시작과 종료 시각, 휴게시간, 휴일, 휴가에 관한 사항
- 임금의 결정·계산·지급 방법, 임금의 산정기간·지급시기
- 퇴직에 관한 사항
- 「퇴직급여법」상 퇴직급여, 최저임금에 관한 사항
- 출산전후휴가·육아휴직 등 근로자의 모성보호 및 일·가정양립 지원에 관한 사항
- 직장 내 괴롭힘의 예방 및 발생 시 조치 등에 관한 사항
- 안전과 보건에 관한 사항

퇴직금은 「퇴직급여법」에서, 육아휴직과 같은 일·가정양립 지원에 관한 사항은 「남녀고용평등법」에서, 안전과 보건에 관한 사항은 「산업안전보건법」 등에서 보다 구체적으로 정하고 있습니다. 따라서 위에서 정한 취업규칙의 필수적 기재사항은 「근로기준법」상 근로조건뿐만 아니라 「퇴직급여법」 및 「남녀고용평등법」 등에서 정한 사항들도 기재하여야 합니다.

(2) 해당된다면 취업규칙에 기재하여야 하는 사항

예를 들어 교대근무를 하는 회사는 교대근무의 형태와 교대근무의 시간 등을, 회사식당에서 식사를 하지 않는 직원에게 식비를 지급한다면 식비에 관해, 분기별로 정기상여금을 지급한다면 상여금 산정기준과 산정방법 등을 취업규칙에 정하여야 합니다.

이처럼 이에 관한 사항에 해당되는 회사는 이를 취업규칙에 기재하여야 합니다.

- 교대 근로에 관한 사항
- 승급(昇給)에 관한 사항
- 가족수당의 계산·지급 방법에 관한 사항
- 상여금에 관한 사항
- 근로자의 식비, 작업 용품 등의 부담에 관한 사항
- 근로자를 위한 교육시설에 관한 사항
- 근로자의 성별·연령 또는 신체적 조건 등의 특성에 따른 사업장 환경의 개선에 관한 사항
- 업무상과 업무 외의 재해부조(災害扶助)에 관한 사항
- 표창과 제재에 관한 사항

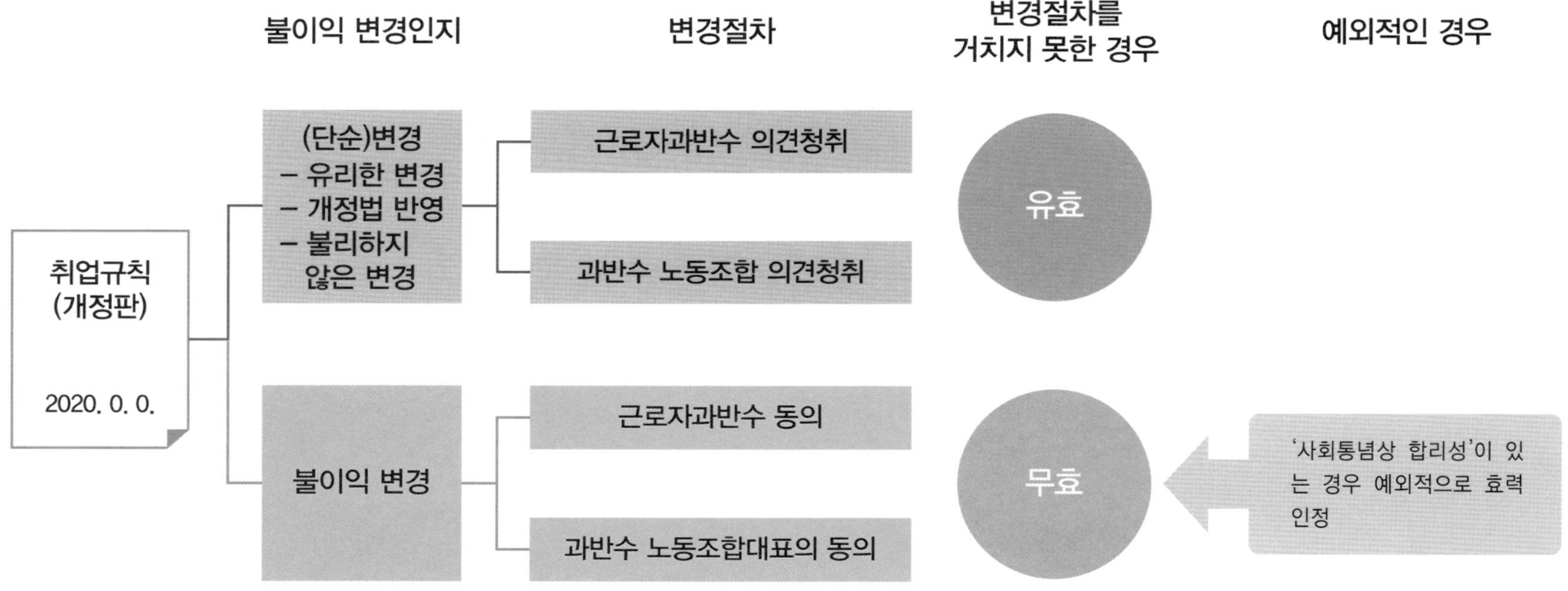
불이익 변경인지
변경절차
변경절차를 거치지 못한 경우
예외적인 경우
취업규칙 (개정판)
2020. 0. 0.
(단순)변경
– 유리한 변경
– 개정법 반영
– 불리하지 않은 변경
근로자과반수 의견청취
과반수 노동조합 의견청취
유효
불이익 변경
근로자과반수 동의
과반수 노동조합대표의 동의
무효
'사회통념상 합리성'이 있는 경우 예외적으로 효력 인정

(1) 법원으로서의 취업규칙과 취업규칙 변경에 관한 법적 절차

상시 10명 이상 근로하는 회사에 취업하면 그 회사에는 상여금, 장기근속수당, 교대근무형태, 승진, 징계 등 근로조건에 관해 이미 정해진 취업규칙이 있습니다. 취업규칙은 법이 아니지만 회사 내에서 법처럼 적용되기 때문에 근로자는 이에 따라야 하고, 어길 시에는 징계를 받을 수 있습니다.

또 앞서 설명한 것처럼 취업규칙은 '회사 내에서 최저기준으로서 근로조건'으로 기능하기 때문에 재직 중에 취업규칙이 변경되는 것은 경우에 따라 직장생활에 큰 영향을 미칠 수 있습니다.

이에 「근로기준법」은 사용자가 일방적으로 정한 취업규칙이지만 취업규칙에 반드시 기재하여야 할 근로조건을 규정하고, 취업규칙을 변경할 때에는 일정한 절차를 거치도록 정하고 있습니다.

(2) 불이익하지 않은 취업규칙 변경

상여금 지급률을 종전 10%에서 20%로 인상하는 등 근로자에게 유리하게 취업규칙을 변경하거나 「남녀고용평등법」의 개정으로 배우자출산휴가가 5일에서 10일로 확대되는 것을 반영하기 위해 취업규칙을 변경하는 경우 이를 반대할 근로자는 없습니다.

그럼에도 사용자는 근로자에게 유리한 근로조건의 변경, 불리하지 않은 근로조건의 변경 혹은 개정법의 반영을 위한 취업규칙 변경 시 과반수노동조합 혹은 근로자과반수의 의견을 들어야 합니다. 취업규칙이 회사 안에서는 법처럼, 모든 근로자가 따라야 할 규율로서 기능하기 때문입니다.

(3) 불이익한 취업규칙 변경

만약 사용자가 일방적으로 명절상여금을 없애겠다면서 취업규칙에서 상여금을 삭제하면, 근로자들의 임금이 낮아지고 이에 불응하는 근로자들은 징계를 받게 됩니다.

따라서 근로자에게 불이익하게 취업규칙을 변경하는 때에는 과반수노동조합, 과반수노동조합이 없으면 근로자과반수의 동의가 있어야 합니다. 사용자가 동의를 받지 않고 취업규칙을 변경하면 그 효력이 인정되지 않습니다.

(4) 동의받지 못한 취업규칙의 불이익 변경이 효력을 갖는 경우

사용자가 근로조건을 불이익하게 변경하겠다고 하면 과반수노동조합 혹은 근로자과반수가 선뜻 동의를 하지 않습니다. 동의를 받지 못하면 취업규칙은 변경할 수 없습니다. 변경해도 효력이 없으니 사용자가 만든 취업규칙이지만 사용자 마음대로 바꿀 수는 없게 된 것입니다.

어떠한 경우에도 취업규칙을 변경할 수 없다면 사용자가 매우 어려운 상황에 처할 수 있습니다. 이에 법원은 아주 예외적으로 "당해 취업규칙의 작성 또는 변경이 그 필요성 및 내용의 양면에서 보아 그에 의하여 근로자가 입게 될 불이익의 정도를 고려하더라도 여전히 당해 조항의 법적 규범성을 시인할 수 있을 정도로 사회통념상 합리성이 있다고 인정되는 경우"에는 과반수노동조합 혹은 근로자과반수의 동의가 없이 불이익하게 취업규칙을 변경하더라도 유효하다고 판시[6]한 바 있습니다.

취업규칙의 변경이 이루어진 시점

- 근로조건 저하
- 권리·이익 박탈
- 복무규율 강화

- 예상되는 불이익

불이익 변경이 아닌 사례	불이익 변경으로 본 사례
• 직제규정상 직급을 일부 하향조정하였으나, 인원 및 급여 면에서 변동이 없는 경우[7] • 승진평가시험 등 노무관리에 필요한 사항을 도입하는 경우[8] • 1일 소정근로시간을 연장하면서 근무일수를 단축하는 경우[9]	• 근로자의 정년을 단축하는 경우[10] • 취업규칙에 직위해제사유를 새롭게 추가하는 것[11] • 취업규칙 변경으로 근로자간 이익이 상충될 경우[12] • 간부급 직원들에게만 불이익 경우[13]

동의가 없는 불이익 변경이 유효한 '예외'의 경우

- 취업규칙을 근로자에게 불이익하게 변경하더라도 변경의 필요성과 내용에 있어 법적 규범성을 인정할 수 있을 정도로 '사회통념상 합리성'이 있는 경우 변경 취업규칙의 효력을 인정
  - 변경 시 근로자의 불이익 정도
  - 취업규칙 변경 필요성의 내용과 정도
  - 변경 취업규칙 내용의 상당성
  - 대상조치 등을 포함한 다른 근로조건의 개선상황
  - 노조와의 교섭경위 및 다른 근로자의 대응
  - 동종사항에 관한 국내 일반적인 상황
  - 취업규칙 변경에 따라 발생할 경쟁력 강화 등 사용자측의 이익증대 또는 손실감소를 장기적으로 근로자들도 함께 향유할 수 있는지에 관한 기업의 경영행태
- 다만, 사회통념상 합리성을 인정하는 것은 취업규칙 불이익 변경시 동의를 받도록 한 근기법을 사실상 배제하는 것이므로, 제한적으로 엄격하게 해석하여야 한다.

(1) '불이익 변경'의 의미 및 판단시점

'불이익 변경'이란 '취업규칙의 변경이 근로자가 종전에 가지고 있던 기득의 권리나 이익을 박탈하여 근로조건을 낮추거나 복무규율을 강화하는 것'을 의미합니다.

또 불이익 변경인지 여부는 '불이익 변경이 이루어진 시점'을 기준으로 판단하게 되는데, 지금 당장 적용되는 불이익뿐만 아니라 현재 불이익을 받지 않더라도 장차 변경된 취업규칙의 적용으로 인해 불이익을 받을 것이 예상된다면 취업규칙의 불이익 변경으로 봅니다.

(2) 불이익 변경으로 보지 않은 사례

총 소정근로시간은 유지하면서 1일 소정근로시간을 20분 연장하고 토요일을 휴무로 하는 것에 대해 고용노동부[14)]는 변경된 1일 근로시간이 법정근로시간 이내로서 변경폭이 크지 않고 근무일수를 축소하는 것이므로, 다른 사정이 없는 한 불이익한 취업규칙 변경으로 보기는 어렵다고 본 바가 있습니다.

(3) 불이익 변경으로 본 사례

회사의 '보직 부여 기준안'에 따라 1·2급 간부사원들이 종전에 3 내지 5급 직원들이 담당하던 업무를 맡을 수 있게 된 사례에서 법원은 이는 실질적으로는 징계의 일종인 강등과 유사한 결과를 초래하고 하위 직급 직원들도 장차 승진하면 그 영향을 받게 되므로 취업규칙의 불이익 변경으로 보았습니다.

(4) 동의가 없는 불이익 변경임에도 유효하다고 보는 경우

앞서 취업규칙상 근로조건을 불이익하게 변경할 때 과반수노동조합 혹은 근로자과반수의 동의가 없으면 해당 취업규칙 변경의 효력이 없다고 했습니다. 단, 여기에도 예외가 있습니다.

아주 예외적인 경우란 '사회통념상 합리성'이 있는 경우를 말하는데, 이하의 사항을 종합적으로 고려하여 판단합니다.

- 변경 시 근로자의 불이익 정도
- 취업규칙 변경 필요성의 내용과 정도
- 변경 취업규칙 내용의 상당성
- 대상조치 등을 포함한 다른 근로조건의 개선상황
- 노조와의 교섭경위 및 다른 근로자의 대응
- 동종사항에 관한 국내 일반적인 상황
- 취업규칙 변경에 따라 발생할 경쟁력 강화 등 사용자측의 이익증대 또는 손실감소를 장기적으로 근로자들도 함께 향유할 수 있는지에 관한 기업의 경영행태
- 다만, 사회통념상 합리성을 인정하는 것은 취업규칙 불이익변경시 동의를 받도록 한 근기법을 사실상 배제하는 것이므로, 제한적으로 엄격하게 해석하여야 함.

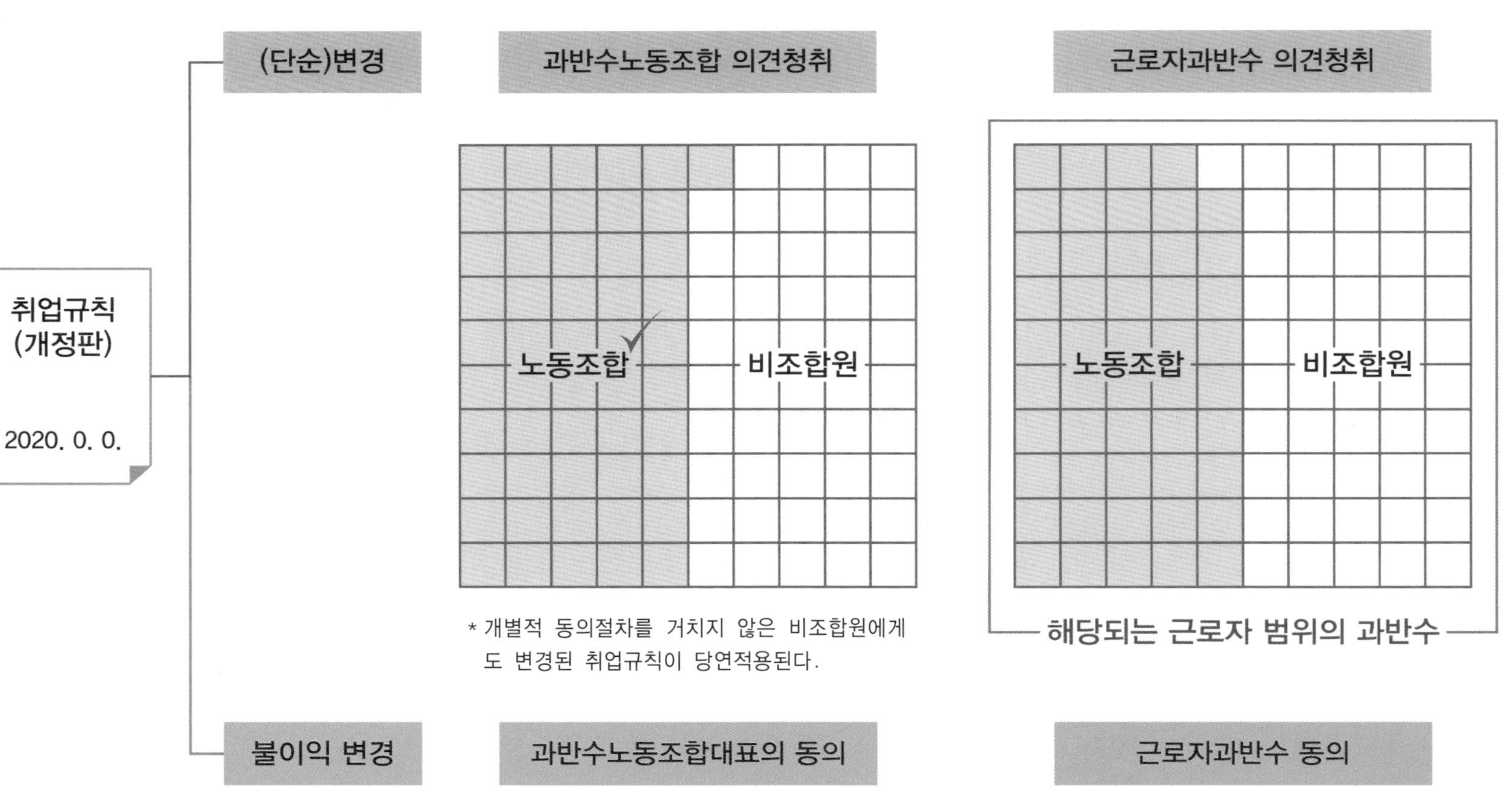
취업규칙
(개정판)
2020. 0. 0.
(단순)변경
과반수노동조합 의견청취
근로자과반수 의견청취
노동조합
비조합원
노동조합
비조합원
* 개별적 동의절차를 거치지 않은 비조합원에게 도 변경된 취업규칙이 당연적용된다.
해당되는 근로자 범위의 과반수
불이익 변경
과반수노동조합대표의 동의
근로자과반수 동의

(1) 노동조합이 있는 사업장의 취업규칙 변경

간부급 이상에만 적용되는 근로조건을 변경할 때 우리 회사에 노동조합이 있다면 어떤 기준으로 과반수를 정해야 할까요? 부장들은 노동조합에 가입할 수 없는데, 부장들 빼고 과반수노동조합인지를 살펴야 할까요?

(2) 노동조합에 가입할 수 없는 근로자들

우선 노동조합에 대해서 간략히 설명하겠습니다. '노동조합'이라 함은 '근로자가 주체가 되어 자주적으로 단결하여 근로조건의 유지·개선 기타 근로자의 경제적·사회적 지위의 향상을 도모함을 목적으로 조직하는 단체 또는 그 연합단체'를 말합니다.

「노동조합법」은 근로자의 단결권·단체교섭권 및 단체행동권을 보장할 목적으로 제정된 법률로서, 이 법에서 보호하는 노동조합의 요건을 따로 정하고 있습니다. 그중 하나가 '사용자 또는 항상 그의 이익을 대표하여 행동하는 자'를 노동조합에 가입시키지 않는 것입니다.

개인기업의 소유자인 '사업주', 법인기업에서 대표이사나 등기임원 등과 같은 '사업경영담당자', 근로자의 인사, 급여, 후생, 노무관리 등을 결정하거나 업무상 명령을 지휘·감독을 하는 간부급 직원인 '사업주를 위하여 행동하는 자' 그리고 인사, 총무, 경리, 비서 업무 등을 수행하는 '사용자의 이익대표자' 등이 노동조합에 가입하면 노동조합은 「노동조합법」에 따른 민·형사상 면책 등 보호를 받을 수 없습니다.

부장, 과장 등과 같은 간부급 직원이나 인사총무팀 소속 직원은 물론 경리와 비서업무를 수행하는 자들도 분명 임금을 받고 일을 하는 근로자입니다. 그런데 직급이나 맡은 직무 때문에 노동조합에 가입할 수 없어서 취업규칙 변경할 때 동의권을 박탈하는 것은 타당하지 않습니다.

(3) 해당되는 근로자 범위를 기준으로 과반수노동조합 여부를 판단

때문에 취업규칙 변경을 위한 동의 혹은 의견청취를 할 때에는 노동조합 가입대상을 기준으로 하는 것이 아니라 취업규칙 변경이 적용되는 해당근로자를 기준으로 해당노조가 과반수노동조합인지를 판단합니다.

우리 회사에 노동조합이 있더라도 취업규칙 변경이 적용되는 해당근로자를 기준으로 조합원의 수가 반을 넘지 못한다면 과반수노동조합이 아닙니다. 따라서 노동조합이 아닌 해당근로자들을 기준으로, 불이익하지 않은 변경인 경우에는 과반수근로자의 의견청취를, 불리한 변경인 경우에는 과반수근로자의 동의를 받아야 합니다.

(4) 개별적 동의절차를 거치지 않은 비조합원

과반수노동조합이 취업규칙 불이익 변경에 동의했으나 사용자가 노동조합에 가입하지 않은 근로자에게 동의여부를 물어보지 않거나 동의하지 않은 경우는 어떻게 될까요?

아쉽게도 과반수노동조합이 있는 사업장이라면 비조합원에게 취업규칙 불이익 변경여부를 물어보지 않아도, 물어봤으나 동의하였는지 여부를 살피지 않고 과반수노동조합의 동의 시 변경된 취업규칙이 적용됩니다. 개별근로자가 아닌 과반수노동조합의 동의가 취업규칙 불이익 변경을 위한 법적 요건이기 때문입니다.

• 일부근로자에게만 불이익한 변경인 경우

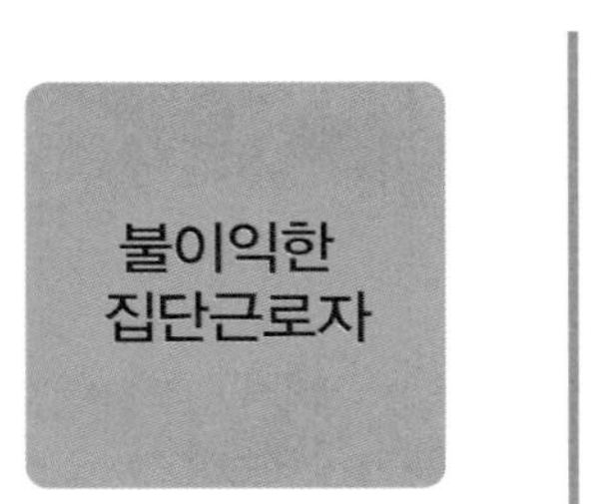

그렇지 않은
집단근로자

• 간부급 직원들에게만 불이익한 경우

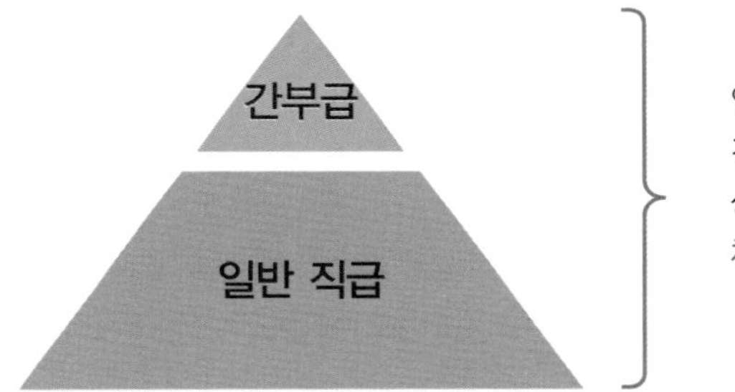

일부 근로자 집단은 물론 장래 변경된 취업규칙 규정의 적용이 예상되는 근로자 집단을 포함한 전체 근로자 집단

• 일부는 유리하고 다른 일부는 불이익한 경우
(전체적으로 불이익을 단정하기 어려운 경우)

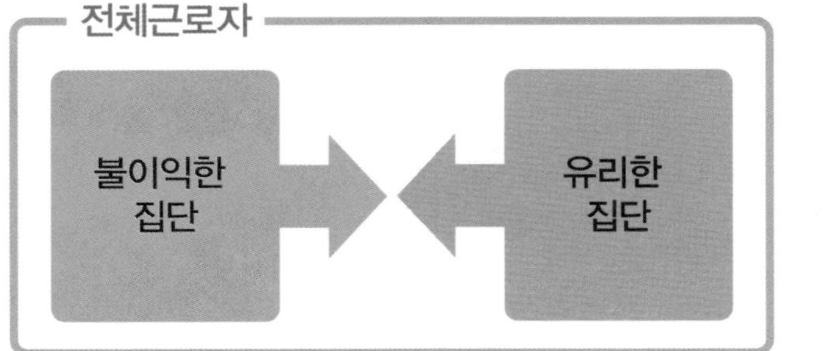

• 취업규칙 변경된 이후에 입사한 근로자

동의받지 못한 취업규칙 변경

불이익한 취업규칙에 대해 과반수 근로자(과반수 노동조합)의 동의를 받지 못한 경우 무효(원칙)

변경 이후 입사자는
불이익한 취업규칙 적용

(1) 노동조합이 없는 사업장의 취업규칙 변경

우리나라는 노동조합이 있는 사업장보다는 노동조합이 없는 사업장이 많고, 조합원인 근로자보다는 조합에 가입하지 않은 근로자가 더 많습니다. 회사에 노동조합이 없는 경우, 노동조합이 있으나 과반수노동조합이 아닌 경우에 취업규칙 변경의 절차와 요건을 살펴보겠습니다.

(2) 일부근로자에게만 불이익한 경우

앞서 과반수노동조합은 취업규칙의 변경이 적용되는 해당근로자를 기준으로 과반수노동조합인지를 판단한다고 설명했습니다. 노동조합이 없는 경우에도 회사 내에서 일부 근로자에게만 불이익하게 취업규칙이 변경된다면, 불이익을 받는 근로자들을 기준으로 과반수근로자의 동의를 받으면 됩니다.

예를 들어 영업직에게만 통신비가 지급되고 영업직이 아닌 직원은 통신비를 지급받지 않는다면, 통신비지원규정은 오롯이 영업직에게만 적용되는 취업규칙입니다. 통신비지원규정을 삭제하기 위해서는 영업직 직원의 과반수 동의를 받아야 합니다.

(3) 현재 일부에게만 불이익하나 장래 전체에게 불이익이 예상되는 경우

현재 통신비를 사원에게는 지급하지 않고 과장급 이상에게만 지급된다면 당장은 통신비지원규정을 삭제하더라도 사원들에게 불이익하지 않으나 언젠가 과장, 부장이 되면 통신비를 못 받게 됩니다. 현재 통신비를 지원받는 과장이나 부장뿐만 아니라 대리나 사원과 같은 하급직 직원도 취업규칙 변경이 영향을 받는 것입니다.

따라서 일부 근로자 집단은 물론 장래 변경된 취업규칙의 적용이 예상되는 근로자집단을 포함한 전체 근로자가 취업규칙 변경에 대한 동의권을 행사하여야 합니다.

(4) 일부는 유리하고 다른 일부는 불리한 경우 등

영업직의 통신비를 5만 원에서 3만 원으로 낮추되, 통신비를 지원하지 않던 사무직에게 통신비를 3만 원으로 지급하기로 통신비지급규정이 변경된다면, 사무직에게는 유리하고 영업직에게는 불리하게 됩니다.

이처럼 취업규칙의 변경이 일부 근로자에게는 유리하고 다른 일부에게는 불리한 경우, 취업규칙 변경내용 중 일부 규정은 유리하나 다른 규정은 불리해지는 경우, 취업규칙의 변경이 근로자 전체에게 유리한지 불리한지 객관적으로 평가하기 어려운 경우 등에는 근로자에게 불리한 것으로 취급하여 근로자들의 전체의사에 따라 결정하도록 합니다.

(5) 취업규칙 변경 이후에 입사한 신입근로자

취업규칙은 회사에 입사하여야 근로자에게 근로조건에 관한 법처럼 작용합니다. 따라서 사용자가 취업규칙을 불이익하게 변경함에 있어서 근로자의 동의를 얻지 않고 변경하면 기존에 근무하던 근로자에게는 취업규칙의 불이익 변경을 적용할 수 없습니다. 그러나 새롭게 입사한 근로자에게는 사용자가 일방적으로 변경한 취업규칙만이 적용됩니다.

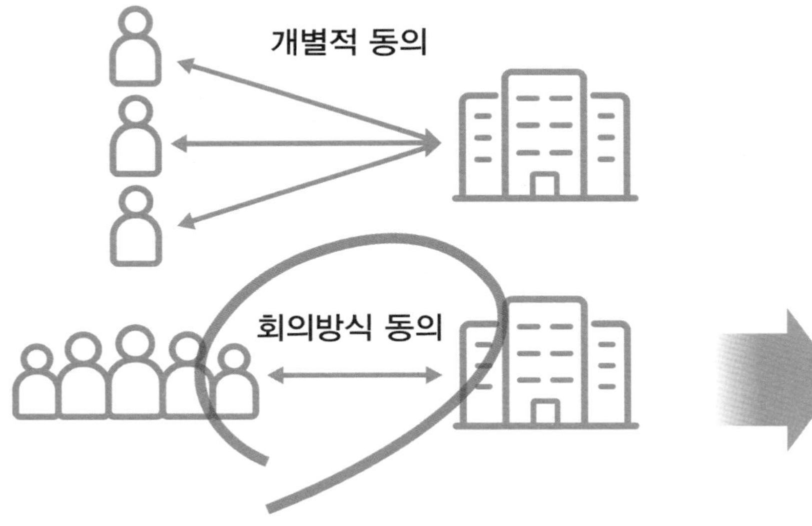

'동의'의 방식

사용자가 취업규칙의 변경에 의하여 기존의 근로조건을 근로자에게 불이익하게 변경하려면 종전 근로조건 또는 취업규칙의 적용을 받고 있던 근로자의 집단적 의사결정방법에 의한 동의를 요한다.

유효한 동의의 방식[15)]

- 근로자들의 회의방식에 의한 과반수의 동의
- 회의방식에 의한 동의: 사업 또는 한 사업장의 기구별 또는 단위 부서별로 사용자측의 개입이나 간섭이 배제된 상태에서 근로자 간에 의견을 교환하여 찬반을 집약한 후 이를 전체적으로 취합하는 방식
- 사용자 측의 개입이나 간섭: 사용자 측이 근로자들의 자율적이고 집단적인 의사결정을 저해할 정도로 명시 또는 묵시적인 방법으로 동의를 강요하는 경우
- 사용자 측이 단지 변경될 취업규칙의 내용을 근로자들에게 설명하고 홍보하는 데 그친 경우

무효인 동의의 방식

- 단순 회람 방식에 의한 연명 동의
- 당시 보수규정이 유효하다고 여기고 있었고, 그에 따른 보수를 지급받은 직원이 이의가 없었던 사정

(1) 집단적 회의방식에 의한 동의

「근로기준법」에는 취업규칙의 불이익 변경 시에 과반수근로자의 동의를 받도록 정하고 있을 뿐, 구체적인 동의의 방식이나 시기에 대해서는 정하고 있지 않습니다. 연봉계약서에 서명하듯이 근로자별로 취업규칙 불이익 변경에 서명을 받으면 될까요?

법원은 노동조합이 없는 경우에는 근로자들의 "회의방식에 의한 과반수의 동의"를 받아야 할 것을 요구하고 있습니다. 인사팀과 연봉계약서에 서명하듯이 근로자가 각자 취업규칙의 불이익 변경에 동의하는 것은 무효입니다. 노동조합이 없는 회사의 근로자도 취업규칙의 불이익 변경에 있어서는 근로자들이 모여 서로의 의견을 들을 수 있는 기회를 통해 동의여부를 결정하도록 한 것입니다.

현실적으로 한 장소에 모든 근로자가 모이는 것이 어려울 수 있으므로 '사업 또는 한 사업장의 기구별 또는 단위 부서별로 사용자측의 개입이나 간섭이 배제된 상태에서 근로자 간에 의견을 교환하여 찬반을 집약한 후 이를 전체적으로 취합하는 방식'도 가능합니다.

여기서 '사용자 측의 개입이나 간섭'은 '사용자 측이 근로자들의 자율적이고 집단적인 의사결정을 저해할 정도로 명시 또는 묵시적인 방법으로 동의를 강요하는 경우'를 의미하고, 사용자가 단지 변경될 취업규칙의 내용을 근로자들에게 설명하고 홍보하는 데 그친 경우에는 사용자 측의 부당한 개입이나 간섭이 있었다고 보지 않습니다.

(2) 구체적인 동의의 방식

취업규칙 변경 시 사용자가 근로자들에게 동의를 어떻게 받아야 하는지에 대해서 「근로기준법」에서 정하고 있지 않으므로, 동의의 방식은 제한이 없습니다. 따라서 근로자 동의 방법에 있어 의사표시가 기명방식이던 무기명방식이던 간에 회의방식에 의한 동의절차가 이루어지고 객관적으로 사용자의 개입이나 간섭이 배제된 상태에서 의사표시가 진행되었다는 것만 입증 및 확인되면 됩니다.

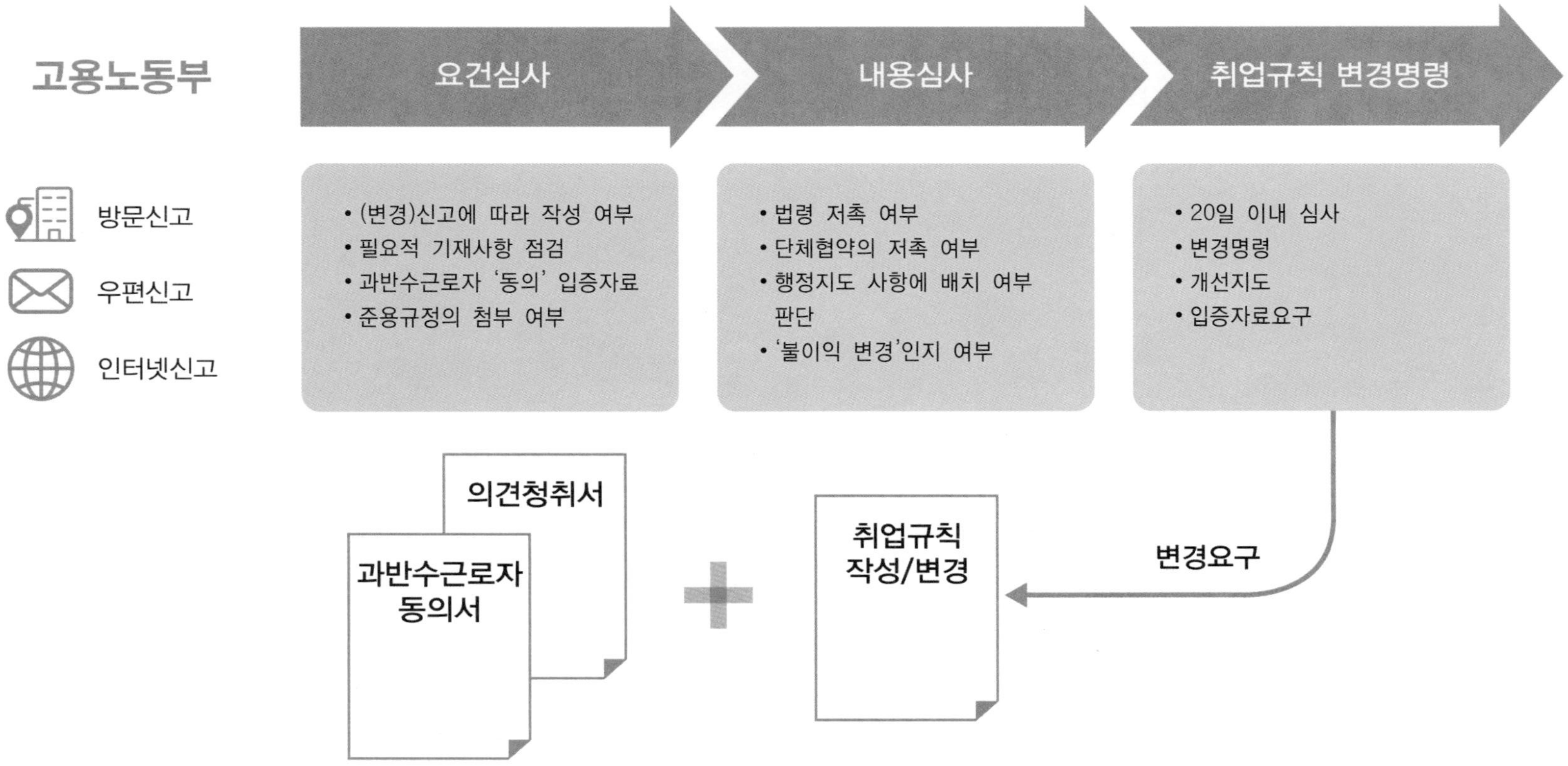

고용노동부

- 방문신고
- 우편신고
- 인터넷신고

요건심사
- (변경)신고에 따라 작성 여부
- 필요적 기재사항 점검
- 과반수근로자 '동의' 입증자료
- 준용규정의 첨부 여부

내용심사
- 법령 저촉 여부
- 단체협약의 저촉 여부
- 행정지도 사항에 배치 여부 판단
- '불이익 변경'인지 여부

취업규칙 변경명령
- 20일 이내 심사
- 변경명령
- 개선지도
- 입증자료요구

의견청취서

과반수근로자 동의서

\+

취업규칙 작성/변경

변경요구

(1) 취업규칙 작성 및 변경신고

상시 근로하는 근로자 수가 10명이 넘으면 사용자는 취업규칙을 작성하여 이를 고용노동부장관에게 신고하여야 하고, 취업규칙이 변경된 때에도 변경내용을 고용노동부장관에게 신고하여야 합니다.

사용자는 사용자사업장에서 가까운 고용노동청 또는 고용노동지청에 방문 또는 우편으로 취업규칙 작성 및 변경 신고를 하여야 하는데, 민원24(www.minwon.go.kr)를 통해 인터넷으로 신고하는 것도 가능합니다.

(2) 취업규칙의 요건심사

고용노동부는 사용자가 신고한 취업규칙 중 업무의 시작과 종료 시각, 휴게시간, 휴일, 휴가에 관한 사항 등 모든 사업장에서 반드시 기재하여야 하는 사항이 누락되지 않았는지 점검하고, 과반수노동조합 혹은 근로자과반수의 의견청취서 등 필요서류가 첨부되었는지를 심사합니다.

(3) 취업규칙의 내용심사

또한 취업규칙의 내용에 있어서 「근로기준법」, 「남녀고용평등법」 등 노동관련 법률에 저촉되는지, 개정법을 반영하였는지 등을 검토하고 심사합니다.

(4) 취업규칙 변경명령

사용자가 취업규칙 작성 및 변경신고를 하면 고용노동부는 이를 20일 이내에 심사하여야 하는데, 취업규칙의 요건이나 내용 심사 중 위법한 부분에 대해서는 변경명령을 내립니다.

03

근로시간

- 근로시간 정의
- 근로시간 측정방법
- 근로시간 산정기준
- 근로시간 상한
  (1주 40시간+연장 12시간)

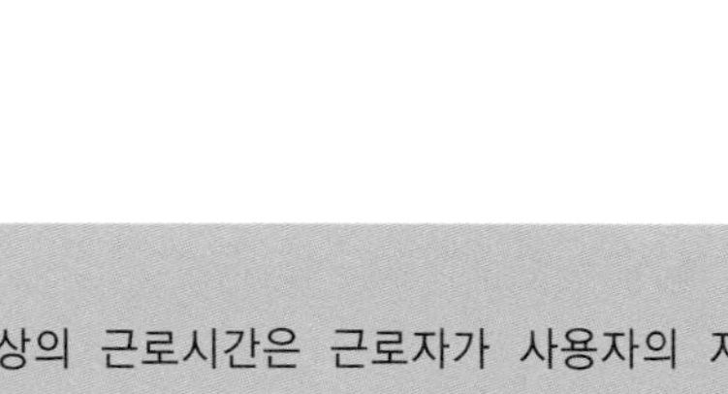

근로기준법상의 근로시간은 근로자가 사용자의 지휘·감독 아래 근로계약상의 근로를 제공하는 시간을 말한다.[16)]

구분	근로시간	대기시간	휴게시간
사업장 내	○	○	○
사용자의 지휘감독	○	○	X
실제 '근로' 제공여부	○	X	X
임금지급의무여부	○	○	X

☞ 근로기준법으로 최대근로시간을 제한함.

(1) 근로시간의 의미

회사에서 일하는 시간이 근로시간일까요? 회사 밖에서 일하는 근로자는 근로시간을 어떻게 확인할까요? 업무성과를 달성해야 근로시간일까요? 손님이 없어서 일을 못하고 회사에 있는 시간은 근로시간인가요? 사실 우리는 회사 안이든 밖이든, 일을 하든 안 하든, 일을 잘하든 못하든 월급을 받습니다. 일하는 시간은 물론 일을 안 하는 시간도 근로시간인데, 대체 근로시간은 무엇일까요?

「근로기준법」에는 1주에 40시간과 연장근로 12시간을 포함해 1주 최대 52시간 이하로 일을 할 수 있다고 정하고 있을 뿐 근로시간이 무엇인지 정한 바가 없습니다. 근로시간에 대한 정의가 없기 때문에 법원은 '근로자가 사용자의 지휘·감독 아래 근로계약상의 근로를 제공하는 시간'을 근로시간이라고 말합니다.

근로시간은 실제 일을 하는 시간이 아니라 '사용자의 지휘·감독 하에 있는 시간'이기 때문에 일을 하였는지, 일을 한 장소가 회사 내인지, 일을 통한 성과가 있는지는 살피지 않습니다. 다시 말해 근로시간 해당 여부는 사용자의 지시 여부, 업무수행(참여)의무 정도, 수행이나 참여를 거부한 경우 불이익 여부, 시간·장소 제한의 정도 등 구체적 사실관계를 따져 사례별로 근로시간에 해당하는지를 판단합니다.

여기서 사용자의 지휘·감독은 명시적인 것뿐만 아니라 묵시적인 것도 포함합니다.

(2) 근로시간의 특징

① 근로시간의 정의뿐만 아니라 근로시간을 산정하는 방법도 정한 바가 없습니다. 작업을 위하여 근로자가 사용자의 지휘·감독 아래에 있는 대기시간은 근로시간으로 봅니다.

② 근로시간에 대해서는 사용자는 임금지급의무를 부담하는데 앞서 설명한 것과 같이 실제 근로하였는지가 아닌 지휘·감독 하의 시간에 대해 임금을 지급하여야 합니다. 출장시간은 물론 사용자가 의무적으로 실시하도록 정한 직무교육시간, 사용자 워크숍·세미나시간, 업무수행을 위한 고객사 접대시간 등도 모두 근로시간에 해당됩니다.

③ 대기시간과 휴게시간은 모두 사업장 내에 머무는 시간이고 실제 근로를 제공하지 않는다는 점에서 같습니다. 그러나 휴게시간은 자유롭게 이용할 수 있는 시간으로서 사용자의 지휘·감독을 받지 않으므로 근로시간이 아니고, 대기시간은 사용자의 업무명령 시 근로를 제공하여야 하는 근로시간에 포함됩니다. 때문에 대기시간에 대해서는 반드시 임금을 지급하여야 하지만, 휴게시간에 대해서 사용자는 임금을 지급해도 되고 지급하지 않아도 됩니다.

④ 1일 8시간, 1주 40시간 이하로 근무하되 1주 12시간을 한도로 연장근로할 수 있다는 등 「근로기준법」상 최대 근로할 수 있는 시간의 한도를 정해놓았으나 근로시간의 하한은 정해져 있지 않습니다.

종전

- 1주 68시간까지 근로가능
  (주 40시간+연장 12시간+휴일 16시간)
- 8시간 미만 휴일근로시 150%, 8시간 초과시 200%

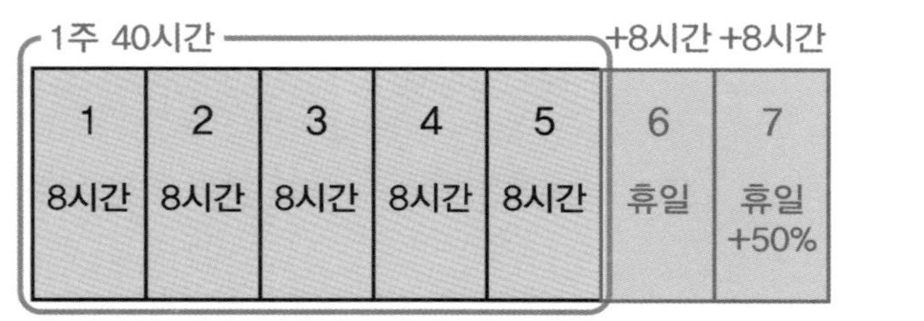
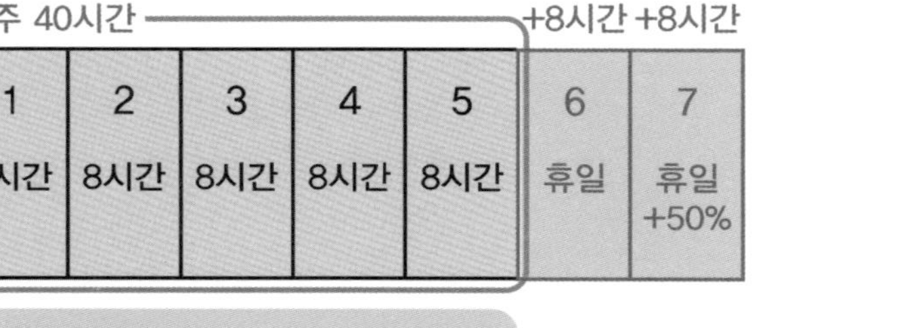

현행

- 1주 52시간까지(주 40시간+연장 12시간) 근로 가능
- 사실상 휴일근로 불가능
- 8시간 미만 휴일근로시 150%, 8시간 초과시 200%

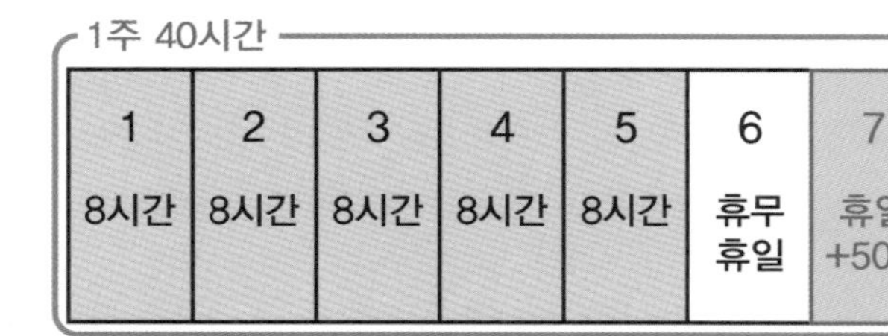

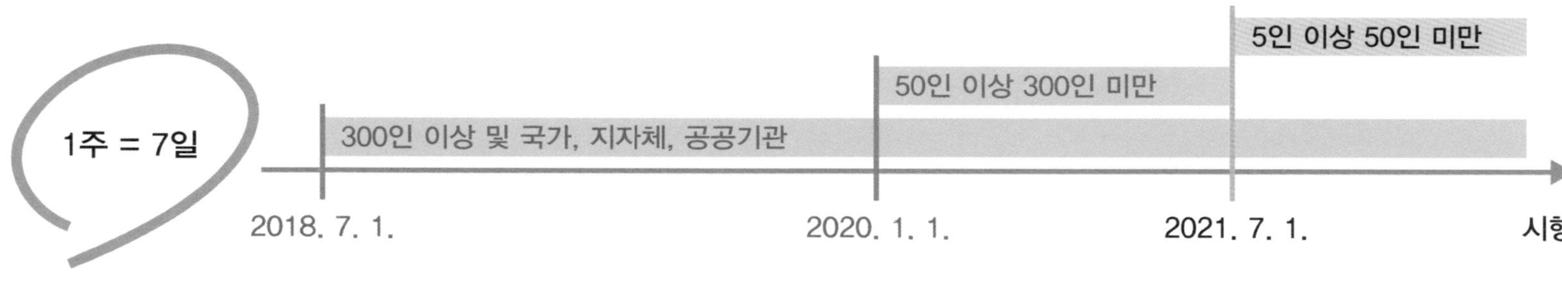

(1) 근로시간 단축의 쟁점

우리나라 근로시간은 1주 48시간에서 44시간으로, 44시간에서 40시간으로 단축되어 왔습니다. '주 5일 근무'라고 말하는 1주 40시간의 근로시간이 전 사업으로 확장된 것도 10년 가까이 되었는데, 주 52시간이라는 것은 무엇을 말하는 것일까요?

'주 52시간'은 1주의 소정근로시간인 40시간과 1주의 연장근로시간인 12시간을 합하여 주당 최대근로시간이 52시간이라는 것을 말합니다.

'소정근로시간'이란 1일에 8시간까지, 1주에 40시간까지의 범위 내에서 근로자와 사용자 사이에 근로하기로 정한 시간을 말합니다. 연장근로시간은 말 그대로 본래 일하는 시간보다 실제로 길게 일한 시간입니다. 그런데 근로시간에 대해서 다툼이 있었던 이유는 바로 여기에 있습니다.

「근로기준법」에 '1주'의 의미가 무엇인지 정해져 있지 않았습니다. 이 때문에 소정근로시간인 '1주 40시간'을 근로함에 있어서 월요일부터 금요일까지 주 5일을 근로한다면 근무하는 5일만을 1주로 보아야 한다는 것이 대부분의 의견이었습니다.

"1주는 월, 화, 수, 목, 금, 토, 일…7일이지, 왜 5일이냐, 말도 안 된다"라고 생각하실 수 있습니다. 하지만 월요일부터 금요일까지 근무하고 일요일은 휴일이라고 한다면 토요일은 일을 하기로 약속한 소정근로일은 아니고, 일을 안 하는 휴일이라고 정한 적이 없는 날이 됩니다.

주말에 쉬는 것과 별개로, 소정근로일은 '일을 하기로 약속한 날'인데 일을 해야 하는지 말아야 하는지 정한 적이 없으므로, 토요일이 소정근로일이 아닌 것은 분명합니다. 주말에 일을 하면 이는 휴일근로인데, 이는 연장근로일까요? 연장근로가 소정근로일에 더 길게 근무하는 것만을 말하는 것인지, 소정근로일뿐만 아니라 휴일에 더 길게 근무하는 것도 포함하는지도 정한 적이 없었습니다. 게다가 이 문제가 불거지기 전부터 연장근로와 휴일근로는 각각 따로 보고 있었기 때문에 복잡한 상황이 반복되었습니다.

「근로기준법」에 1주에 대해서 정한 적이 없어서, 연장근로와 휴일근로는 다른 것으로 보고 있어서, 토요일을 휴일로 정한 회사의 근로자들은 '월요일부터 금요일까지 40시간'을 일하고 토요일에 '휴일근로 8시간'과 원래 쉬는 일요일에 '8시간 휴일근로'를 하면 주 68시간까지 적법하게 근로할 수 있었습니다.

(2) 1주는 휴일을 포함한 7일

당연한 것 같은 '1주는 휴일을 포함한 7일'을 「근로기준법」에 정함으로써 비로소 1주의 근로시간이 '주 52시간'이 되었습니다.

근로시간이 단축되면 모두가 반길 것 같지만, 연장근로와 휴일근로에 대해서는 통상임금의 50% 이상을 가산하여 지급하기 때문에 1주 68시간 일하던 회사의 근로자들은 이로 인해 임금이 30% 가까이 감소하게 됩니다.

이에 상시근로자 수에 따라 대기업부터 차례로 주 52시간이 도입되고 있습니다.

- 휴게시간 정의
- 휴게시간 측정방법
- 휴게시간 이용방법
- 최소 휴게시간 부여기준

근로시간	휴게시간	근거규정
4시간 미만	X	근로기준법 제54조
4시간~8시간 미만	30분	근로기준법 제54조
8시간	1시간	근로기준법 제54조
8시간~12시간 미만	1시간 30분	고용노동부 행정해석[18]

☞ 근로기준법으로 최소 휴게시간 부여를 강제함.

휴게시간이란 근로자가 근로시간 중에 사용자의 지휘·감독으로부터 벗어나 근로의무에서 이탈하여 자유로이 이용할 수 있는 시간을 말한다.[17]

(1) 휴게시간의 의미

근로시간에 대해서 정한 것이 없는 것처럼 「근로기준법」에 휴게시간의 정의나 산정방법 등도 정한 바가 없습니다.

법원은 휴게시간이란 '근로자가 근로시간 중에 사용자의 지휘·감독으로부터 벗어나 근로의무에서 이탈하여 자유로이 이용할 수 있는 시간'이라고 말합니다.

여기서 말하는 '자유로운 이용'이 무제한의 자유를 말하는 것은 아니고 사용자의 시설을 이용하는 것이므로 그 이용 장소와 방법에 있어서 최소한의 제약은 있습니다.

법률상 근로시간과 휴게시간은 엄격이 구분되지만 실제로 일을 하지 않는 시간인 대기시간과 휴게시간을 구분하기가 모호할 때가 많습니다. 이에 법원[19)]은 "근로계약에서 정한 휴식시간이나 수면시간이 근로시간에 속하는지 휴게시간에 속하는지는 특정 업종이나 업무의 종류에 따라 일률적으로 판단할 것이 아니다. 이는 근로계약의 내용이나 해당 사업장에 적용되는 취업규칙과 단체협약의 규정, 근로자가 제공하는 업무의 내용과 해당 사업장에서의 구체적 업무 방식, 휴게 중인 근로자에 대한 사용자의 간섭이나 감독 여부, 자유롭게 이용할 수 있는 휴게 장소의 구비 여부, 그 밖에 근로자의 실질적 휴식을 방해하거나 사용자의 지휘·감독을 인정할 만한 사정이 있는지와 그 정도 등 여러 사정을 종합하여 개별 사안에 따라 구체적으로 판단하여야 한다."는 입장입니다.

(2) 휴게시간의 특징

① 사용자는 근로시간이 4시간인 경우에 30분 이상을, 8시간인 경우에 1시간 이상을 휴게시간으로 부여하여야 하는데, 8시간 이상 근로하는 경우에도 사용자는 4시간마다 30분씩 휴게시간을 추가로 부여하여야 합니다.

② 최대근로시간을 정한 것과 반대로 휴게시간은 '최소' 부여하여야 할 기준을 준수하여야 하기 때문에 휴게시간을 전혀 갖지 않고 8시간만 근무하는 것은 법상 허용되지 않습니다. 때문에 회사에 8시간 있는 근로자는 최소 30분 이상은 쉬고 7시간 30분 이하로만 근로할 수 있습니다.

③ 휴게시간은 근로자가 자유롭게 이용할 수 있지만 금연시설의 이용, 휴게실이용수칙, 사내식당 이용방침 등 휴게시간 이용에 관해 회사에서 정한 최소한의 규율은 따라야 합니다.

휴게시간은 근로시간 도중에 부여하여야 한다.

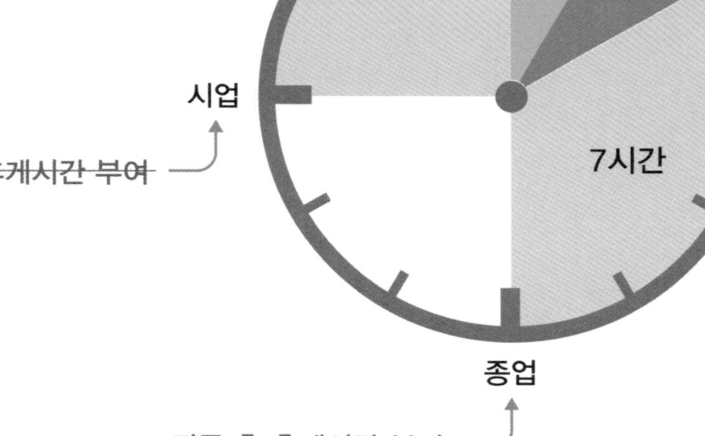

~~출근 전 휴게시간 부여~~

~~퇴근 후 휴게시간 부여~~

☞ 휴게시간은 근로시간 전후로는 부여할 수 없음.

☞ 휴게시간은 무급으로 부여하는 것이 원칙이나 유급으로 부여할 수 있음.

휴게시간은 근로시간에서 제외한다.

휴게

휴게

	회사 내 시간	11시간	>	2시간
−	휴게시간	9시간	>	1시간
=	근로시간	2시간	<	4시간

(1) 근로시간 도중에 휴게시간 부여

9시에 출근해서 6시에 퇴근하는 직원이 전혀 안 쉬고 열심히 일한 뒤에 5시에 퇴근하는 것이 가능할까요? 최소 1시간을 쉬어야 한다면, 퇴근시간을 1시간 앞당기면서 쉬고 싶은 근로자가 있을 것입니다.

안타깝게도 출근 전이나 퇴근 후에 휴게시간을 부여할 수는 없습니다. 사용자는 휴게시간을 근로시간 '도중에' 부여하여야 하기 때문입니다. 「근로기준법」은 최저기준으로서 근로조건이기 때문에 근로자 본인도 자신의 근로조건을 낮출 수 없습니다.

따라서 8시간 근로해야 한다면 근로시간 도중에 1시간을 쉬어야 하고, 퇴근을 앞당길 수는 없습니다.

(2) 휴게시간은 근로시간에서 제외

하루에 8시간 근로라면 오전 9시에 출근해서 오후 5시에 퇴근해야 하는데, 왜 오후 6시에 퇴근할까요? 휴게시간은 근로시간에서 제외되기 때문입니다.

아주 당연한 말처럼 들리지만 휴게시간이 근로시간에서 제외된다는 것은 매우 중요한 개념입니다. 오전 9시에 출근해서 오후 8시에 퇴근하는데 휴게시간이 10시간이라면, 회사에 11시간 있어도 근로시간은 단 2시간 뿐입니다.

(3) 휴게시간은 무급이 원칙

휴게시간은 '최소' 부여기준만 있으므로, 휴게시간이 긴 것은 법적으로 문제가 없습니다. 근로자 입장에서 휴게시간이 지나치게 길어지는 것이 좋기만 한 것은 아닙니다.

회사에 오래 있지만 임금은 그만큼 올라가지 않습니다. 휴게시간에 대해서 임금을 지급하라는 규정이 없으므로 사용자는 휴게시간에 대해서 임금을 지급하지 않아도 됩니다.

만약, 임금을 지급하더라도 이는 근로시간이 아니어서 최저임금 등이 적용되지 않습니다. 회사의 정책, 노사합의, 근로계약 등에 따라 임의로 정한 금원을 유급휴게 수당으로 지급하면 됩니다.

근로기준법

① 사용자는 연장근로에 대하여는 통상임금의 100분의 50 이상을 가산하여 근로자에게 지급하여야 한다.

② 제1항에도 불구하고 사용자는 휴일근로에 대하여는 다음 각 호의 기준에 따른 금액 이상을 가산하여 근로자에게 지급하여야 한다.

1. 8시간 이내의 휴일근로: 통상임금의 100분의 50
2. 8시간을 초과한 휴일근로: 통상임금의 100분의 100

③ 사용자는 야간근로(오후 10시부터 다음 날 오전 6시 사이의 근로를 말한다)에 대하여는 통상임금의 100분의 50 이상을 가산하여 근로자에게 지급하여야 한다.

지급조건

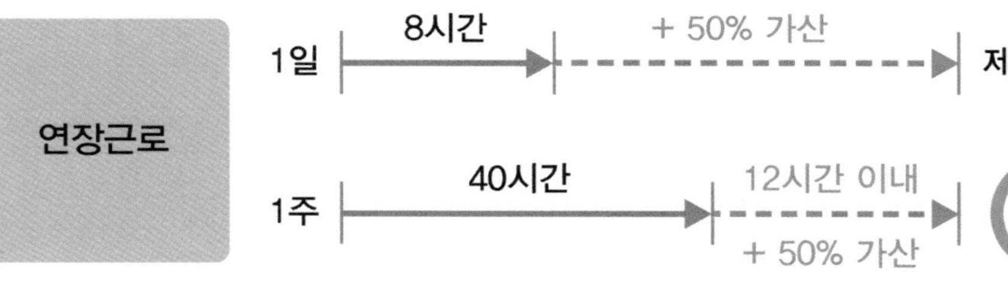

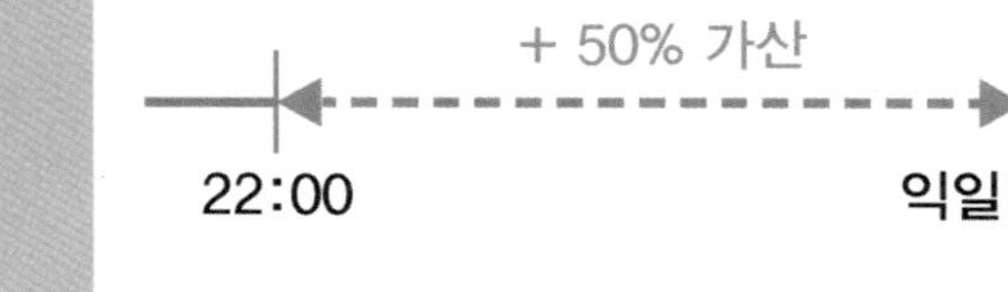

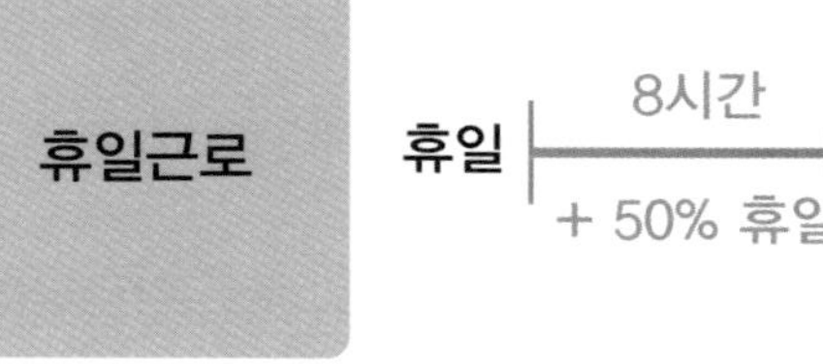

(1) 연장근로

연장근로는 소정근로시간 이상 근로하는 것을 말합니다. 소정근로시간은 '1일 8시간, 1주 40시간의 범위 내에서 근로자와 사용자 사이에 정한 근로시간'인데, 1일 10시간씩 4일간만 일하기로 정하였더라도 1일 8시간을 초과하는 2시간은 연장근로가 됩니다. 1일 8시간씩 6일 일하기로 정한 경우도 1주 40시간을 초과하였으므로 8시간은 연장근로가 됩니다.

1일의 8시간을 초과하거나 1주에 40시간을 초과하는 연장근로는 1주에 최대 12시간까지만 가능하고, 연장근로시간에 대해 사용자는 통상임금의 50% 이상을 가산하여 지급하여야 합니다.

(2) 야간근로

오후 10시부터 다음 날 6시까지 근로하는 것은 「근로기준법」상 야간근로이고, 야간근로에 대해서는 통상임금의 50% 이상을 가산하여 지급하여야 합니다.

일반적으로 퇴근시간 이후로 근무하는 것을 야근이라고 하나, 야간근로는 연장근로와 같은 상대적인 개념이 아니라 야간근무시간대에 근로하면 야간근로에 해당하는 절대적인 개념입니다.

때문에 야간시간대에 근로하는 시간의 제한은 없고, 건강에 부정적인 영향을 미칠 수 있는 야간근로의 특성을 고려하여 만 15세 이상 18세 미만인 연소근로자나 임신근로자, 산후 1년 미만인 여성근로자에 대해 원칙적으로 야간근로를 금지하고 있습니다.

(3) 휴일근로

휴일근로 역시 야간근로와 마찬가지로 휴일에 근로하면 휴일근로로 보는 절대적인 개념입니다. 여기서 휴일은 주휴일 및 근로자의 날과 같은 법정휴일뿐만 아니라 회사창립기념일 등과 같은 약정휴일도 모두 포함됩니다.

종전에는 휴일근로와 연장근로를 각각 별개의 개념으로 보았으나, '1주는 휴일을 포함한 7일'이 명문화되면서 '8시간 이내의 휴일근로'에 대해서는 통상임금의 50% 이상을, '8시간을 초과하는 휴일근로'에 대해서는 통상임금의 100%를 가산하여 지급하도록 「근로기준법」이 개정되었습니다.

연소근로자, 임신근로자, 산후 1년 미만인 여성근로자에게는 휴일근로가 원칙적으로 허용되지 않습니다.

구분	일반근로자	임신근로자	산후 1년 미만 여성근로자	연소근로자(15~18세)
1일 제한	• 8시간	• 8시간	• 8시간	• 7시간
1주 제한	• 40시간	• 40시간	• 40시간	• 35시간
연장근로 제한	• 1일 연장제한 없음 • 1주 12시간 • 유해위험작업 연장금지	연장근로 절대금지	• 1일 2시간 한도 • 1주 6시간 한도 • 1년 150시간 한도	• 1일 1시간 한도 • 1주 5시간 한도
휴일 및 야간 근로 제한	• 시간 제한 없음 – 단, 여성근로자 동의필요	• 원칙적 금지 – 단, 근로자의 명시적 청구 및 고용노동부장관의 인가 시 예외적 허용	• 원칙적 금지 – 단, 근로자의 동의 및 고용노동부장관의 인가 시 예외적 허용	• 원칙적 금지 – 단, 근로자의 동의 및 고용노동부장관의 인가 시 예외적 허용
유연근무제 적용여부		• 탄력근무제 적용불가		• 탄력근무제 적용불가 • 선택근무제 적용불가

(1) 일반근로자*

일반근로자의 연장근로는 1주에 12시간을 한도로 당사자 간에 합의로 실시할 수 있습니다. 연장근로는 1주에 12시간이라는 제한만 있으므로 1일 연장근로시간에 대한 제한은 없습니다. 다만, 잠수, 잠압과 같은 유해위험작업에는 연장근로 자체가 허용되지 않습니다.

야간근로와 휴일근로는 해당 시간 혹은 해당일에 근로하면 가산임금을 지급하여야 하는 절대적 개념이므로 근무시간의 한도가 없습니다.

휴일 및 야간근로는 회사의 업무상 필요성 등에 따라 사용자의 명시적인 지휘명령으로 수행하여야 하는 경우가 많으므로 여성근로자에게 야간 또는 휴일근로를 시키기 위해서는 여성근로자의 동의를 받아야 합니다.

(2) 임신근로자

임신 중인 여성근로자는 어떠한 경우에도 연장근로가 금지되고, 휴일근로와 야간근로도 원칙적으로 허용되지 않습니다.

임신근로자가 휴일 내지 야간근로를 하기 위해서는 근로자의 건강 및 모성보호를 위해 그 시행 여부와 방법 등에 관하여 '근로자대표와 성실하게 협의'하고 '임신근로자의 명시적 청구'와 '고용노동부장관의 인가'가 있어야 합니다.

그런데 주 52시간으로 실근로시간이 단축되면서 임신근로자가 소정근로일을 모두 근로하면 휴일근로 시 연장근로가 되므로, 연장근로인 휴일근로는 할 수 없습니다. 다만, 해당 주에 휴일이나 연차가 있어 1주에 40시간을 하지 않았다면 연장 아닌 휴일근로에 한해 휴일근로가 가능합니다.

(3) 산후 1년 미만인 여성근로자

출산한 지 1년 미만인 여성근로자는 1일에 2시간, 1주에 6시간, 1년에 150시간 이내에서만 연장근로를 할 수 있습니다.

휴일 내지 야간근로는 원칙적으로 허용되지 않는데, '근로자대표와 성실한 협의'를 거쳐 '산후 1년 미만인 여성근로자'의 동의와 '고용노동부장관의 인가'가 있으면 휴일 내지 야간근로가 가능합니다.

(4) 연소근로자

만 15세 이상 18세 사이 미만인 연소근로자는 성인보다 더 적은 1일 7시간, 1주 35시간의 범위에서 소정근로시간을 정할 수 있습니다.

연장근로 역시 1일 1시간, 1주에 5시간의 한도에서만 가능합니다. 휴일 내지 야간근로는 산후 1년 미만인 여성근로자처럼 원칙적으로 허용되지 않으나 '근로자대표와 성실한 협의'를 거쳐 '연소근로자'의 동의와 '고용노동부장관의 인가'가 있는 경우에 한해 가능합니다.

* 일반근로자라는 것은 법률에 없으나, 이 책에서 연소근로자 등과 비교하여 기준이 되는 근로자를 일반근로자라고 칭하겠습니다.

구분	휴가	휴일	휴무일
근로제공의무	발생(면제)	없음	없음
관련근거	근로기준법 등	근로기준법 등	노사합의, 취업규칙 등
예시 및 유·무급여부	• 유급: 연차유급휴가, 배우자출산휴가 • 무급: 생리휴가 • 유·무급: 출산전후휴가* (유급 60일+무급 30일)	• 유급: 근로자의 날, 주휴일(개근시), 관공서의 공휴일에 관한 규정(근로자수에 따라 차등 시행) • 무급: 주휴일(결근시) • 유·무급: 창립기념일 등 약정휴일은 취업규칙에 따라 유·무급 여부를 정할 수 있음.	• 주6일 근무하는 사업장의 토요일 ☞ 휴일근로 아니고 연장근로에 해당

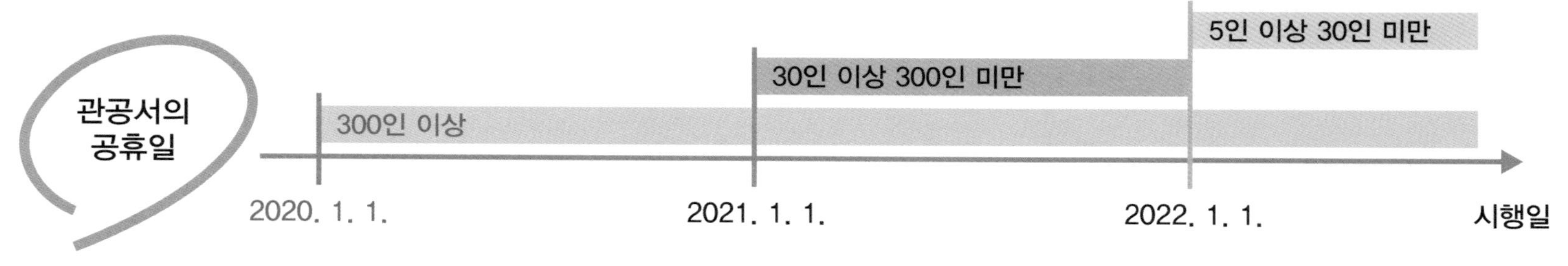

* 한 번에 둘 이상 자녀를 임신한 경우 출산전후휴가는 유급 75일 및 무급 45일

3·1절에 연차휴가를 사용할 수 있을까요? 사용할 수도 있고 사용할 수 없을 수도 있습니다. 3·1절이 우리 회사의 휴일이나 휴무일로 지정되어 있다면 출근의무가 없으므로 휴가를 사용할 수 없지만, 3·1절이 우리 회사의 소정근로일이라면 연차휴가를 사용하여야만 출근하지 않을 수 있기 때문입니다. 그런데 휴일과 휴무일은 어떤 차이가 있을까요?

(1) 휴가

휴가, 휴일, 휴무일 모두 출근하지 않는다는 점에서 같지만 법률적인 의미는 다릅니다. 휴가는 근로제공의무가 있는데 법률이나 단체협약, 사용자의 명령 등으로 근로제공의무가 면제되는 날입니다.

근로제공의무가 면제된다는 것은 출근하여 근무하지 않더라도 사용자가 징계 등의 불이익을 주지 않는다는 것이고, 이 휴가가 유급인지 무급인지는 별개의 문제입니다.

노동법상 유급인 휴가에는 연차유급휴가와 배우자출산휴가 등이 있고, 무급인 휴가에는 생리휴가, 가족돌봄휴가 등이 있으며, 출산전후휴가는 유급인 휴가기간과 무급인 휴가기간이 혼재되어 있습니다.

결혼식, 장례식과 같은 경조사 휴가는 법정휴가가 아니라 단체협약이나 취업규칙 등에 근거를 둔 약정휴가입니다.

(2) 휴일

휴일은 당초부터 근로제공의무가 없는 날을 말하는데, 법률에 근거를 두면 법정휴일이고 단체협약이나 취업규칙 등에 근거하는 경우에는 약정휴일이라고 합니다.

일요일을 법정휴일이라고 생각하기 쉽지만, 일요일이 무조건 법정휴일은 아니고 취업규칙이나 근로계약에 주휴일을 일요일로 정한 경우에만 일요일이 주휴일로서 법정휴일이 됩니다. 1주를 개근한 경우에 유급으로 휴일을 부여하는 것을 주휴일이라고 말하는데, 1주를 개근하지 않더라도 사용자는 주휴일을 부여하여야 하고, 다만 무급으로 처리할 수 있을 뿐입니다.

3·1절과 같은 국가공휴일은 「관공서의 공휴일에 관한 규정」에서 정한 공휴일이므로, 관공서가 아닌 회사에는 법정휴일이 아닙니다. 다만, 앞으로는 관공서의 공휴일이 법정휴일이 됩니다.

(3) 휴무일

휴무일은 근로제공의무가 없다는 점에서 휴일과 같은데, 휴무일은 법률상 개념은 아니라 노사합의나 취업규칙에 의해 임의적으로 정해집니다.

주 5일 근무하는 회사의 취업규칙에 소정근로일(예: 월~금요일)과 휴일(예: 일요일)만 정해두고 따로 정함이 없다면 토요일 등은 휴무일로 보는 것이 일반적입니다. 휴무일은 휴일이 아니므로 휴무일에 근로하는 것은 휴일근로가 아닌 연장근로입니다.

다음 어느 하나에 해당하는 근로자는 근로시간, 휴게, 휴일에 관한 규정을 적용하지 아니한다.

1. 토지의 경작·개간, 식물의 재식(栽植)·재배·채취 사업, 그 밖의 농림 사업
2. 동물의 사육, 수산 동식물의 채포(採捕)·양식 사업, 그 밖의 축산, 양잠, 수산 사업
3. 감시(監視) 또는 단속적(斷續的)으로 근로에 종사하는 자로서 사용자가 고용노동부 장관의 승인을 받은 자
4. 대통령령으로 정하는 업무(사업의 종류에 관계없이 관리·감독 업무 또는 기밀을 취급하는 업무)에 종사하는 근로자

구분	개념 및 예시	근로조건
감시적 근로자	• 감시업무를 주업무로 하며 상태적으로 정신·육체적 피로가 적은 업무에 종사하는 자 예: 아파트 경비원 등	• 적용규정 – 야간가산수당 – 연차유급휴가 • 미적용규정 – 주 40시간의 근로시간 및 연장 12시간 한도 – 연장·휴일근로 가산수당, 주휴수당, 휴게시간
단속적 근로자	• 근로가 간헐·단속적으로 이루어져 휴게시간·대기시간이 많은 업무에 종사하는 자 예: 시설관리원 등	

앞서 근로시간, 휴게시간과 휴일에 대해서 알아보았는데, 이 모든 것이 적용되지 않는 사업이나 근로자들이 있습니다.

(1) 근로시간, 휴게와 휴일이 적용되지 않는 사업

'토지의 경작·개간, 식물의 재식(栽植)·재배·채취 사업, 그 밖의 농림 사업'과 '동물의 사육, 수산 동식물의 채포(採捕)·양식 사업, 그 밖의 축산, 양잠, 수산 사업'에는 「근로기준법」이 정하는 근로시간, 휴게와 휴일에 관한 규정을 적용하지 아니한다고 규정하고 있습니다.

이는 근로시간 등에 관한 규제가 주로 제조업의 생산노동자를 염두에 둔 것이므로, 업종 내지 사업의 내용에 따라서 「근로기준법」상 근로시간, 휴게와 휴일에 관한 법적 규제를 적용하는 것이 반드시 적당한 것이 아니기 때문입니다.

(2) 감시적 근로자와 단속적 근로자

이와 같은 특수성으로 인해 감시적 근로자와 단속적 근로자에게도 근로시간, 휴게와 휴일에 관한 법적 규제가 적용되지 않습니다.

'감시적 근로자'란 '감시업무를 주업무로 하며 상태적으로 정신·육체적 피로가 적은 업무에 종사하는 자'로 아파트 경비원, 학교 당직근로자 등이 이에 해당합니다.

'단속적 근로자'는 짧은 시간의 근무가 반복되거나 실제 근로하는 시간에 비하여 대기시간이 긴 건물시설 관리원 등과 같이 '근로가 간헐·단속적으로 이루어져 휴게시간·대기시간이 많은 업무에 종사하는 자'를 말합니다.

감시적 근로자와 단속적 근로자의 근로조건이 지나치게 열악한 문제점이 있어 고용노동부가 야간근로수당과 연차유급휴가는 적용하도록 지도점검하고 있습니다.

연장이나 휴일근로는 여전히 적용되지 않기 때문에 휴일가산수당이나 연장근로수당은 적용되지 않습니다. 다만, 근로자의 날은 「근로자의 날 제정에 관한 법률」에 정한 휴일로 「근로기준법」상 휴일과는 다르므로 감시적 근로자 및 단속적 근로자가 근로자의 날에 근무하면 휴일근로수당을 받을 수 있습니다.

(3) 관리·감독업무 또는 기밀취급업무에 종사하는 근로자

'관리·감독적 지위에 있는 자'나 '기밀취급업무에 종사하는 근로자'도 근로시간, 휴게와 휴일이 적용되지 않습니다.

'관리·감독적 지위에 있는 자'는 '근로조건의 결정 기타 노무관리에 있어서 경영자와 일체적인 지위에 있는 자'로서 부장급 이상 등 특정 직급 이상인 근로자를 이유로 일률적으로 법의 적용을 배제할 수 없습니다. 사업장 내 형식적인 직책에 불구하고 출·퇴근 등에 있어서 엄격한 제한을 받는지 여부, 노무관리방침의 결정에 참여하거나 노무관리상의 지휘권한을 가지고 있는지 여부, 그 지위에 따른 특별수당을 받고 있는지 여부 등을 종합적으로 검토하여 근로시간, 휴게와 휴일을 적용하지 않을지를 판단[20] 하여야 합니다.

구분	휴일대체	보상휴가제	연차유급휴가 대체
내용	• 특정된 휴일을 근로일로 하고, 대신 통상의 근로일을 휴일로 대체할 수 있는 제도	• 근로자가 연장·야간·휴일근로에 대한 임금지급에 갈음하여 휴가를 부여하는 제도	• 연차유급휴가일에 갈음하여 특정한 근로일에 근로자를 휴무시킴으로써 연차유급휴가를 사용하도록 하는 제도
근거	• 판례	• 근로기준법 제57조	• 근로기준법 제62조
요건	• 취업규칙, 단체협약 등의 근거규정 • 근로자의 동의 • 근로자에게 통지	• 근로자대표와의 서면합의	• 특정근로일은 기본적으로 근로제공의 의무가 있는 날이어야 함. • 근로자대표와의 서면합의
가산임금 지급의무	• 없음	• 가산임금이 아닌 가산시간으로 유급휴가 부여	• 없음(단, 대체사용시 수당 미지급)
사용방법	• 휴일근로 8시간 = 대체근로 8시간 일 월 화 수 목 금 토 (1) 2 (3) 4 5 6 7	• 휴일근로 8시간 = 대체휴가 12시간 일 월 화 수 목 금 토 (1) 2 (3) 4 (5) 6 7 근로 휴가 오전 휴가	• 특정일에 전 근로자 연차휴가 사용 일 월 화 수 목 금 토 1 (2) 3 4 5 6 7 모두 연차

(1) 휴일대체

주말에 근무하고 휴일근로수당 내지 연장근로수당을 받지 않고 평일에 대신 쉬도록하는 회사가 많습니다. 특정된 휴일을 근로일로 하고, 대신 통상의 근로일을 휴일로 대체할 수 있는 제도를 '휴일대체'라고 합니다.

휴일대체제도는 법률에 근거 없이 판례에 의해 형성된 제도로서 법원[21)]은 휴일대체에 몇 가지 제한을 두어 제도의 합리성을 기하고자 합니다. 다시 말해 '휴일대체제도를 규정으로 두거나', '근로자의 동의를 얻어' 휴일대체를 실시할 수 있는데, '미리 근로자에게 교체할 휴일을 정해서 알려주어야' 합니다.

휴일에 8시간 일을 하면 통상임금의 50% 이상을 가산하여 휴일수당을 받을 수 있으므로 12시간치의 임금을 받는 셈인데, 휴일과 근로일이 대체되면 8시간치의 휴일만 갖게 되므로 근로자에게 다소 불리합니다. 법률적 근거없이 시행되는 휴일대체로 인해 「근로기준법」에 의해 휴일가산수당을 지급받지 못하는 사태가 발생될 수 있으므로, 사용자는 휴일대체제도를 실시함에 있어 미리 교체할 휴일을 알려주어야 합니다.

(2) 보상휴가

휴일대체가 근로자의 휴일가산수당을 지급하지 않으므로 「근로기준법」에서는 보상휴가제를 두고 있습니다.

휴일대체가 휴일근로에 대해서만 통상의 근로로 대체할 수 있는 것과 달리 보상휴가제는 연장, 야간, 휴일근로에 대해 가산임금을 지급하는 대신 휴가를 줄 수 있습니다.

예를 들어 휴일대체를 사용하면 일요일에 8시간 근무시 월요일에 8시간만 근로의무가 면제되지만, 보상휴가제를 사용하면 일요일 8시간 근무에 대해 휴일가산을 한 휴가를 받게 되므르 화요일 8시간과 목요일 4시간까지 휴가를 사용할 수 있게 됩니다.

휴일대체는 사용자가 미리 대체되는 휴일을 고지하여야 하지만, 보상휴가제는 그러한 제한이 없으므로 근로자대표와 서면 합의 시 구체적인 운영방법 등을 정하면 됩니다.

(3) 연차유급휴가 대체

징검다리 휴일에 연차휴가를 쓰고 싶지만 직장 상사 눈치가 보여서 못 쓰는 경우가 있습니다. 만약 회사에서 그날을 휴가로 정한다면 얼마나 좋을까요?

연차유급휴가의 대체제도를 사용하면 사용자는 특정일에 근로자를 휴무시킬 수 있고, 근로자는 연차휴가를 사용하게 됩니다.

어떤 직원들은 연차를 소진시키고 싶지 않아서 이 제도를 달갑지 않게 생각할 수 있으므로 연차유급휴가의 대체는 사용자와 근로자대표의 서면합의가 있을 때에만 가능합니다.

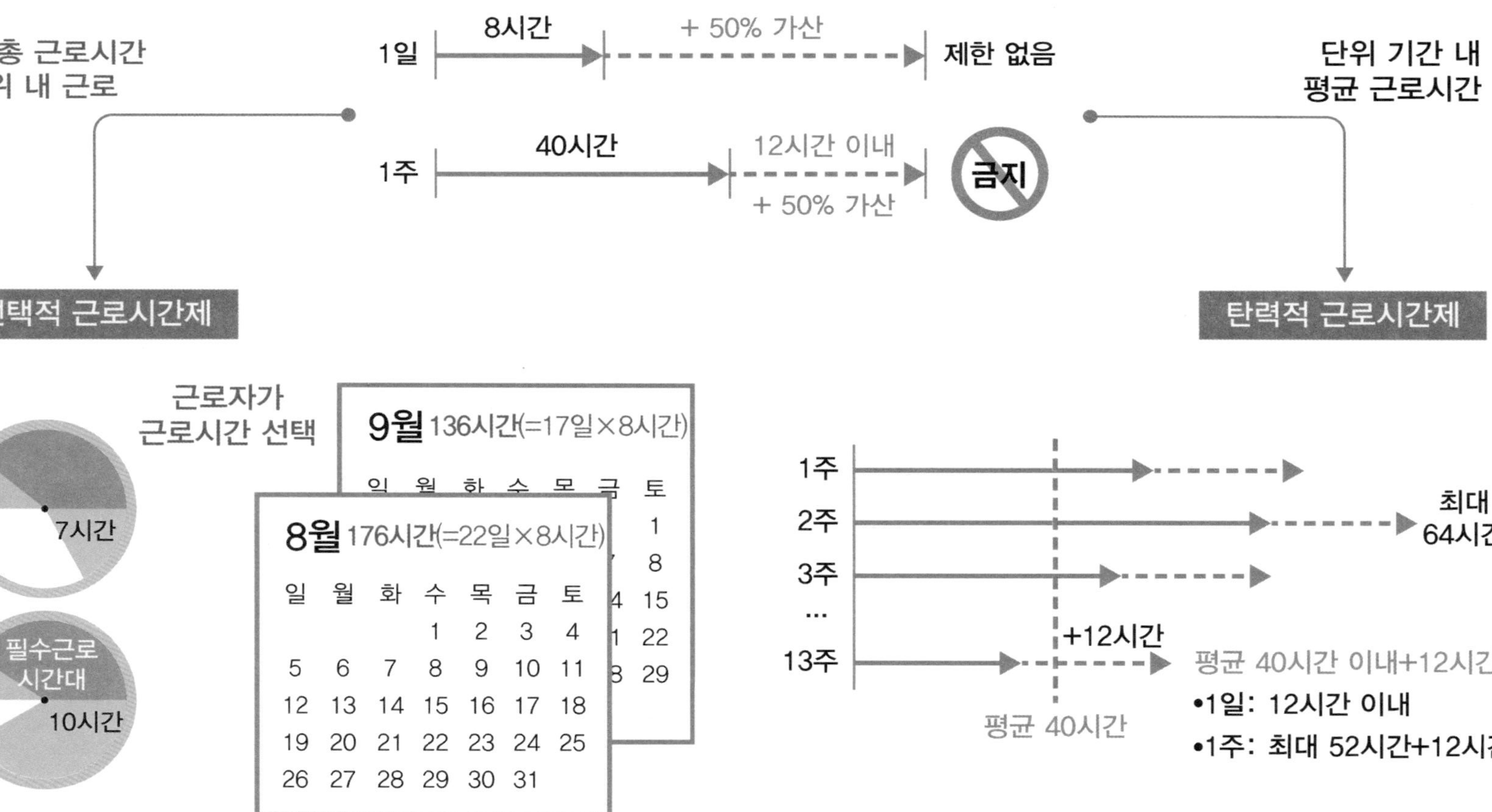
월 총 근로시간
범위 내 근로
1일
8시간
+ 50% 가산
제한 없음
1주
40시간
12시간 이내
+ 50% 가산
금지
단위 기간 내
평균 근로시간
선택적 근로시간제
탄력적 근로시간제
근로자가
근로시간 선택
7시간
필수근로
시간대
10시간
9월 136시간(=17일×8시간)
8월 176시간(=22일×8시간)
일 월 화 수 목 금 토
1 2 3 4
5 6 7 8 9 10 11
12 13 14 15 16 17 18
19 20 21 22 23 24 25
26 27 28 29 30 31
1주
2주
3주
...
13주
최대
64시간
+12시간
평균 40시간
평균 40시간 이내+12시간
•1일: 12시간 이내
•1주: 최대 52시간+12시간

우리나라 노동법의 근로시간은 제조업 근로자를 기준으로 제정되었습니다. 3차 산업을 넘어, 4차 산업시대에 이를 그대로 적용하기에는 현실적 어려움이 있습니다. 이에 다양한 산업, 다양한 직무에 종사하는 근로자를 보호하기 위해 유연근무제를 두고 있습니다.

(1) 근로시간의 제한기준: 1주

1주에 40시간 이내의 소정근로시간과 12시간 이내의 연장근로만을 허용하므로 근로시간은 원칙적으로 '1주'가 기준이 됩니다.

'1일의 근로시간은 휴게시간을 제외하고 8시간을 초과할 수 없다.'는 것은 1일에 8시간을 초과하면 가산임금을 지급하여야 하는 연장근로로 본다는 것이지 1일의 근로시간을 제한하는 것은 아닙니다. 예를 들어 4시간당 30분의 휴게시간을 부여하여 1일에 최대 21시간 30분을 근로할 경우 1일에 8시간을 초과하여서 위법한 것이 아니라 1주에 12시간이라는 연장근로 한도를 초과하여서 위법한 것입니다.

예: 1일 24시간−휴게시간 2.5시간
=근로시간 21.5시간
=소정근로시간 8시간+연장근로 13.5시간 ← 1주 12시간 초과

(2) 근로시간 제한기준의 변경: 1월 이내 총 근로시간

근로시간의 제한기준을 '1주'에서 '1월'로 변경하는 제도가 '선택적 근로시간제'입니다.

본래 근무의 시작과 종료시각은 사용자가 정하는데, 이 권한을 근로자에게 위임함으로써 근로자가 수행업무의 특성, 업무의 양 등을 고려하여 1일 단위로 근로시간을 정하는 등 총 근로시간의 배분을 스스로 결정하는 것입니다.

선택적 근로시간제는 1주 대신 1월 이내의 기간을 정하여 운영할 수 있게 되는데, 이 정산기간 내에서는 1일 8시간이나 1주 40시간을 초과하더라도 연장근로로 보지 않고 반대로 1일 8시간이나 1주 40시간 미만 근로하더라도 사용자의 제재나 징계 등 불이익을 받지 않습니다.

(3) 근로시간 제한기준의 확대: 1주에 근로할 수 있는 근로시간의 확대

1주에 52시간이라는 주당 최대근로시간의 범위를 64시간으로 확대하는 것이 '탄력적 근로시간제'입니다.

탄력적 근로시간제는 3개월 이내의 단위기간을 평균하여 40시간으로 근로하되, 특정한 주에 소정근로시간 52시간으로 하고 12시간의 연장근로 시 최대 64시간까지 근로할 수 있습니다. 길게 일한 주가 있는 것처럼 다른 주에 더 적게 일하여 근로자들은 평균 40시간 이내로 근로하게 됩니다.

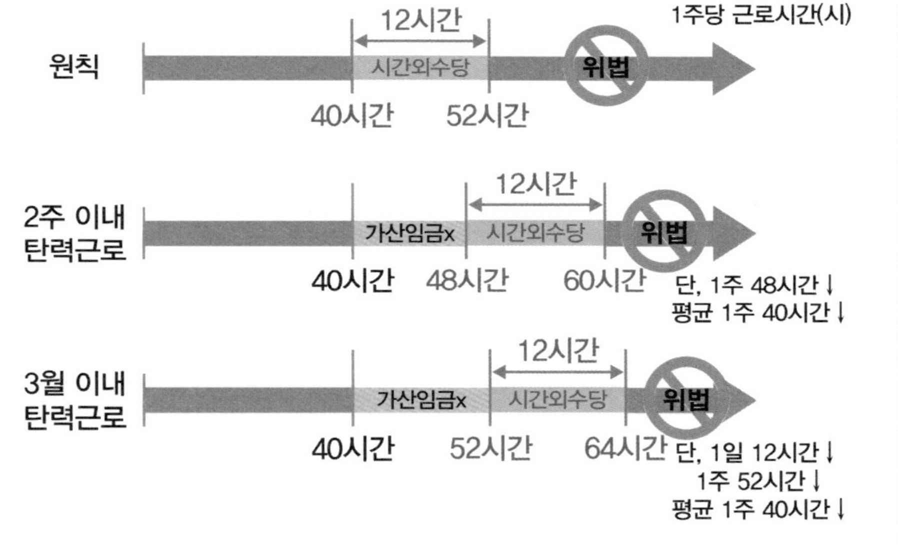

탄력적 근로시간제란?

'탄력적 근로시간제(averaging work system)'란 어떤 근로일의 근로시간을 연장시키는 대신에 다른 근로일의 근로시간을 단축시킴으로써, 일정기간의 평균근로시간을 법정기준근로시간 내로 맞추는 근로시간제를 말합니다.

구분	2주 이내 단위 탄력적 근로시간제	3월 이내 단위 탄력적 근로시간제
동의 여부	• 근로자의 의견수렴(~~동의~~)	• 근로자대표와 서면합의
실시 요건	• 취업규칙에 규정 • 특정일, 특정주의 근로시간을 명확히 지정 • 기준근로시간이 특정주 48시간 초과금지(단, 특정일에 대한 제한 없음)	• 근로자대표와의 서면 합의 • 특정일, 특정주의 근로시간을 명확히 지정 • 기준근로시간이 특정일 12시간, 특정주 52시간 초과금지
유효 기간	• 기간제한 없음.	• 기간제한 있음(서면합의).
가산 임금	특정일 또는 특정주에 근로하기로 정한 기준근로시간을 초과하여 근로하는 경우	
비고	• 특정주 52시간 초과하더라도 근로시간 위반 아님. • 기준근로시간 이내에는 가산임금 지급의무 없음. • 연소자 및 임신 중인 여성근로자는 적용제외.	

(1) 탄력적 근로시간제의 의미

'탄력적 근로시간제(Flexible Work Hours System)'란 어떤 근로일의 근로시간을 연장시키는 대신에 다른 근로일의 근로시간을 단축시킴으로써, 일정기간의 평균근로시간을 법정기준근로시간 내로 맞추는 근로시간제입니다.

근로시간은 원칙적으로 1주 단위이므로, 단 1주라도 12시간 이상 연장근로하게 되면 위법이 됩니다. 탄력적 근로시간제를 도입하면 특정한 주에 52시간을 초과하여 근로하더라도 근로시간 위반이 아닙니다.

(2) 탄력적 근로시간제의 종류

탄력적 근로시간제는 평균하는 기간인 단위기간에 따라 '2주 이내'와 '3개월 이내'로 구분할 수 있습니다.

(3) 2주 이내 단위 탄력적 근로시간제

2주 이내 탄력적 근로시간제는 1주의 기준근로시간이 48시간을 초과하지 않는 범위 내에서 근로자들의 의견수렴을 거쳐 취업규칙만 변경하면 실시할 수 있습니다.

2주 이내 탄력적 근로시간제의 1주 최대 기준근로시간이 48시간이기 때문에, 48시간 근로하는 주에 12시간 연장근로를 하면 60시간까지 근로할 수 있습니다.

예를 들어 48시간 일하는 주에는 1일 8시간 또는 1주 40시간을 초과하더라도 근로자는 연장근로수당을 받지 못합니다. 반면 32시간 일하는 주에는 40시간이 아니라 32시간을 초과하면 사용자는 연장근로수당을 지급해야 합니다.

(4) 3개월 이내 단위 탄력적 근로시간제

3개월 이내 탄력적 근로시간제는 단위기간이 길기 때문에 1일 최대 12시간 이내, 1주 52시간의 범위 내에서 기준근로시간으로 설정할 수 있습니다.

근로자대표와 서면합의를 통해서만 3개월 이내 탄력적 근로시간제를 도입할 수 있는데, 서면합의서에는 대상근로자의 범위, 단위기간, 단위기간의 근로일과 그 근로일별 근로시간, 서면합의의 유효기간이 모두 기재되어야만 적법합니다.

3개월 이내 탄력적 근로시간제는 1주 최대 기준근로시간이 52시간이므로 52시간 근로하는 주에 12시간 연장근로를 하면 최대 64시간까지 근로할 수 있게 됩니다. 2주 이내 탄력적 근로시간제와 마찬가지로 기준근로시간을 기준으로 연장근로수당의 지급여부가 결정됩니다.

(5) 탄력적 근로시간제의 특징

① 탄력적 근로시간제는 연장근로를 하지 않더라도 본래의 근로시간보다 더 길게 일하는 주가 있으므로, 15세 이상 18세 미만인 연소근로자와 임신근로자에 대해서는 적용할 수 없습니다.

② 1일 8시간 또는 1주 40시간을 초과하여 일하더라도 사전에 정한 기준근로시간 이내라면 연장근로수당을 받지 못하므로, 사용자는 기존의 임금 수준이 낮아지지 않도록 임금보전방안을 강구하여야 합니다.

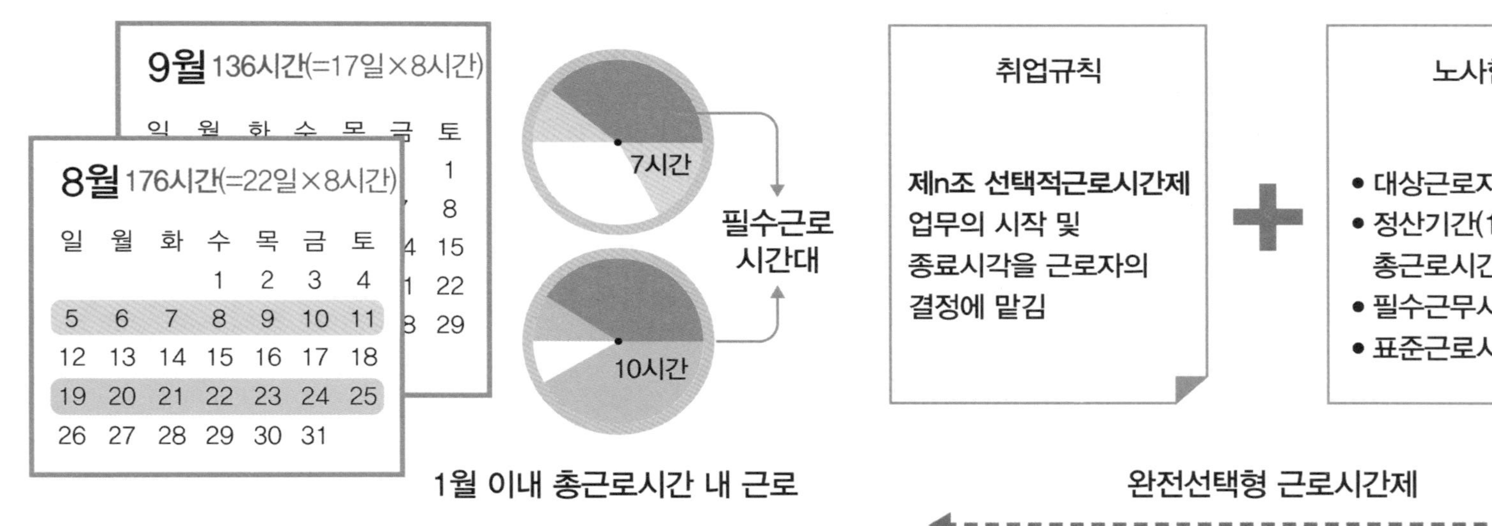

선택적 근로시간제란?

'선택적 근로시간제(Selective Work Hours System)'란 일정기간의 단위로 정하여진 총 근로시간 범위 내에서 업무의 시작시각과 종료시각 및 1일의 근로시간을 근로자가 자율적으로 결정할 수 있는 제도를 말합니다.

(1) 선택적 근로시간제의 의미

'선택적 근로시간제(Selective Work Hours System)'란 일정기간의 단위로 정하여진 총 근로시간 범위 내에서 업무의 시작시각과 종료시각 및 1일의 근로시간을 근로자가 자율적으로 결정할 수 있는 제도입니다.

사용자가 근로일별 근로시간이나 주별 근로시간을 미리 설정하는 탄력적 근로시간제와 달리 근로자가 근로시간 결정에 대한 자율성을 갖는 것이 선택적 근로시간제의 가장 큰 특징입니다.

(2) 선택적 근로시간제의 종류

선택적 근로시간제는 근로자가 선택할 수 있는 근로시간대를 전부 근로자에게 맡기는 '완전 선택적 근로시간제'와 일정한 시간대는 사용자의 업무지시를 받고 나머지 시간에 대해 출·퇴근 및 근로시간의 배열 등을 결정하는 '부분 선택적 근로시간제'로 구분할 수 있습니다.

(3) 도입요건

단위기간에 따라 취업규칙만 변경하거나 근로자대표와 서면합의를 해야 하는 탄력적 근로시간제와 달리 선택적 근로시간제는 취업규칙도 변경하고 근로자대표와 서면합의도 하여야 합니다.

완전 선택적 근로시간제를 도입하기 위한 서면합의서에는 대상근로자, 정산기간, 정산기간의 총 근로시간, 유급휴가 등의 계산기준이 되는 1일의 근로시간인 표준근로시간이 기재되어야 합니다.

부분 선택적 근로시간제를 도입하기 위해서는 서면합의서에 '반드시 근로하여야 할 시간대를 정한 경우에는 그 시작과 종료시각' 또는 '근로자가 그의 결정에 따라 근로할 수 있는 시간대를 정한 경우에는 그 시작 및 종료시각'을 추가적으로 기재하여야 합니다.

(4) 선택적 근로시간제의 특징

① 선택적 근로시간제는 역시 정산기간 내에서는 1일 8시간 또는 1주 40시간을 초과하여 일하더라도 연장근로수당을 받지 못하므로, 15세 이상 18세 미만인 연소근로자에 대해서는 적용할 수 없습니다.

② 단위기간이 최대 3개월인 탄력적 근로시간제와 달리 선택적 근로시간제는 1월 이내만 정산기간으로 설정할 수 있습니다.

③ 선택적 근로시간제를 도입하면 근로시간의 운영이 정산기간을 중심으로 운용되므로 사용자는 정산기간 이내에 총근로시간 관리에 중점을 두어야 합니다. 필수시간대를 설정할 경우 그 시간대에 근무하지 않는다면 지각이나 결근처리가 가능하지만, 필수시간대를 설정하지 않은 완전 선택적 근로시간제라면 지각이나 결근을 이유로 제재를 가할 수 없습니다. 다만, 근로자가 정산기간에 근무하여야 할 총근로시간에 부족하게 근로하였다면 임금을 삭감하거나 근무평정에 이를 반영할 수 있습니다.

사업장밖근로시간제에 관한 규정

1. 출장시 4시간 이상 소요되는 경우에는 1일의 8시간 만큼 근로한 것으로 본다.
2. 근로시간의 전부 또는 일부를 사업장 밖에서 근로하는 이하의 직종은 월 209시간 근로한 것으로 본다.
   1) 영업직
   2) A/S업무
   3) 기타 근로시간 산정이 어려운 직종
3. 제2항에 해당하는 직종은 월 52시간의 연장근로를 한 것으로 하여 고정 연장 수당을 지급한다.

주식회사○○　　　　근로자대표

대표 ____________(인) ____________(인)

구 분	사업장밖근로시간제	탄력적·선택적 근로시간제
근로시간형태 변경 여부	변경 없음.	변경 있음.
근로시간 산정	근로시간 산정이 어려워 '근로한 것으로 인정하는 시간'의 산정	실제 근로시간으로 산정

(1) 사업장밖근로시간제의 의미

본래 사업장 안이 아닌 밖에서 근무하거나 출장 등 일시적으로 사업장 밖에서 근로하는 경우는 근로시간 관리가 어렵기 때문에 이를 위한 사업장밖근로시간제가 있습니다.

(2) 도입요건

사업장밖근로시간제는 취업규칙이나 서면합의 없이 아래의 3가지 요건만 갖추면 적용할 수 있는 것이 가장 큰 특징입니다.

- 근무장소가 사업장이 아닐 것
- 사업장 밖에서 근무하는 시간이 1일 또는 8시간 이하인 경우
- 근로자의 근로시간의 산정을 할 수 없거나 산정하기 어려운 경우

이 제도를 적용함에 있어 쟁점이 되는 것은 '과연 근로시간의 산정이 어려운가?'입니다. 예전에는 사용자 밖에서 근무하면 사용자가 근로자가 제대로 근무하는지 확인하기가 어려웠지만, 최근에는 통신기기의 발달로 근로자의 근무위치나 근무여부를 확인하기 쉬워졌기 때문입니다.

(3) 근로한 것으로 보는 시간의 결정방법

사업장밖근로시간제는 근로시간을 산정하기 어려운 경우에 적용하는 제도이므로, 원칙적으로 이 제도가 적용되는 근로자의 근로시간은 '소정근로시간' 즉 1일 8시간, 1주 40시간 이내의 범위에서 근로자와 사용자 간에 근로하기로 정한 시간만큼 일한 것으로 봅니다.

그 업무를 수행하기 위해서 1일 8시간, 1주 40시간을 초과하여 근로할 필요가 있다면 '그 업무의 수행에 통상 필요한 시간'을 일한 것으로 봅니다.

만약 사업장밖근로시간제를 적용하기 위한 업무에 관하여 근로자대표와 서면합의한 바가 있다면, 소정근로시간이나 업무수행에 필요한 통상시간이 아니라 '합의한 시간'을 근로한 시간으로 봅니다.

(4) 사업장밖근로시간제의 특징

근로시간을 산정하기 어려운 경우에 도입하는 것이 사업장밖근로시간제이므로, 사용자는 근로시간 관리를 하지 않고 '근로시간으로 인정되는 시간'의 관리에만 중점을 두면 됩니다.

적용대상업무

- 신상품 또는 신기술의 연구개발이나 인문사회과학 및 자연과학에 관한 연구 업무
- 정보처리시스템의 설계 또는 분석 업무
- 신문·방송 또는 출판사업에 있어서 기사의 취재·편성 또는 편집업무
- 의복·실내장식·공업제품·광고 등의 디자인·고안 업무
- 방송프로·영화 등의 제작사업에 있어서 프로듀서 또는 감독업무

재량근무제 합의서(예시)

근무내용(대상업무)
☑ 신상품 또는 신기술의 연구개발이나 인문사회과학 또는 자연과학분야의 연구 업무
□ 정보처리시스템의 설계 또는 분석 업무

1. 주식회사△△은 업무의 수행 수단 및 시간 배분 등에 관하여 ○○○에게 구체적인 지시를 하지 아니한다.
2. 주 1회 이상 담당부서장에게 진행상황을 보고한다.
3. 프로젝트기간 동안 월 209시간 근로한 것으로 본다.

2020. 0. 0.

주식회사○○	근로자대표
대표 ________(인)	________(인)

사용자의 지시여부

근로시간의 산정

(1) 재량근로시간제의 의미

'재량근로시간제'란 업무의 성질에 비추어 업무 수행 방법을 근로자의 재량에 위임할 필요가 있는 경우에는 근로시간에 대한 판단 없이 서면합의한 시간을 근로한 것으로 간주하는 제도를 말합니다.

(2) 도입요건

재량근로시간제를 도입하기 위해서는 '재량근로대상업무에 해당'하고 '근로자대표와의 서면합의'를 거쳐 '대상업무수행의 재량성이 인정되도록 운영'하여야 합니다.

「근로기준법」으로 재량근로시간제 대상업무를 다음과 같이 정해놓고 있습니다. 이 업무 외에는 재량근로기간제를 적용할 수 없습니다.

1. 신상품 또는 신기술의 연구개발이나 인문사회과학 또는 자연과학분야의 연구 업무
2. 정보처리시스템의 설계 또는 분석 업무
3. 신문, 방송 또는 출판 사업에서의 기사의 취재, 편성 또는 편집 업무
4. 의복·실내장식·공업제품·광고 등의 디자인 또는 고안 업무
5. 방송 프로그램·영화 등의 제작 사업에서의 프로듀서나 감독 업무
6. 회계·법률사건·납세·법무·노무관리·특허·감정평가·금융투자분석·투자자산운용 등의 사무에 있어 타인의 위임·위촉을 받아 상담·조언·감정 또는 대행을 하는 업무

재량근로시간제 도입을 위한 근로자대표와의 서면합의에는 '대상업무', '사용자가 업무의 수행 수단 및 시간 배분 등에 관하여 근로자에게 구체적인 지시를 하지 아니한다'는 내용, '근로시간의 산정은 그 서면 합의로 정하는 바에 따른다'는 내용이 반드시 기재되어야 합니다.

(3) 재량근로시간제의 특징

① 대상업무는 「근로기준법」에서 규정한 '6개 업무에 한정'됩니다. 제도의 도입기준은 '업무 단위'이므로 대상업무를 주로 수행하는 부서의 단순 보조자에게 도입할 수 없는데, 대상업무에 해당하는지에 대한 판단기준은 고용노동부가 구체적으로 안내하고 있습니다.

② 서면합의했음에도 사용자가 업무 수행 방법에 대해 구체적인 지시를 하고 출·퇴근 시간을 통제한다면 이는 재량근로로 볼 수 없습니다.

③ 이처럼 다른 유연근무제도와 달리 재량근로시간제의 도입을 엄격하게 제한하는 이유는 재량근로시간제는 서면합의한 시간을 근로한 것으로 '간주'하기 때문입니다. '간주'는 법률에 의해 강제적으로 특별한 효과를 부여하는 것으로서, 법률에 의한 효과를 번복하기 위해서는 단순한 반증이 아니라 정식적인 법원의 재판이 있어야 합니다.

④ 재량근로시간제는 1일 8시간, 1주 40시간 이내 근로시간 및 12시간의 연장근로 등 근로시간의 산정을 근로자에게 위임하는 것일 뿐 휴일, 연차유급휴가 등은 여전히 적용되므로 각 회사에서 이 제도를 도입하기 전에 휴일과 연차유급휴가 등에 대해서도 정하여 운영하는 것이 바람직합니다.

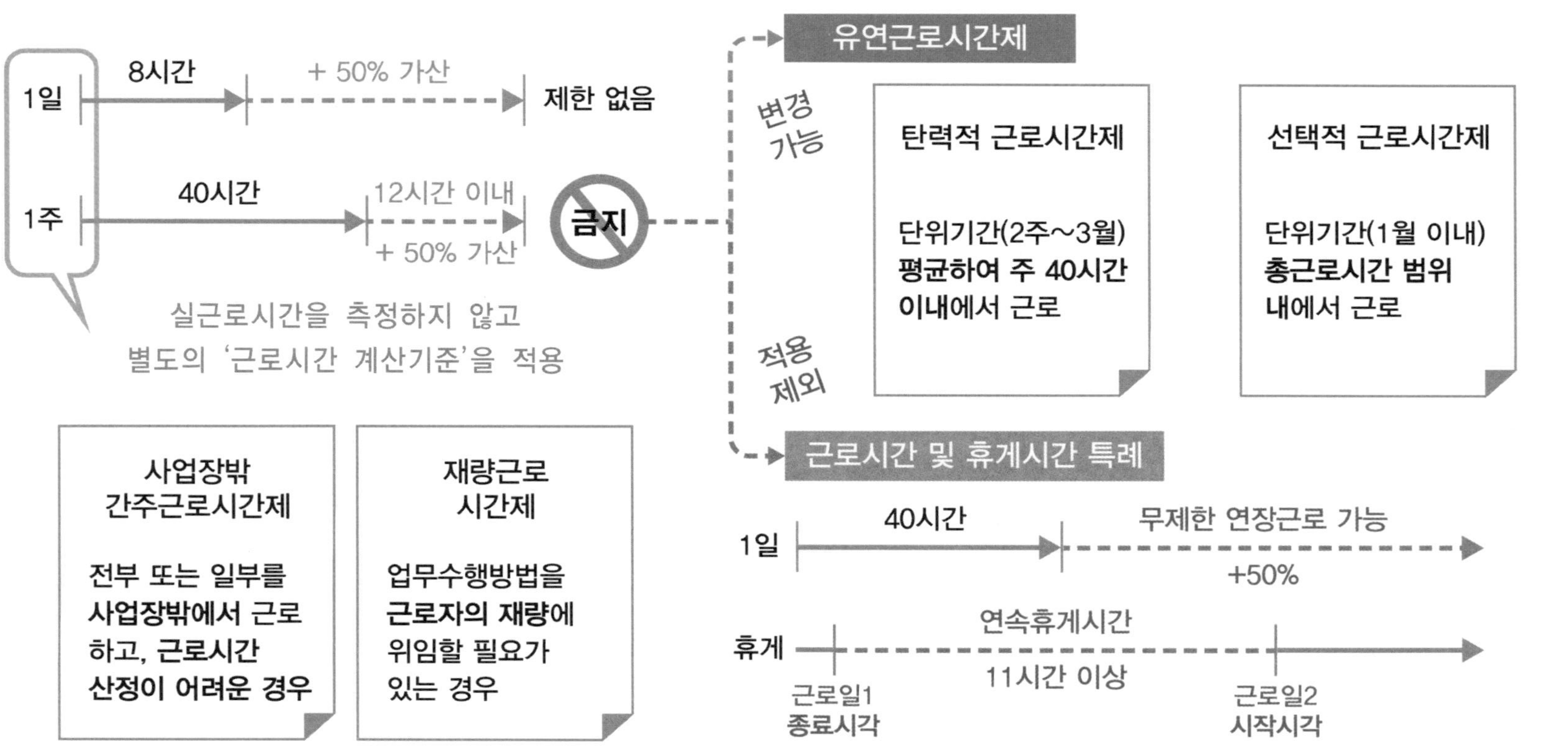
1일
8시간
+ 50% 가산
제한 없음
1주
40시간
12시간 이내
+ 50% 가산
금지
실근로시간을 측정하지 않고
별도의 '근로시간 계산기준'을 적용
사업장밖
간주근로시간제
전부 또는 일부를
사업장밖에서 근로
하고, 근로시간
산정이 어려운 경우
재량근로
시간제
업무수행방법을
근로자의 재량에
위임할 필요가
있는 경우
유연근로시간제
변경
가능
탄력적 근로시간제
단위기간(2주~3월)
평균하여 주 40시간
이내에서 근로
선택적 근로시간제
단위기간(1월 이내)
총근로시간 범위
내에서 근로
적용
제외
근로시간 및 휴게시간 특례
1일
40시간
무제한 연장근로 가능
+50%
휴게
연속휴게시간
11시간 이상
근로일1
종료시각
근로일2
시작시각

(1) 근로시간 및 휴게시간 특례의 의미

앞서 살펴본 유연근로시간제가 근로시간의 배분이나 근로시간에 대한 결정을 변경하는 것과 달리 근로시간 및 휴게시간 특례는 1일 8시간, 1주 40시간 이내의 근로시간이라는 원칙적인 근로시간의 산정방법을 적용받습니다.

다만, 근로자가 1주에 12시간 이상 연장근로하거나, 근로시간 '도중에' 부여하는 휴게시간을 다른 시간대에 이용할 수 있는 등 휴게시간을 변경할 수 있습니다.

(2) 도입요건

근로시간 및 휴게시간 특례를 도입하기 위해서는 '특례적용대상 사업에 해당'하고 '근로자대표와의 서면합의'를 거쳐야 합니다.

특례적용대상 사업은 「근로기준법」상 이하의 5개 사업으로 한정되어 있습니다.

1. 육상운송 및 파이프라인 운송업. 다만, 「여객자동차 운수사업법」 제3조 제1항 제1호에 따른 노선(路線) 여객자동차운송사업은 제외한다.
2. 수상운송업
3. 항공운송업
4. 기타 운송관련 서비스업
5. 보건업

(3) 근로시간 및 휴게시간 특례의 특징

① 종전에는 특례적용대상 사업이 26개였으나 「근로기준법」 개정으로 5개로 축소되었는데, 근로시간 특례업종에 해당하는 사업인지 여부는 '한국표준산업분류표'를 기준으로 판단하게 됩니다.

* 통계청: https://kssc.kostat.go.kr(통계분류포털) → 경제부문 → 한국표준산업분류 → 분류검색 → 검색(종목 등을 입력)

② 근로시간 및 휴게시간 특례는 '업무'단위가 아닌 '사업'단위로 적용되는 것이므로, 예를 들어 병원에 있는 사무직근로자도 1주에 12시간 이상 연장근로를 하거나 휴게시간을 변경할 수 있습니다.

③ 특례가 적용되면 사실상 무한 연장근로가 가능하기 때문에 「근로기준법」 개정으로 근로일 종료 후 다음 근로일 개시 전까지 11시간 이상의 연속휴식시간을 부여하도록 변경되었습니다.

④ 따라서 특례도입을 위한 서면합의에서 적용되는 근로자의 범위를 규정하였다면 특례를 적용받기로 한 근로자에게만 특례와 연속휴게시간이 적용되고, 특례제도 적용 대상이 아닌 근로자는 특례와 연속휴게시간이 적용되지 않습니다.

04

임금

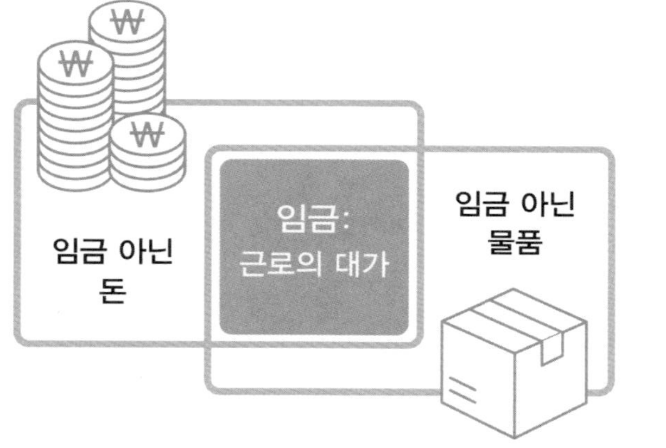

'임금'이란

사용자가 근로의 대가로 근로자에게 임금, 봉급, 그 밖에 어떠한 명칭으로든지 지급하는 일체의 금품

기준	임금	임금이 아닌 금품
지급주체: 사용자	• '사용자'가 지급하는 금품 – 택시기사의 초과운송수입금은 외형상 제3자가 지급해도 실질적으로 사용자가 지급하는 것으로 보아 '임금'임.	• 고객이 지급하는 봉사료 등 – 단, 사용자가 일정률 또는 일정금액을 정하여 관리하는 등 직·간접적으로 규제하는 경우에는 임금임.
근로의 대가	• 근로: 정신노동과 육체노동	• 실비변상적 급여: 출장비 등 – 단, 명칭 등이 실비변상적이어도 정기적·계속적으로 지급되는 연구수당, 일·숙직비 등은 임금임. • 손해보상성 금전: 해고예고수당, 재해보상, 휴업수당 등 • 사회보험성 금전: 4대 보험*의 사용자부담분 등 • 은혜적 금품: 축의금, 조위금 등 • 경영성과금(경영성과의 분배)

* 4대 보험: 국민연금, 건강보험(장기요양보험 포함), 고용보험, 산업재해보상보험 등 사회보장을 목적으로 건강, 노후 및 사망, 실업, 산업재해의 사고를 대비하여 가입이 강제된 사회보험을 통칭함.

(1) 임금의 의미

일을 하면 돈을 받습니다. 이 돈을 임금이라고 생각하기 쉽지만 사용자로부터 받는 돈에는 임금도 있고, 임금이 아닌 돈도 있습니다. 출장갈 때 회사카드를 들고 가지 않아 근로자가 회사차량 주유비를 대신 결제했다면, 주유비는 돈이지만 임금에는 해당하지 않습니다. 임금은 '근로의 대가'이지 '실비변상적 급여'는 포함되지 않기 때문입니다.

반대로 돈이 아닌 물품도 임금이 될 수 있습니다. 「근로기준법」상 임금이란 '사용자가 근로의 대가로 근로자에게 임금, 봉급, 그 밖에 어떠한 명칭으로든지 지급하는 일체의 금품'으로서, 금원이 아닌 물품도 포함됩니다. 대표적으로 사용자가 근로자에게 제공하는 식사가 임금인 물품에 해당합니다.

(2) 임금의 범위

임금에 해당하기 위해서는 '사용자가 지급하는 금품'이고, 그 금품이 '근로의 대가'이어야 합니다.

사용자가 지급하는 금품과 관련해서는 사용자가 직접 지급하는 경우뿐만 아니라 간접적인 경우도 포함됩니다. 따라서 손님이 봉사료를 지급하더라도 사용자가 일정률이나 일정금액을 정하거나 이를 분배하는 등 관리하는 경우에는 사용자가 지급하는 '임금'으로 봅니다.

근로의 대가로 지급되는 것이 임금인데 4대 보험의 사용자부담분이나 축의금·조의금 등 은혜적인 금품, 해고예고수당이나 재해보상비 및 휴업수당 등 손해보상적 금원, 사용자의 경영실적 평가결과에 따라 분배하는 경영성과급 등은 근로의 대가가 아니므로 임금이 아닙니다.

출장비 등 실비변상적 급여도 임금에 해당하지 않는 것이 원칙이나 임금의 여부를 판단할 때 그 명칭이 중요한 것은 아니므로 명칭만 실비변상적 급여이고 정기적·계속적으로 지급되는 연구수당, 일·숙직비의 경우에는 임금에 해당합니다.

	임금지급의 4대 원칙	임금지급 원칙의 예외
직접불	• 사용자는 임금을 근로자에게 직접 지급하여야 하고, 제3자(대리인·친권자 등)에게 지급 금지 • 근로자가 지정한 은행계좌에 입금하거나 단순한 사자(使者)에게 지급하는 것은 가능	• 근로자 사망시 민법상 재산상속권자에게 지급 • 선원법에 의한 선원의 청구가 있거나 법령, 단체협약에 특별규정이 있는 경우 선원가족 등에게 지급
정기불	• 사용자는 매월 1회 이상 정기적인 날짜를 정하여 임금을 지급하여야 함. • 특정된 임금지급일에 임금을 지급하지 않으면 임금미지급에 대한 형사책임이 발생할 수 있음.	• 1개월을 초과하는 정근수당, 근속수당, 장려금, 능률수당 또는 상여금 등 • 그 밖에 부정기적으로 지급되는 모든 수당
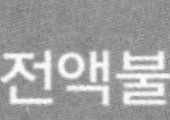전액불	• 임금은 근로자에게 전액을 지급해야 하므로, 일부를 공제하고 지급할 수 없음. • 다만, 단체협약에 조합비공제제도를 두는 경우 임금공제가 가능함.	• 이미 발생한 임금채권을 근로자가 포기하는 경우 • 민사소송법에 의한 임금을 압류처분하는 경우 • 각종 보험료의 공제 • 초과지급된 임금이 있어 이를 지급하여야 할 임금과 상계하는 경우(단, 퇴직금분할약정은 무효)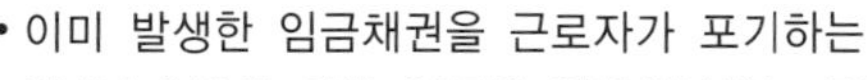
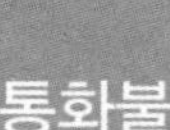통화불	• 임금은 강제통용력이 있는 화폐로 지급해야 함. • 원칙적으로 현물지급은 금지되나, 단체협약에 규정이 있는 경우, 복리후생수단으로 지급되는 경우는 가능함.	• 원칙적으로 근로기준법상 임금에 해당하지 않는 성과급 등을 주식이나 현물 등으로 지급하는 경우 • 자기앞수표는 현금과 동일한 기능을 하는 것으로 보아 통화지불로 인정됨.

임금은 근로자들의 주요 수입원이므로 사용자가 임금을 지급하지 않거나 임금 지급이 지나치게 늦어지는 것은 생활의 불안정을 가져올 수 있습니다. 이에 「근로기준법」은 임금지급에 관해서는 4가지 기준을 갖고 사용자가 이를 준수하도록 강제하고 있으며, 사용자가 임금을 지급하지 못하는 경우에는 근로복지공단에서 사용자를 대신해 근로자에게 우선하여 임금을 지급하는 제도를 두고 있습니다.

(1) 직접지급의 원칙

사용자는 임금을 근로자에게 직접 지급하여야 합니다. 너무 당연한 말이지만 이를 법으로 정한 이유는 미성년자인 근로자나 외국인근로자, 장애인 근로자 등의 임금을 대리인이나 친권자 등 제3자에게 지급하게 되면 근로자의 본인의 의사에 반하여 강제근로하게 될 우려가 있기 때문입니다.

직접지급의 원칙은 어떠한 예외도 인정되지 않는데, 근로자가 지정한 은행계좌에 입금하는 것은 직접 지급으로 봅니다. 만약 근로자가 사망하여 직접 수령할 수 없거나 「선원법」상 선원의 요청에 따라 가족들에게 지급하는 경우에는 단순히 전달자에게 임금을 지급할 수 있습니다.

(2) 정기지급의 원칙

사용자는 매월 1회 이상 정기적인 날짜를 정하여 임금을 지급합니다.

기본급, 월급, 본봉 등 1개월 이내를 기준으로 지급하는 경우는 매월 지급하여야 하고, 명절상여금 등과 같이 1개월을 초과하거나 부정기적으로 지급하는 경우에는 취업규칙이나 근로계약에 따라 1개월을 초과하여 지급할 수 있습니다.

(3) 전액지급의 원칙

임금은 근로자에게 전액을 지급해야 합니다. 전액지급 원칙의 예외로서 단체협약에 조합비공제제도를 두면 조합비를 임금에서 공제할 수 있습니다.

따라서 사내동호회 회비나 경조사비를 미리 임금에서 공제하는 것은 단체협약상 조합비가 아니므로 허용되지 않고, 근로자의 동의가 있는 경우에만 적법합니다.

세금이나 4대 보험료를 공제하는 것은 「소득세법」이나 「고용산재보험료징수법」 등 법률에 근거를 둔 것이므로 위법하지 않습니다. 단순 계산상 착오로 초과지급된 임금과 지급하여야 할 임금을 상계하는 것은 법원 판례[22]에 의해 제한적으로 허용됩니다.

(4) 통화지급의 원칙

임금은 강제통용력이 있는 화폐로 지급되어야 합니다. 따라서 상품권이나 회사제품을 임금 대신 지급하는 것은 위법합니다.

다만, 단체협약에 규정이 있는 경우에 복리후생수단으로서 물품을 지급하는 것은 가능합니다.

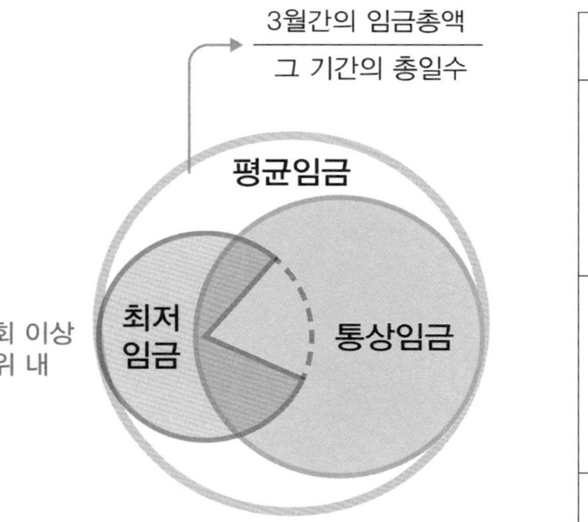

구분	평균임금	통상임금	최저임금
개념	산정사유 발생일 이전 3개월 동안 근로자에게 지급된 임금총액을 그 기간의 총일수로 나눈 금액	근로자에게 정기적이고 일률적으로 소정근로 또는 총 근로에 대하여 지급하기로 정한 시간급 금액 등	근로자의 생활안정과 노동력의 질적 향상을 위해 매년 정하는 최저수준의 임금
용도	퇴직금, 휴업수당, 연차유급휴가수당, 재해보상급여, 감급제재의 제한, 구직급여 등의 산정기초	해고예고수당, 연장·야간·휴일근로수당, 연차유급휴가수당, 출산전후휴가급여 등의 산정기초	시간, 일, 주 또는 월을 단위로 한 최저임금액의 수준을 고시
특징	근로자가 현실적으로 지급받는 임금의 종류가 아니라, 어떤 급여 산출의 기초가 되는 사후적·평가적 개념	연장·야간·휴일근로수당 등의 산정기초가 되는 사전적·도구적 개념	최저임금에 산입되는 임금의 범위와 제외되는 임금의 범위가 법으로 확정되어 있음.

노동법에서 정하는 임금은 그 목적에 따라 평균임금, 통상임금, 최저임금으로 구분할 수 있습니다.

(1) 평균임금

법정임금 중 그 범위가 가장 넓은 것이 평균임금입니다. '평균임금'이란 '산정하여야 할 사유가 발생한 날 이전 3개월 동안에 그 근로자에게 지급된 임금의 총액을 그 기간의 총일수로 나눈 금액'을 말하는데, 근로자가 취업한 후 3개월 미만인 경우도 이에 준하여 평균임금을 산정합니다.

평균임금은 퇴직금, 휴업수당, 재해보상급여, 감급제재의 제한, 구직급여 등을 산정할 때만 사용되는 사후적·평가적 개념의 임금입니다. 평균임금의 정의에서 알 수 있듯이 근로자가 퇴직하거나 업무상 재해를 입는 일 등이 발생하지 않는다면 평균임금은 산정할 필요가 없습니다.

(2) 통상임금

이에 반해 통상임금은 미리 산정해두고 연장·야간·휴일근로 시 가산임금을 계산하는 기준이 되는 사전적·도구적 개념의 임금입니다. 주로 연장·야간·휴일근로수당을 산정하기 위해 사용되지만 해고예고수당이나 연차유급휴가수당, 출산전후휴가급여 등을 산정하기 위해서도 사용됩니다.

(3) 최저임금

평균임금과 통상임금은 사용자와 근로자 사이에 정한 근로계약으로 임금의 크기가 정해지는데 반해 최저임금은 「대한민국헌법」과 「최저임금법」에 의해 매년 그 금액이 결정됩니다.

최저임금은 시간, 일, 주 또는 월을 단위로 한 최저임금액의 수준이 법으로 정해져 있을뿐 아니라 최저임금에 산입되는 임금의 범위와 제외되는 임금의 범위가 법으로 확정되어 있습니다.

구분	평균임금	통상임금
적용 규정	• 퇴직급여 • 각종 재해보상 • 감급 제한	• 해고예고수당 • 연장·야간·휴일근로 가산수당 • 기타 법에 유급으로 표시된 보상
	• 휴업수당: 평균임금 70% ≤ 통상임금 • 연차유급휴가수당: 취업규칙에 정한 임금	

산정사유발생일

- 퇴직금: 근로관계종료일
- 재해보상: 사망 또는 부상의 원인이 되는 사고가 발생한 날 또는 진단에 따라 질병의 발생이 확정된 날
- 휴업수당: 근로자별 휴업이 실제로 발생한 날

'임시로 지급된 임금 및 수당과 통화 외의 것'으로 지급한 임금은 임금총액에 산입하지 않음.

$$\text{평균임금} = \frac{\text{사유가 발생한 날 이전 3개월 동안의 임금총액}}{\text{사유가 발생한 날 이전 3개월 동안의 총일수}}$$

평균임금 계산시 제외되는 기간과 임금
- 수습기간
- 사용자의 귀책사유로 휴업한 기간
- 출산전후휴가 기간
- 업무상 부상 또는 질병으로 인한 휴업기간
- 육아휴직기간
- 적법한 쟁의행위기간
- 국방의무를 이행하기 위해 휴직하거나 근로하지 못한 기간
- 업무 외 부상이나 질병 등 사용자의 승인을 받아 휴업한 기간

※ 일용근로자의 평균임금은 고용노동부장관이 사업이나 직업에 따라 정하는 금액으로 함.

(1) 평균임금의 산정방법

평균임금은 근로자가 퇴직하거나 사망 또는 부상으로 인한 재해보상, 징계로 임금이 삭감되는 등 안 좋은 일이 있을 때 사용됩니다. 평균임금을 산정하는 것이 그리 달갑지 않은데, 최근 3개월 간 일을 제대로 하지 못해 임금이 낮아졌다면 근로자의 근로조건이 지나치게 열악해질 우려가 있습니다.

이에 평균임금 계산 시 제외되는 기간과 임금이 법으로 정해져 있습니다. 평균임금은 산정사유가 발생한 날을 기준으로 역으로 3개월 간의 임금총액과 3개월 간의 총일수를 살펴 산정하는데, 이하의 사유가 있는 경우에는 분모와 분자에서 각각 해당기간과 해당임금액을 제외합니다.

- 수습기간
- 사용자의 귀책사유로 휴업한 기간
- 출산전후휴가 기간
- 업무상 부상 또는 질병으로 인한 휴업기간
- 육아휴직기간
- 적법한 쟁의행위기간
- 국방의무를 이행하기 위해 휴직하거나 근로하지 못한 기간
- 업무 외 부상이나 질병 등 사용자의 승인을 받아 휴업한 기간

또한 평균임금 산정을 위한 분자 즉, 3개월 동안의 임금총액에는 임시로 지급된 임금 및 수당과 통화 외의 것은 임금총액에 산입하지 않는데, 평균임금이 지나치게 낮아지는 것과 마찬가지로 평균임금이 지나치게 높아지는 것을 방지합니다.

이렇게 산정된 평균임금이 통상임금보다 적으면 통상임금액을 평균임금으로 합니다.

(2) 평균임금의 적용

퇴직금을 산정하기 위해 평균임금을 계산할 때에는 '근로관계종료일'을 기준으로, 재해보상의 경우에는 '사망 또는 부상의 원인이 되는 사고가 발생한 날' 또는 '진단에 따라 질병의 발생이 확정된 날'이, 휴업수당은 '근로자별로 휴업이 실제로 발생한 날'이 평균임금을 산정하기 위한 기준일이 됩니다.

휴업수당은 사용자의 귀책사유로 휴업하는 경우에 사용자가 휴업기간 동안 지급하는 임금인데, '평균임금의 100분의 70 이상'이 휴업수당이 됩니다. 단, 평균임금의 100분의 70에 해당하는 금액이 통상임금보다 같거나 적은 경우에만 이 금액을 휴업수당으로 지급할 수 있습니다.

연차유급휴가에서 '유급'은 평균임금 또는 통상임금으로 정할 수 있는데, 평균임금으로 정하는 사용자의 경우 연차유급휴가수당을 지급할 때를 기준으로 평균임금을 산정하면 됩니다. 사용자는 '평균임금×미사용연차일수'를 연차수당으로 지급하면 됩니다.

평균임금을 산정할 수 없는 경우

고용노동부 장관이 정하는 바에 따른다.
- 평균임금의 계산에서 제외되는 기간이 3개월 이상인 경우
- 근로제공의 초일에 평균임금 산정사유가 발생한 경우
- 임금이 근로자 2명 이상 일괄하여 지급되는 경우
- 임금 총액의 일부(전부)가 명확하지 아니한 경우 등

직전 3개월간 지급임금이 특별한 사유로 통상의 경우와 현저하게 다른 경우

평균임금의 산정기준에서 제외하여야 할 기간을 뺀 그 직전 3개월간의 임금을 기준으로 하여 근로기준법이 정하는 방식을 따른다.[23)]

기타 사유

- 직위해제기간, 대기발령기간, 정직기간, 감봉기간 등: 평균임금 산정 기간에 포함
- 노조전임자[24)]: 동일직급 및 호봉의 근로자의 평균임금이 기준이 됨.

3개월 초과하는 임금의 평균임금 산정방법

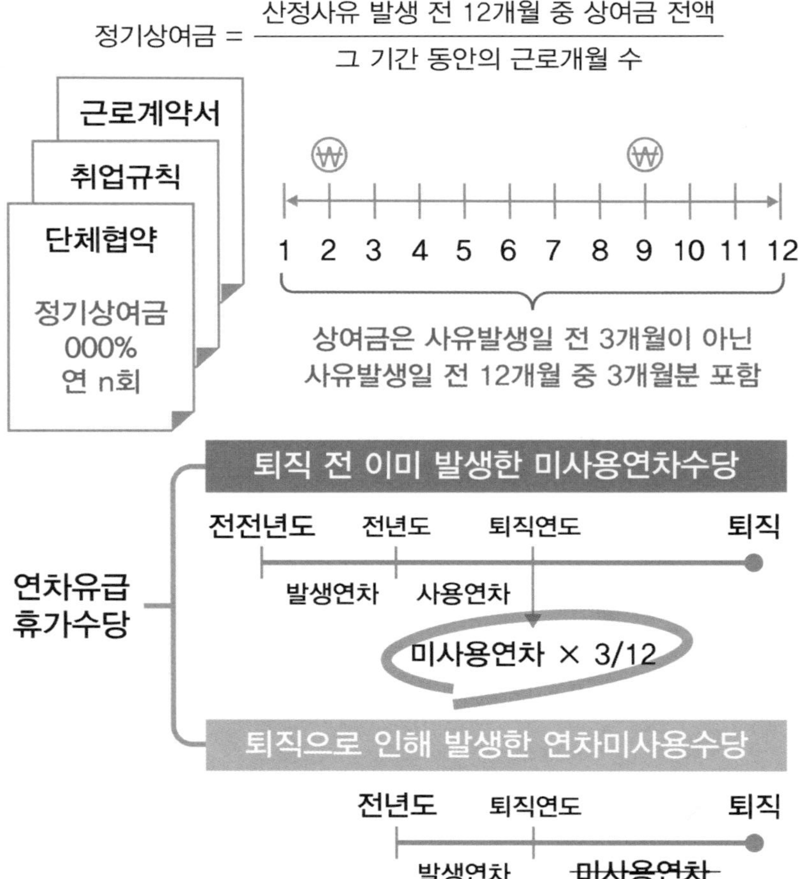

(1) 평균임금을 산정하기 어려운 경우

수습기간 중에 근로자의 사망이나 부상 등 평균임금을 산정하여야 할 사유가 발생한 경우에 수습기간을 평균임금에서 제외하게 되면 산정기준일이 없어 산술적으로 평균임금을 산정할 수 없게 됩니다. 이에 대해 [평균임금산정 특례 고시]를 통해 '제외되는 기간의 최초일'을 평균임금 산정사유가 발생한 날로 보도록 정하고 있습니다.

이와 같이 평균임금을 산정하기 어려운 '근로제공의 최초일에 평균임금 산정사유가 발생한 경우', '임금이 근로자 2명 이상 일괄 지급되는 경우', '임금총액의 일부가 명확하지 않은 경우' 등에 대해 고용노동부는 [평균임금산정 특례 고시]를 통해 구체적인 산정기준을 정하고 있습니다.

(2) 평균임금 산정방법을 산정하는 것이 적합하지 않은 경우

적법한 산정방법을 통해 평균임금을 산정하였으나, 평균임금이 지나치게 높거나 지나치게 낮은 경우가 있습니다.

법원[25]은 "근로자가 의도적으로 평균임금을 높인 기간을 빼고, 그 직전 3개월 간의 임금을 기준으로 하여 평균임금을 산정해야 한다"고 판시한 바 있습니다.

반면 직위해제기간이나 대기발령기간, 정직기간 및 감봉기간에 대해서는 법률로 정하는 평균임금을 산정하기 어려운 경우에 해당하지 않으므로 해당 기간을 포함하여 평균임금을 산정합니다. 다만, 이렇게 산정된 평균임금이 통상임금보다 적을 때에는 통상임금액을 평균임금으로 합니다.

노조전임자의 월급은 사용자가 지급하는 것이 아니므로 임금 자체에 해당하지 않아 평균임금 산정 시 임금총액에 포함될 수 없습니다. 따라서 노조전임자의 평균임금은 노조전임자와 동일 직급 및 호봉의 근로자들의 평균임금을 기준으로 산정합니다.

(3) 3개월을 초과하는 기준으로 산정된 임금의 경우

명절상여금처럼 3개월을 초과하는 기준으로 산정되는 정기상여금을 지급하는 회사가 많습니다. 퇴직 전 3개월을 기준으로 평균임금을 산정하면 정기상여금을 받은 기간이 퇴직 전 3개월에 포함되는지 여부에 따라 평균임금이 높아지거나 낮아지게 됩니다. 때문에 정기상여금은 평균임금을 산정하여야 할 사유가 발생한 이전 12개월 중 지급받은 상여금 전액을 그 기간 동안의 근로개월수로 분할하여 평균임금을 산정합니다.[26]

연차유급휴가는 '1년 근로'에 대한 대가로 '휴가사용권'이 부여되고, 이 휴가를 1년 이내 사용하지 못한 경우에 '수당'으로 전환됩니다. 이러한 연차유급휴가의 특징을 고려하여 퇴직 전에 이미 발생한 미사용연차수당에 대해 3/12만큼을 평균임금에 산입합니다.[27]

구분	평균임금	통상임금
적용 규정	• 퇴직급여 • 각종 재해보상 • 감급 제한	• 해고예고수당 • 연장·야간·휴일근로 가산수당 • 기타 법에 유급으로 표시된 보상
	• 휴업수당: 평균임금 70% ≤ 통상임금 • 연차유급휴가수당: 취업규칙에 정한 임금	

'통상임금'의 의미

근로자에게 정기적이고 일률적으로 소정근로 또는 총 근로에 대하여 지급하기로 정한 시간급 금액, 일급 금액, 주급 금액, 월급 금액 또는 도급 금액

통상임금을 시간급으로 산정하는 방법

1. 시간급: 금액
2. 일급: 금액 ÷ 1일의 소정근로시간 수
3. 주급: 금액 ÷ (1주 소정근로시간 + 유급으로 처리되는 시간)
4. 월급: 금액 ÷ (1주의 통상임금 산정 기준시간 수에 1년 동안의 평균 주의 수를 곱한 시간을 12로 나눈 시간)
5. 일·주·월 외의 일정한 기간으로 정한 임금: 제2호부터 제4호까지의 규정에 준하여 산정된 금액
6. 도급: 임금총액 ÷ 해당 임금 산정 기간(임금 마감일이 있는 경우에는 임금 마감 기간)의 총근로시간 수
7. 근로자가 받는 임금이 제1호부터 제6호까지의 규정에서 정한 둘 이상의 임금으로 되어 있는 경우: 규정에 따라 각각 산정된 금액을 합산한 금액

(1) 통상임금의 의미

통상임금이란 '근로자에게 정기적이고 일률적으로 소정근로 또는 총 근로에 대하여 지급하기로 정한 시간급 금액, 일급 금액, 주급 금액, 월급 금액 또는 도급 금액'을 말합니다.

(2) 통상임금을 시간급으로 산정하는 방법

우리나라 대부분의 근로자들이 월급근로자이어서 근로계약서도 월급기준으로 작성하다보니 통상시급이 얼마인지 알기 어려운 점이 있습니다. 통상임금은 시간급, 일급, 주급, 월급 또는 도급금액을 합쳐서 부르는 말로 '월급'으로 근로계약서나 연봉계약서 등을 작성한 때에는 「근로기준법」 시행령에서 정하는 통상임금을 시간급으로 산정하는 방법에 따라 '통상시급'을 구하면 됩니다.

월급근로자의 통상임금은 월급을 209로 나눈 것이라고 알고 있는데, 이는 통상임금을 시간급으로 산정하는 방법에 따라 산출된 것입니다. 많은 근로자들이 주 5일 근무를 하는데, 이들의 1주 소정근로시간은 40시간이고 유급으로 부여되는 주휴일은 8시간이므로 '통상주급'은 48시간입니다. 또 월마다 일수가 28일에서 31일로 다르기 때문에 월급근로자의 월급을 일정하게 지급하기 위해서는 매월 평균적인 주수를 구하여야 합니다. 1년 365일을 1주 7일로 나누고 이를 다시 12월로 나누면 됩니다.

(40시간+8시간)×(365일÷7일÷12월)=208.57…≒209시간

이 방법을 이용하여 월급근로자들은 월급액을 209로 나누면 '통상시급'을 구할 수 있게 됩니다.

일, 주, 월 외의 일정한 기간으로 정한 임금도 이에 준하여 산정하도록 하고 있기 때문에 설·추석 명절상여금과 같은 통상임금인 정기상여금도 연간총액을 12로 나눈 다음 209로 다시 나누는 등의 과정을 거쳐 통상시급을 구할 수 있습니다.

(월급÷209)+(정기상여금 총액÷12월÷209)=통상시급

(3) 통상임금의 적용

통상임금은 재직 중에 연장, 야간 및 휴일근로수당, 연차유급휴가수당 및 출산전후휴가급여 등의 산정기초로, 퇴사 이후에는 실업급여 등 노동관계법령에서 유급으로 표시된 각종 수당의 기초로 사용됩니다.

휴업수당의 산정에 대해서는 따로 규정을 두고 있는데, 이에 따라 평균임금의 100분의 70에 해당하는 금액이 통상임금을 초과하는 경우에는 통상임금을 휴업수당으로 지급할 수 있습니다.

연차유급휴가에서 '유급'은 통상임금 또는 평균임금으로 정할 수 있는데, 대부분의 회사에서 통상임금을 기준으로 정하고 있습니다. 소정근로시간은 1일에 8시간이므로 대부분의 근로자는 '통상시급×8시간×미사용연차일수'가 연차수당액이 됩니다. 단시간근로자의 경우 시간을 기준으로 연차유급휴가가 부여되므로 미사용연차수당은 '통상시급×미사용연차시간'이 연차수당액이 됩니다.

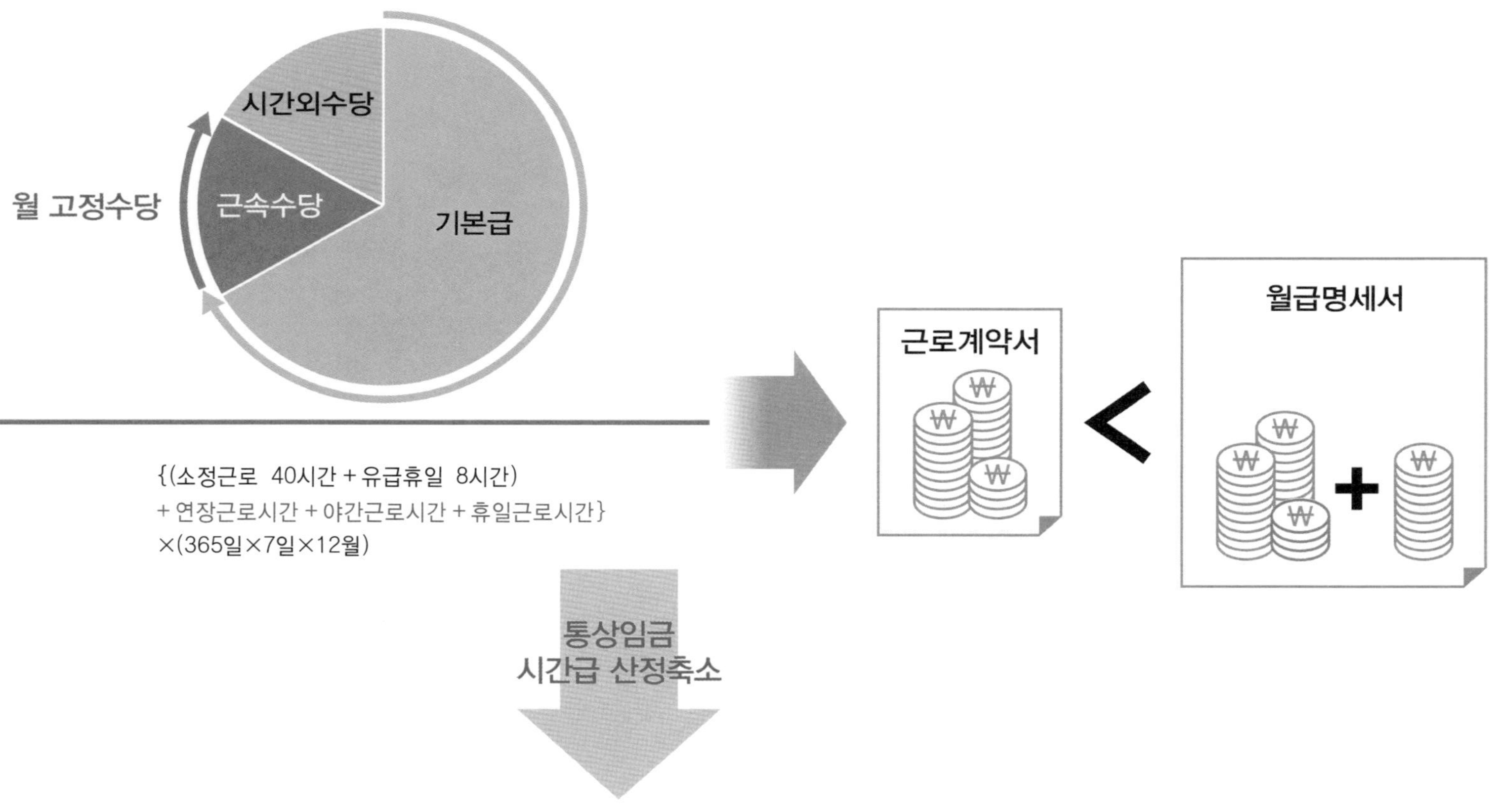
시간외수당
월 고정수당
근속수당
기본급
{(소정근로 40시간 + 유급휴일 8시간)
+ 연장근로시간 + 야간근로시간 + 휴일근로시간}
×(365일×7일×12월)
통상임금
시간급 산정축소
근로계약서
<
월급명세서
+

(1) 시간급 통상임금의 필요성

「근로기준법」은 '1주' 단위로 근로시간의 범위를 제한하고 있는데 반해 대부분의 회사들은 '1월' 단위 임금결정 방식을 택하고 있어, 1시간 단위의 연장·야간·휴일근로에 대한 가산임금을 계산하기 위해서는 1월 단위 임금액을 '시간급'으로 변경하는 과정이 필요합니다.

월 단위 임금액을 시간급으로 변경하여야, 시간급 통상임금에 연장·야간·휴일근로를 제공한 시간과 가산수당 지급률을 곱하여 시간외수당을 산출할 수 있기 때문입니다.

(2) 통상임금 관련 소송의 쟁점

우리나라 대부분의 회사들은 해당 월의 근로일수(28~31일)와 관계없이 매월 동일한 급여를 지급하는 '월급제'를 취하고 있습니다. 근로일수가 적거나 많아도 동일한 급여를 지급하는 것이 위법인 것은 아니나, 소정근로시간을 초과하여 근로함에도 연장근로수당을 받지 못하는 것은 위법입니다.

이에 많은 회사들이 사전에 연장근로수당을 월급에 포함시켜 지급하는 임금형태를 취하고, 동시에 적법하게 연장·야간 및 휴일근로수당 등이 산입되어 있는지를 살피기 위한 법적 다툼이 지속되고 있습니다.

이때까지 통상임금 관련 소송의 주요 쟁점은 '임금의 구성항목 중에 통상임금에 해당되는 임금의 범위가 어디까지인가?'였다면, 최근 대법원의 전원합의체 판결은 '통상임금의 크기를 결정하는 시간 수를 어떻게 볼 것인가?'입니다. 시간급 통상임금은 통상임금 총액을 총 근로시간 수로 나누어 구하는 것인 바, 종전의 판례는 분자를 넓히는 판결이었고 최근 판례는 분모를 낮추는 판결입니다.

(3) 시간급 통상임금의 산정방법[28)]

「근로기준법」이 정한 기준근로시간을 초과하는 약정 근로시간에 대한 임금으로서 월급 형태로 지급되는 고정수당을 시간급 통상임금으로 환산하는 경우, 시간급 통상임금 산정의 기준이 되는 총 근로시간 수에 포함되는 약정 근로시간 수를 산정할 때는 특별한 정함이 없는 한 '근로자가 실제로 근로를 제공하기로 약정한 시간 수 자체'를 합산하여야 합니다.

$$\frac{\text{월 고정수당}}{\text{209시간} + \text{월 고정연장시간}} = \text{시간급 통상임금}$$

최근 대법원 판결은 시간급 통상임금을 구하는데 있어 분모에 해당하는 '총 근로시간 수'에 관한 내용입니다. 종전에는 분모에 '연장근로시간에 대한 가산율'을 고려하였는데 종전 방식은 주야간근무 여부에 따라 통상임금이 달라지는 등의 문제점이 있었으나, 전원합의체 판결로 변경된 방식은 가산율을 제외하고 '근로자가 실제로 근로하기로 약정한 시간 수 자체'가 기준이 되어 종전의 문제는 발생하지 않게 됩니다.

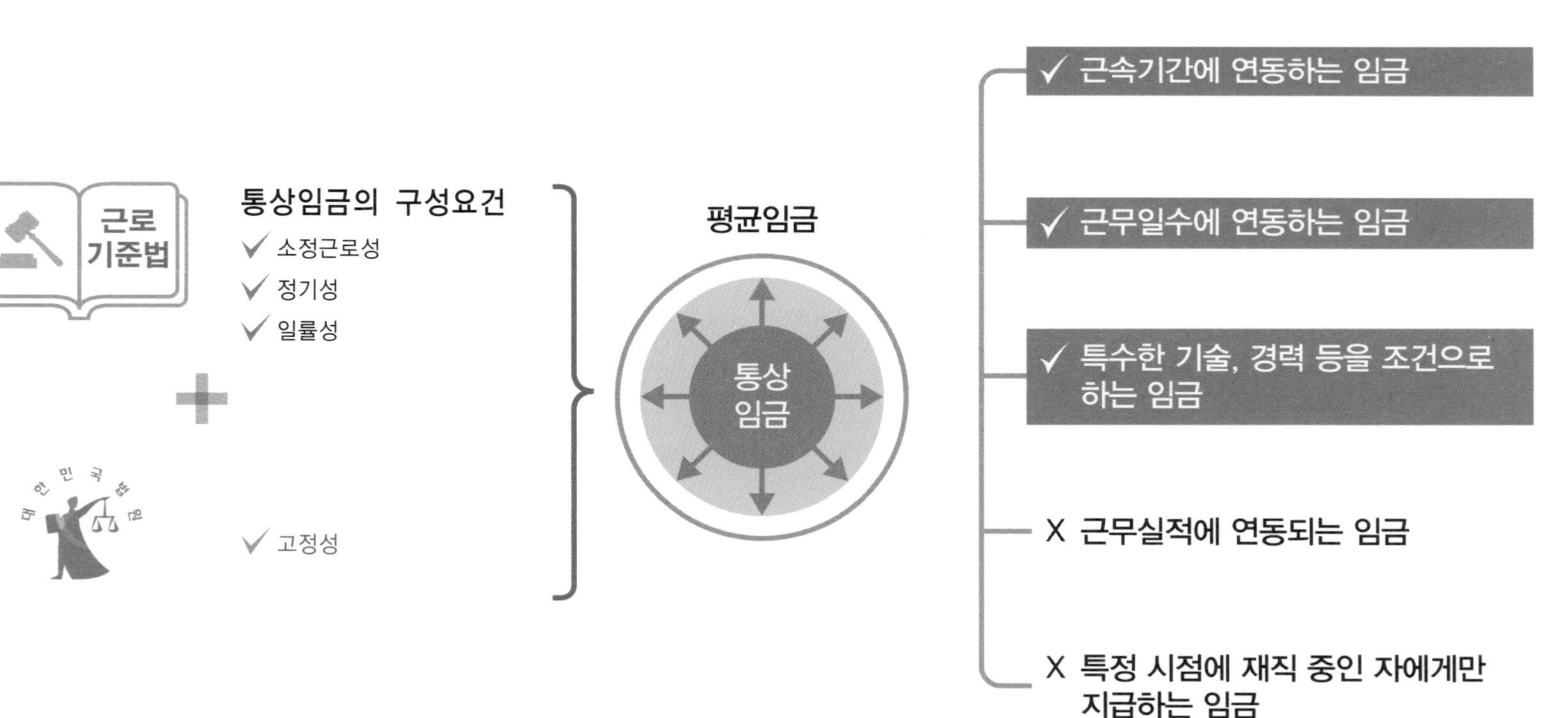
근로 기준법
통상임금의 구성요건
✓ 소정근로성
✓ 정기성
✓ 일률성
✓ 고정성
대한민국법원
평균임금
통상 임금
✓ 근속기간에 연동하는 임금
✓ 근무일수에 연동하는 임금
✓ 특수한 기술, 경력 등을 조건으로 하는 임금
X 근무실적에 연동되는 임금
X 특정 시점에 재직 중인 자에게만 지급하는 임금

(1) 통상임금 관련 법적 다툼의 원인: 고정성

통상임금은 평균임금보다 더 자주, 더 넓은 범위에서 사용됩니다. 연장·야간·휴일근로 가산수당, 해고예고수당, 출산전후휴가급여 및 육아휴직급여와 같이 노동관계법령에서 유급으로 표시된 각종 수당의 산정기초가 됩니다. 근로자의 삶과 아주 밀접한 만큼 통상임금에 대해서는 법적 다툼이 많습니다.

「근로기준법」에는 연장·야간·휴일근로 가산수당, 해고예고수당 등 통상임금이 적용되는 항목에 대해서만 규정하고 있고, 시행령에서 통상임금의 구성요건으로 '소정근로성', '정기성'과 '일률성'을 제시하고 있습니다.

법원[29]은 통상임금의 구성요건으로서 '고정성'을 추가하고 있는데, 「근로기준법」과 시행령에 고정성에 관한 근거가 없어서 이와 관련된 법적 다툼이 유독 많았습니다.

(2) 통상임금의 구성요건인 '고정성'

'고정성'이라 함은 '근로자가 제공한 근로에 대하여 그 업적, 성과 기타의 추가적인 조건과 관계없이 당연히 지급될 것이 확정되어 있는 성질'을 말하고, '고정적인 임금'은 '임금의 명칭 여하를 불문하고 임의의 날에 소정근로시간을 근무한 근로자가 그 다음 날 퇴직한다 하더라도 그 하루의 근로에 대한 대가로 당연하고도 확정적으로 지급받게 되는 최소한의 임금'입니다.

따라서 근로자가 소정근로를 제공하더라도 추가적인 조건을 충족하여야 지급되는 임금이나 그 조건 충족 여부에 따라 지급액이 변동되는 임금 부분은 고정성이 없습니다.

(3) '고정성'이 인정되는 통상임금

법원은 통상임금에 해당되기 위해서는 '고정성'이 필요하다는 입장을 고수하면서 수많은 판례를 통해 통상임금의 범위를 확대해오고 있습니다.

2013년 대법원의 판례로 이하의 2가지를 제외하고 우리나라 회사에서 지급되는 거의 모든 임금항목이 통상임금에 포함되게 되었습니다.

'월 10일 이상 출근 시 지급'하는 임금과 같이 근무실적에 연동하는 임금은 통상임금에서 제외됩니다. 그러나 월 10일 미만을 근무하더라도 최소한도의 임금을 지급하기로 한 사용자라면 최소금액만큼은 통상임금에 포함됩니다.

'지급일 현재 재직 중인 자'에게만 지급하는 경우도 통상임금에서 제외됩니다. 이러한 조건이 있더라도 회사에서 그 근무일수에 비례한 만큼의 임금을 지급하면 통상임금에 포함됩니다.

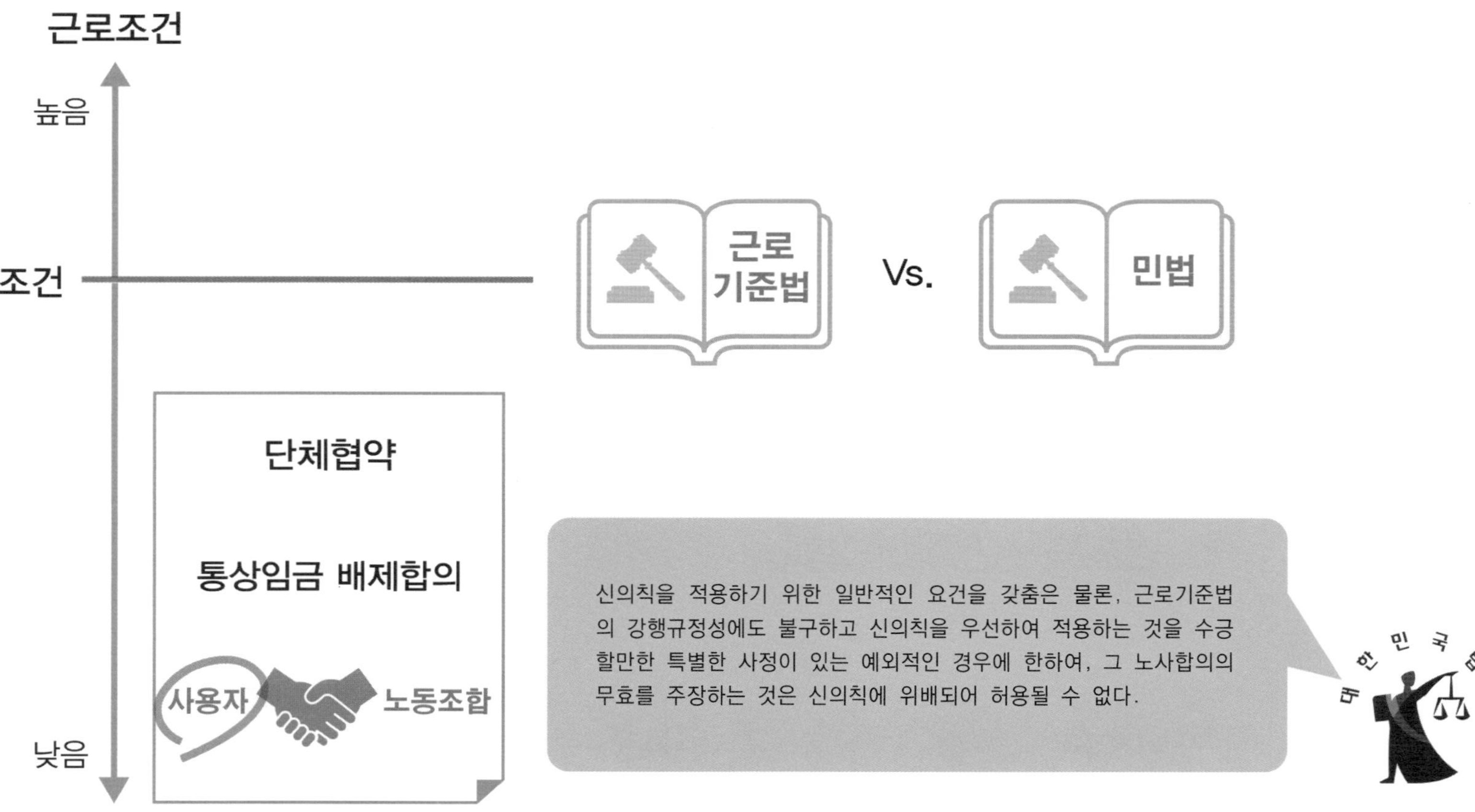
근로조건
높음
최저조건
낮음
근로 기준법
Vs.
민법
단체협약
통상임금 배제합의
사용자
노동조합
신의칙을 적용하기 위한 일반적인 요건을 갖춤은 물론, 근로기준법의 강행규정성에도 불구하고 신의칙을 우선하여 적용하는 것을 수긍할만한 특별한 사정이 있는 예외적인 경우에 한하여, 그 노사합의의 무효를 주장하는 것은 신의칙에 위배되어 허용될 수 없다.
대한민국법원

2013년 대법원의 통상임금 판례로 회사에서 지급하는 수많은 임금구성항목 중 연장·야간·휴일근로수당과 고정성이 없는 상여금을 제외한 거의 모든 임금항목이 통상임금에 해당할 만큼 통상임금의 범위가 확장되었습니다.

이는 고정성이 있는 정기상여금을 "통상임금에서 제외하기로 노사 간의 합의가 있는 경우 어떻게 할 것인지?"에 대한 대답을 내는 과정에서 나온 판결이었습니다.

판결의 주요 쟁점은 "법으로 보면 통상임금에 해당되는데, 과연 노사합의로 정기상여금을 통상임금 범위에서 제외하기로 약속한다면 그 약속은 효력이 있을까?"와 "노사합의가 법에 어긋나서 위법이라면 약속은 효력이 없는 셈인데, 약속을 어기고 정기상여금을 포함하여 산정한 통상임금을 기준으로 추가임금을 달라고 요구할 수 있을까?"입니다.

우리 법원은 이렇게 결론을 내렸습니다.

- 「근로기준법」은 강제로 적용되는 법규정이므로 노사합의로 그 근로조건보다 낮게, 통상임금에서 정기상여금을 빼기로 약속해도 무효다.
- 약속이 효력이 없으므로, 그 당시 약속의 효력이 없다는 걸 몰랐다고 하더라도 근로기준법에 따라야 한다.
- 그런데 노사가 정기상여금이 통상임금에 해당되지 않는다는 전제로 장기간 임금협상을 해왔고, 고용노동부 행정해석에서도 정기상여금이 통상임금에서 제외됐고, 그 전 판례에서 정기상여금이 통상임금에서 제외된다고 명확히 판결한 적이 없어서 협상 당시 노사 모두가 통상임금에 해당되지 않는다고 믿었다.
- 이렇게 서로 굳게 믿었는데, 이제 와서 노동조합이 그 약속을 어기고 추가임금을 요구하는 것이 사용자에 중대한 경영상 어려움을 초래하거나 기업의 존립을 위태롭게 한다면, 노동조합이 약속을 지키라고 요구해도 사용자는 받아들일 수 없다.

아주 예외적인 경우에 대한 판결이므로 이 판결 이후부터는 통상임금에 포함되는 임금항목임에도 통상임금에서 제외하기로 노사합의하더라도 노사합의는 무효가 될 가능성이 매우 높습니다.

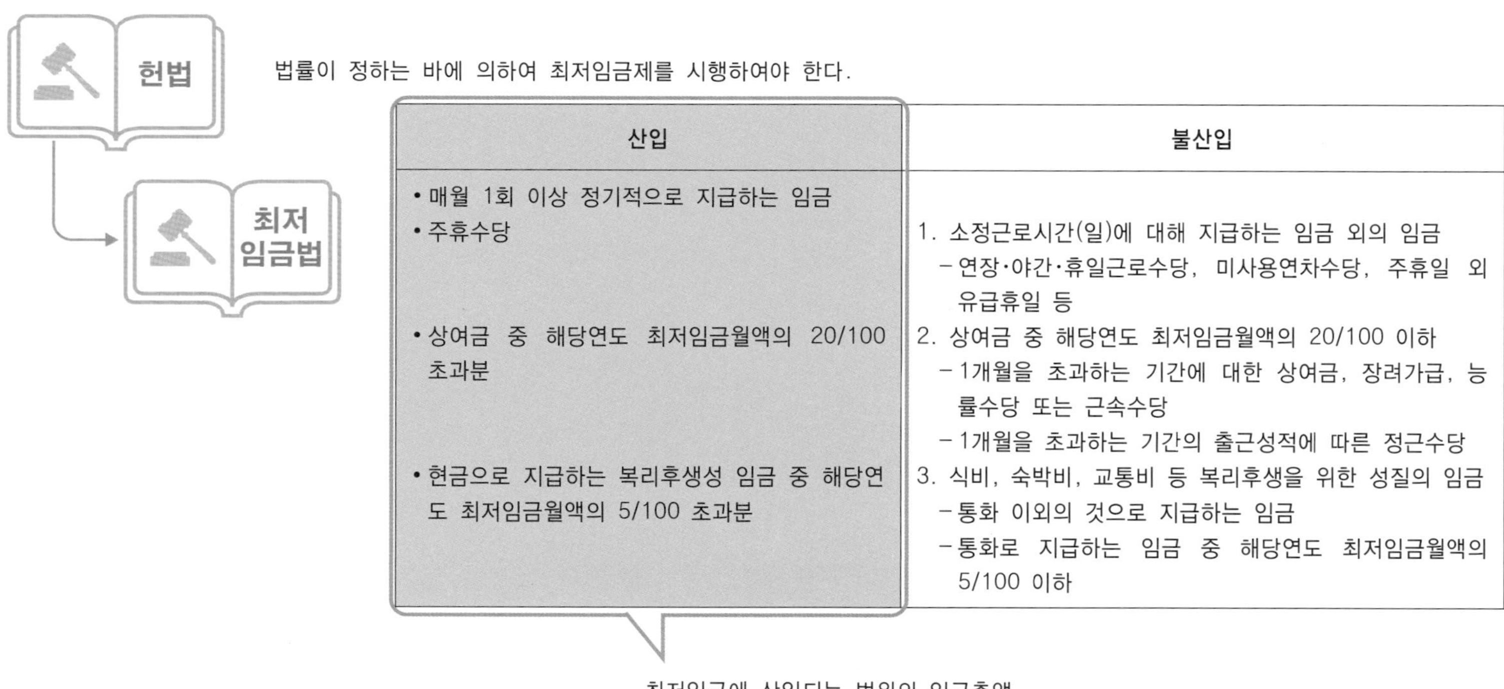

법률이 정하는 바에 의하여 최저임금제를 시행하여야 한다.

산입	불산입
• 매월 1회 이상 정기적으로 지급하는 임금 • 주휴수당	1. 소정근로시간(일)에 대해 지급하는 임금 외의 임금 – 연장·야간·휴일근로수당, 미사용연차수당, 주휴일 외 유급휴일 등
• 상여금 중 해당연도 최저임금월액의 20/100 초과분	2. 상여금 중 해당연도 최저임금월액의 20/100 이하 – 1개월을 초과하는 기간에 대한 상여금, 장려가급, 능률수당 또는 근속수당 – 1개월을 초과하는 기간의 출근성적에 따른 정근수당
• 현금으로 지급하는 복리후생성 임금 중 해당연도 최저임금월액의 5/100 초과분	3. 식비, 숙박비, 교통비 등 복리후생을 위한 성질의 임금 – 통화 이외의 것으로 지급하는 임금 – 통화로 지급하는 임금 중 해당연도 최저임금월액의 5/100 이하

$$최저임금 = \frac{최저임금에\ 산입되는\ 범위의\ 입금총액}{최저임금\ 적용기준\ 시간\ 수}$$

• 주휴수당이 최저임금 적용시간 수에 포함
예: 월급근로자의 최저임금 적용시간 수
=(소정근로시간+주휴일)×365일÷7일÷12월

(1) 최저임금제 의의

평균임금과 통상임금이 「근로기준법」에서 정한 것과 달리 최저임금은 「대한민국헌법」에서 최저임금제를 시행하도록 규정하고 있습니다. 국가가 임금의 최저수준을 정하고 사용자가 그 이상을 지급하여야 하는 것입니다.

최저임금 인상률이 곧 임금인상률이나 물가인상률처럼 생각하는 경우가 있는데, 최저임금은 시간당 근로의 대가로 지급되는 임금의 최저수준을 정한 것뿐이므로 임금인상률이나 인상방법을 정하는 기준은 아닙니다.

(2) 최저임금에 산입되는 임금항목 및 임금액

노동시장에서 공급과 수요에 의해 임금수준이 결정되는 것이 아니라 법률로서 임금수준이 강제된 것이어서 최저임금에 산입되는 임금항목과 산입되지 않는 임금항목은 「최저임금법」에 구체적으로 정해져 있습니다.

기본적으로 '매월 1회 이상 정기적으로 지급하는 임금'은 최저임금에 산입되므로, 1월을 초과하여 지급하는 임금이거나 비정기적으로 지급하는 임금이라면 혹은 임금에 해당하지 않은 금원이라면 최저임금에 산입되지 않는 것이 원칙입니다.

많은 사용자들이 명절상여금과 같이 1개월을 초과하여 임금을 지급하거나 임금항목으로 식대비 등을 지급하는 경우가 많은데, 무작정 최저임금이 인상될 경우 명절상여금을 매월 쪼개서 지급하거나 식대비를 없애서 사실상 최저임금 인상 효과가 나타나지 않을 우려가 있었습니다. 이에 매월 지급되는 상여금과 현금성 복리후생비 중 일정 초과분을 최저임금 산입범위에서 포함시키되 그 비율을 단계적으로 축소하기로 하였습니다.

연도	2020년	2021년	2022년	2023년	2024년~
매월 지급 상여금	20%	15%	10%	5%	0%
현금성 복리후생비	5%	3%	2%	1%	0%

(3) 최저임금에 산입되지 않는 임금항목

최저임금에 산입되지 않는 임금항목은 다음과 같습니다.

- 연장·야간·휴일근로수당
- 미사용 연차수당
- 주휴수당을 제외한 유급휴일(예: 토요일을 유급휴일로 정하는 회사)

(4) 최저임금 적용시간 수

법정 최저임금 이상인지 여부는 '최저임금에 산입되는 범위의 임금총액'을 '최저임금 적용시간 수'로 나누어 그 시급이 최저수준 이상인지를 판단합니다.

근로자의 임금을 정하는 단위기간이 일급인지, 주급인지, 월급인지에 따라 다음 방식을 통해 '최저임금'이 법적 기준 이상인지를 살핍니다.

- 일 단위로 정해진 임금: 일급÷1일의 소정근로시간 수
- 주 단위로 정해진 임금: 주급÷(1주 소정근로시간+유급주휴시간)
- 월 단위로 정해진 임금: 월급÷{(1주 소정근로시간+유급주휴시간)×365일÷7일÷12월}
- 시간·일·주 또는 월 외의 일정 기간을 단위로 정해진 임금: 위 방식을 준용하여 산정

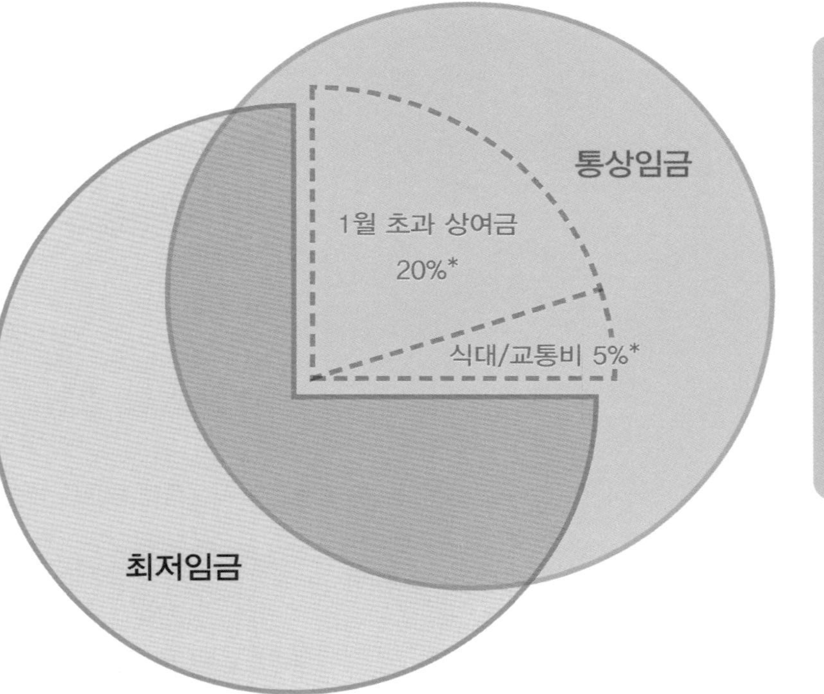

최저임금이나 최저임금의 적용을 위한 비교대상 임금은 통상임금과는 그 기능과 산정 방법이 다른 별개의 개념이므로, 사용자가 최저임금의 적용을 받는 근로자에게 최저임금액 이상의 임금을 지급하여야 한다고 하여 곧바로 통상임금 자체가 최저임금액을 그 최하한으로 한다고 볼 수 없다. 다만, 최저임금의 적용을 받는 근로자에게 있어서 비교대상 임금 총액이 최저임금액보다 적은 경우에는 비교대상 임금 총액이 최저임금액으로 증액되어야 하므로, 이에 따라 비교대상 임금에 산입된 개개의 임금도 증액되고 그 증액된 개개의 임금 중 통상임금에 해당하는 임금들을 기준으로 통상임금이 새롭게 산정될 수는 있을 것이다.

☞ 통상임금이 최저임금보다 적을 경우 최저임금을 기준으로 곧바로 법정수당을 산정할 것은 아니다.

* 최저임금법 제6조 제4항 단서에 따른 최저임금 산입제외범위: 2020년 기준

(1) 최저임금과 통상임금의 관계

예전에는 최저임금보다 통상임금과 관련된 법적 분쟁이 많았는데, 최저임금이 급격히 인상되면서 최저임금과 관련된 법적 분쟁이 생기기 시작했습니다. 그중 하나가 통상임금과 최저임금과의 관계입니다.

최저임금이 통상임금에 비해 낮게 유지되었을 때에는 최저임금이 통상임금에 모두 포함된다고 보고, 최저임금보다 낮은 통상임금은 존재할 수 없다고 생각했습니다. 최저임금에 산입되는 임금항목과 '근로자에게 정기적이고 일률적으로 소정근로 또는 총 근로에 대하여 지급하기로 정한' 통상임금이 매우 유사하기 때문입니다.

하지만 우리 법원[30]은 최저임금과 통상임금은 각각 다른 개념이고 임금의 기능과 목적이 다르므로 최저임금은 최저임금이고, 통상임금은 통상임금이라고 결론을 내렸습니다.

(2) 통상임금의 최저임금 미달 시 연장근로수당 등 산정방법

고용노동부도 "시간급 통상임금이 시간급 최저임금보다 낮더라도 통상임금을 기준으로 연장근로에 대한 임금(100%) 및 가산수당(50%)을 산정한다"고 행정해석을 변경[31]하였습니다.

[사례1]

임금항목	지급조건	월 지급액
기본급	주 5일근무, 일요일 주휴일, 토요일 유급약정휴일	1,458,000
상여금	연 기본급의 800%를 매월 지급하되, 지급일 현재 재직자에 한해 지급	972,000
소계		2,430,000

통상임금		최저임금	
산입여부	산입금액	산입여부	산입금액
기본급 산입	1,458,000	기본급 일부산입	1,254,000 (=1,458,000÷243시간×209시간)
상여금 제외	–	상여금 일부산입	653,438 (=972,000−359,062)
통상시급: 6,000원 (=1,458,000÷243시간)		최저시급 환산: 8,932원 (≒1,866,938÷209시간)	

예를 들어 1일 8시간씩 주 40시간 근무하고 주 1회의 주휴일 및 주 1회의 유급약정휴일을 부여하고 기본급과 상여금을 다음과 같이 지급하는 회사가 있습니다.

상여금은 지급일 현재 재직자에게만 지급하므로 고정성이 없어 통상임금에는 포함되지 않지만, 최저임금에는 일부 즉, 1개월을 초과하는 기간에 대해 매월 지급되는 상여금 359,062원을 초과하는 부분(2020년은 최저임금액을 기준으로 산정된 월 환산액의 100분의 20)은 최저임금에 산입됩니다. 또한 시간급 통상임금을 구할 때 유급약정휴일이 통상임금의 산입범위 및 통상임금 산정 시간 수에 포함{(주 40시간+주휴일 8시간+약정유급휴일 8시간)×365일÷12월÷7일≒243시간}되지만, 시간급 최저시급을 구할 때에는 주휴일을 제외한 유급휴일은 포함되지 않으므로 최저임금을 산입하기 위한 범위 및 시간 수에 포함되지 않습니다{(주 40시간+주휴일 8시간)×365일÷12월÷7일≒243시간}.

[사례1]의 사업장에서 1시간 연장근로 시 최저임금(2020년 기준 8,590원)보다 낮은 통상임금(6,000원)을 기준으로 연장근로수당 9,000원{=6,000원×(연장근로에 대한 임금 100%+가산수당 50%)}을 지급하면 적법합니다.

[사례2]

임금항목	지급조건	월 지급액
기본급	주 5일근무, 일요일 주휴일, 토요일 유급약정휴일	1,500,000
상여금	지급일 현재 재직자에 한해 지급	830,000
식대		100,000
소계		2,430,000

통상임금		최저임금	
산입여부	산입금액	산입여부	산입금액
기본급 산입	1,458,000	기본급 일부산입	1,290,123 (=1,458,000÷243시간×209시간)
상여금 제외	–	상여금 일부산입	470,938 (=830,000−359,062)
식대 산입	100,000	식대 일부산입	10,682 (=100,000−89,138)
통상시급: 6,585원 (=1,600,000÷243시간)		최저시급 환산: 8,478원 (≒1,771,922÷209시간)	

[사례1]과 동일한 월급을 받지만 임금구성 항목이 다소 다른 [사례2]가 있습니다. 식대는 고정성이 있으므로 통상임금에 전부 포함되고, 현금으로 지급되는 복리후생성 임금이므로 89,138원을 초과하는 부분(2020년은 최저임금액을 기준으로 산정된 월 환산액의 100분의 5)만 최저임금에 산입됩니다. [사례1]과 월급액은 같으나 통상임금과 최저임금은 다르고 2020년 최저임금 8,590원에 미달하게 됩니다.

통상임금액이 최저임금보다 낮고, 최저임금법을 위반 시 고용노동부는 법정 최저임금액에 미달하는 비교대상 임금 총액은 최저임금액으로 증액되어야 한다는 입장입니다. 즉, 비교대상 임금에 산입된 개개의 임금항목도 증액되고, 그 증액된 개개의 임금항목 중 통상임금에 해당하는 임금항목들이 있는 경우 이들을 기준으로 새롭게 산정된 통상임금을 기준으로 재산정하여야 합니다.

다시 말해 법정 최저임금에 미달하는 23,387원(8,590×209−1,771,923)만큼 월급을 인상하되 기본급, 상여금, 식대의 각 비율에 따라 증액하고, 통상임금에 해당하는 기본급과 식대가 증액된 만큼 통상임금을 재산정합니다. 1시간 연장근로 시 9,877.5원(6,585원×150%) 이상이 아니라 9,982.5원(6,655원×150%) 이상을 지급하여야 합니다.

임금항목 (비교대상임금)	월 지급액	최저임금		
		산입금액	비율	미달액
기본급	1,500,000	1,290,123	72.8%	+17,028
상여금	830,000	470,938	26.6%	+6,216
식대	100,000	10,682	0.6%	+143
소계	2,430,000			+23,387

임금항목	통상임금	
	종전	증액분
기본급	1,458,000	+17,028
상여금	–	–
식대	100,000	+143
	통상시급: 6,655원 (=1,617,171÷243시간)	

05

근로계약서, 연봉계약서 및 월급명세서

* 예시: 2020년 주 40시간 근로자 기준

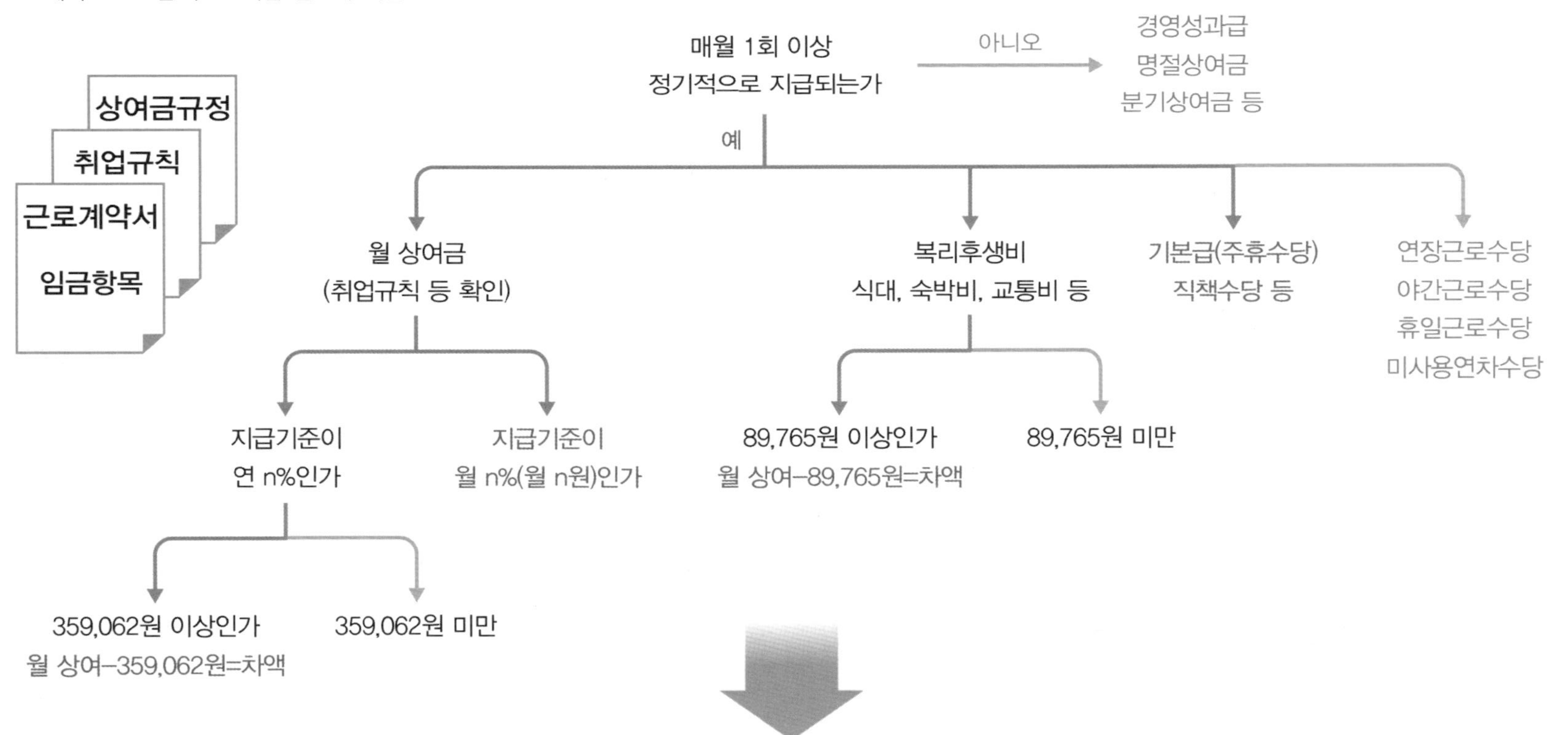

최저임금에 산입되는 항목(기본급 등+월 상여금+복리후생비 차액)을 합산하여 1,795,310**원**(2020**년 기준) 이상이어야 적법합니다.**

최저임금에 대한 오해 중 가장 대표적인 것이 임금총액을 기준으로 최저임금 위반이 아니라고 생각하는 것입니다. 월급이 1,759,310원 이상(2020년 기준)인지가 중요한 것이 아니라, 최저임금에 산입되는 임금항목의 합이 최저임금액 이상인지가 중요합니다.

(1) '임금'에 해당하는지 여부

최저임금은 우선 근로의 대가인 임금이어야 합니다. 따라서 사용자의 경영실적 평가결과에 따라 분배하는 경영성과급 등은 근로의 대가가 아니므로 임금이 아니고, 최저임금에도 산입되지 않습니다.

(2) '매월 1회 이상 지급되는지' 여부

최저임금에 산입되는 임금은 '매월 1회 이상 정기적으로 지급'되어야 합니다. 설·추석 명절 상여금이나 분기마다 지급하는 상여금 등은 매월 지급하지 않으므로 최저임금에 산입되지 않습니다.

매월 1회 이상 지급되고 최저임금 산정시 제외되는 임금항목이 아니라면 그 명칭이 무엇이든 최저임금에 산입됩니다.

(3) 연장·야간·휴일근로수당 또는 연차수당: 제외

근무특성에 따라 연장근로가 반복적으로 발생된다고 하더라도 연장·야간·휴일근로수당은 최저임금에 산입하지 않는 임금항목이라고 규정되어 있으므로, 이는 최저임금 산입범위에 포함하지 않습니다.

연차수당 역시 매월 지급되도록 연봉계약서 등에 기재되어 있더라도 최저임금 산정 시 제외됩니다.

(4) 현금성 복리후생비: 일부 산입

식비, 숙박비, 교통비 등 생활보조 또는 복리후생을 위한 성질의 임금으로서 매월 1회 이상 현금으로 지급되면 2020년 기준 최저임금월액에 5%(89,765원)를 초과하는 금액만 최저임금에 산입됩니다. 이와 같은 현금성 복리후생비가 없거나 2020년 기준 89,765원 미만이면 최저임금에 산입하지 않습니다.

(5) 지급기준이 1월을 초과하는 상여금: 일부 산입

'1개월을 초과하는 기간에 걸친 해당 사유에 따라 산정하는 상여금, 장려가급, 능률수당 또는 근속수당'이거나 '1개월을 초과하는 기간의 출근성적에 따라 지급하는 정근수당' 역시 현금성 복리후생비와 마찬가지로 매월 1회 이상 정기적으로 지급되더라도 2020년 기준 359,062원 초과하는 부분만 최저임금에 산입됩니다.

(6) 지급기준이 1월 이내인 상여금: 전부 산입

반면 1개월 이내의 기준에 의해 산정되어 매월 1회 이상 지급되는 상여금은 그 전액이 최저임금액에 산입됩니다.

매월 지급되는 상여금의 경우 지급기준에 따라 전부 또는 일부만 산입되므로 근로계약서나 연봉계약서 작성 시 이를 유의하여야 합니다.

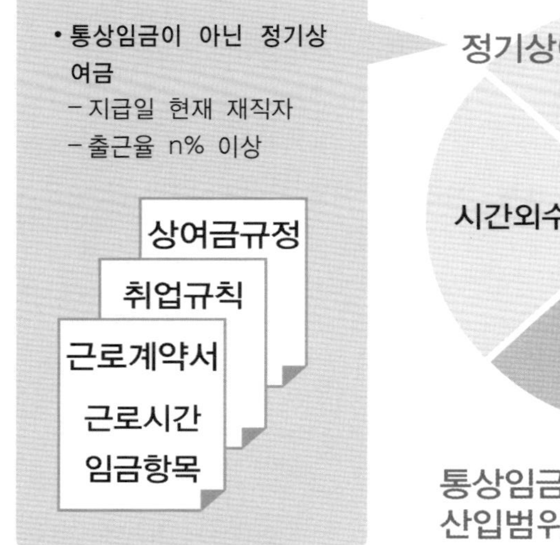

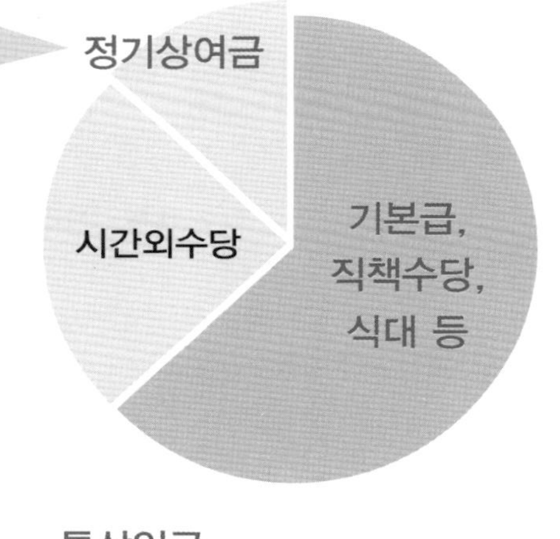

정기상여금
시간외수당
기본급,
직책수당,
식대 등

월급근로자 209시간의 의미

- (주 40시간×주휴일 8시간)×365일÷(1주)7일÷12월=208.5
  - 1주 소정근로시간과 주당 유급으로 처리되는 시간을 합하여, 1년 동안의 평균 주의 수를 곱한 시간을 12로 나눔.
- 소수 첫째자리에서 올림하여 209시간이 됨.
  - 1시간 미만임을 이유로 임금을 지급하지 않는 '임금꺾기'는 임금체불임.

연장근로수당=연장시간×통상시급×150%

근로의 대가 100%+연장가산 50%

야간근로수당=야간시간×통상시급×50%

22:00~익일 06:00 사이의 근로시 야간가산 50%
- 실무상 야간근무에 대한 근로의 대가 100%는 기본급에 이미 산입된 경우가 많음.

휴일근로수당=휴일시간×통상시급×150%

근로의 대가 100%+휴일가산 50%
단, 휴일에 8시간 초과근무시 연장가산 50% 추가

(1) 통상임금의 산정기준

통상임금에 해당하는지 여부는 소정근로의 대가로서 정기성, 일률성, 고정성을 모두 갖추었는지에 따라 판단하는데, '근무실적에 연동하는 임금'이거나 '특정 시점에 재직 중인 자에게만 지급하는 임금'은 통상임금에서 제외됩니다.

근로계약서나 연봉계약서에 기재된 임금명칭이 무엇이든 통상임금의 고정성을 배제하는 위 2가지 요건이 없다면 통상임금에 해당된다고 생각하여도 됩니다.

다만, 경영성과급이나 실비변상적 급여는 임금 자체가 아니므로 통상임금 역시 해당되지 않습니다.

(2) 월급근로자의 통상임금 산정방법

통상임금은 해당임금의 산정기간이 시간급인지, 일급인지, 월급인지 등으로 각각 상이하더라도 '통상시급'으로 변경하는 방법이 「근로기준법」 시행령에 있으므로 이에 따라 산정하면 됩니다.

일반적으로 매월 지급되는 임금항목의 임금액을 모두 더해 209로 나누면 됩니다. 209는 1주 소정근로시간과 주당 유급으로 처리되는 시간을 합하여 1년 동안의 평균 주의 수를 곱한 시간을 12로 나눈 값입니다.

(40시간+8시간)×(365일÷7일÷12월)=208.57…≒209시간

208에서 소수점 첫째자리 이하를 버리게 되면 근로자는 일을 했지만 '1시간' 미만이라는 이유로 근로시간의 대가인 임금을 지급하지 않는 결과를 초래하기 때문에 올림하여 209로 처리합니다.

일, 주, 월 외의 일정한 기간으로 정한 임금의 경우에도 위와 같은 산정방법을 준용하여 통상임금을 계산합니다.

- 고정성 있는 경우: (월급÷209)+(상여금 총액÷12월÷209)=통상시급
- 고정성 없는 경우: (월급÷209)=통상시급

(2) 반복적인 연장·야간·휴일근로수당

3교대 근무자처럼 근무특성상 연장, 야간, 휴일근로 등이 반복적으로 발생할 경우 근로계약서나 연봉계약서에 연장, 야간, 휴일근로수당을 사전에 표시하여 임금예상액을 기재하는 것도 가능합니다.

근로계약서 등에 연장근로수당의 계산방법이 "통상시급×연장근로시간×150%"라고 정하는 것은 소정근로시간을 초과한 근로의 대가 100%와 연장가산 50%를 표시한 것으로 이해하면 됩니다.

8시간 이내의 휴일근로수당의 경우는 연장근로수당과 동일하게 계산하면 되고, 8시간 초과 시 "통상시급×휴일근로시간×200%"라고 계산하면 됩니다. 이때 200%는 소정근로시간이 아닌 근로의 대가 100%와 휴일가산 50% 그리고 8시간을 초과한 연장가산 50%의 합입니다.

반면 야간근로수당은 22:00~익일 06:00 사이의 근로를 말하므로, 근로의 대가 100%가 209 안에 포함되어 있는 경우가 많아 "통상시급×야간근로시간×50%"라고 계산하는 것이 일반적입니다.

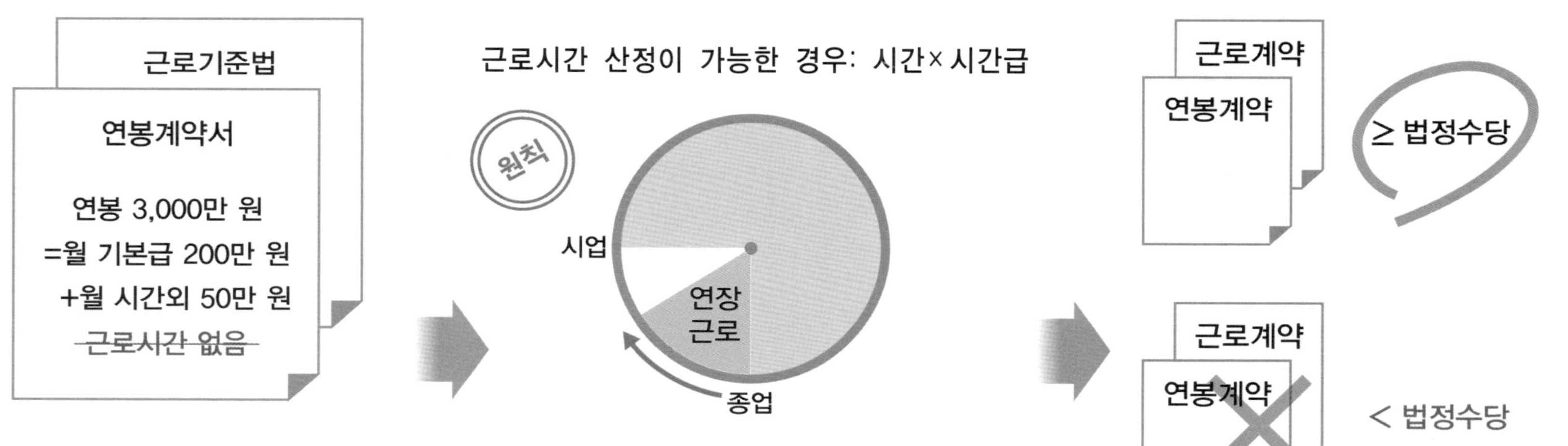

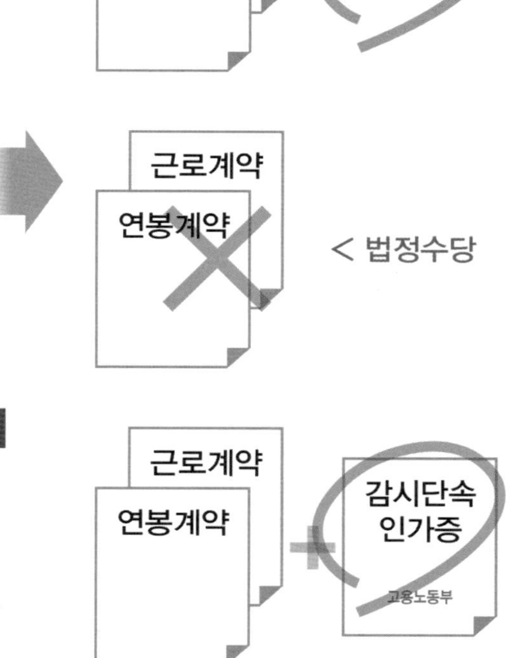

포괄임금제

기본임금을 정하지 아니한 채 각종 수당을 합한 금액을 월 급여액이나 일당임금으로 정하거나, 기본임금을 정하고 매월 일정액을 각종 수당으로 지급하는 내용의 임금계약체결방식

☞ 실무상 근로시간 산정없이 작성된 근로계약서 등은 포괄임금제 형태임.

- 감시업무를 주업무로 하면서 상태적으로 정신적·육체적 피로가 적은 업무에 종사하는 자
- 근로가 간헐·단속적으로 이루어져 휴게시간·대기시간이 많은 업무에 종사하는 자

(1) 포괄임금제의 의의

우리나라 노동법은 '근로시간'에 대해서 임금을 지급하도록 정하고 있습니다. 사용자와 근로자가 근로계약을 체결함에 있어서는 기본임금을 정하고 이를 기초로 각종 수당을 가산하여 지급하는 것이 원칙입니다.

근로시간을 산정할 수 없거나 산정하는 것이 어려운 경우에는 임금을 어떻게 지급하여야 할까요? 이 경우 사용하는 것이 포괄임금제 계약입니다. 근로시간을 산정할 수 없으니 임금을 계산하기 어렵고, 노동법을 그대로 적용할 수 없어 법원[32]에 의해 예외적으로 인정되는 제도입니다.

즉, 포괄임금제란 '기본임금을 정하지 아니한 채 각종 수당을 합한 금액을 월 급여액이나 일당임금으로 정하거나, 기본임금을 정하고 매월 일정액을 각종 수당으로 지급하는 내용'을 임금지급계약 또는 단체협약을 통해 체결하는 것을 말합니다.

(2) 예외적으로 허용되는 포괄임금제

근로시간을 산정할 수 있는 경우라면 포괄임금제 방식을 체결하였다 하더라도 「근로기준법」상의 근로시간에 따른 임금지급의 원칙이 적용되어야 합니다.

근로시간을 산정할 수 없거나 근로시간을 산정하기 어려운지 즉, 포괄임금제에 관한 약정이 성립하였는지 여부는 근로시간, 근로형태와 업무의 성질, 임금 산정의 단위, 단체협약과 취업규칙의 내용, 동종 사업장의 실태 등 여러 사정을 종합적으로 고려하여 판단합니다.

(3) 명칭만 포괄임금제인 경우

근로형태나 업무의 성격상 연장·야간·휴일근로가 당연히 예상된다는 이유로 포괄임금제 계약을 체결하여도, 근로시간을 산정할 수 있다면 원칙대로 「근로기준법」이 적용되어야 합니다.

명칭만 포괄임금제 계약을 체결한 경우, 「근로기준법」이 정한 근로시간에 관한 규제를 위반하는지를 따져 포괄임금에 포함된 법정수당이 「근로기준법」이 정한 기준에 따라 산정된 법정수당에 미달한다면 사용자는 그 미달되는 법정수당을 지급하여야 합니다.

반대로 금액이 법정수당보다 높고, 포괄임금제 계약이 아니라는 것을 알게 되더라도 이을 이유로 근로자의 임금을 삭감할 수는 없습니다.

(4) 포괄임금제에 해당하는 경우

감시적 근로자나 단속적 근로자처럼 근로시간을 산정하기 어려운 경우라면 포괄임금제를 적용할 수 있습니다. 특히 감시 또는 단속적 근로자에 대해 고용노동부장관으로부터 근로시간의 적용 예외 승인을 받을 수 있으므로, 사용자는 포괄임금제와 더불어 이 승인을 받아 적법하게 운영할 필요가 있습니다.

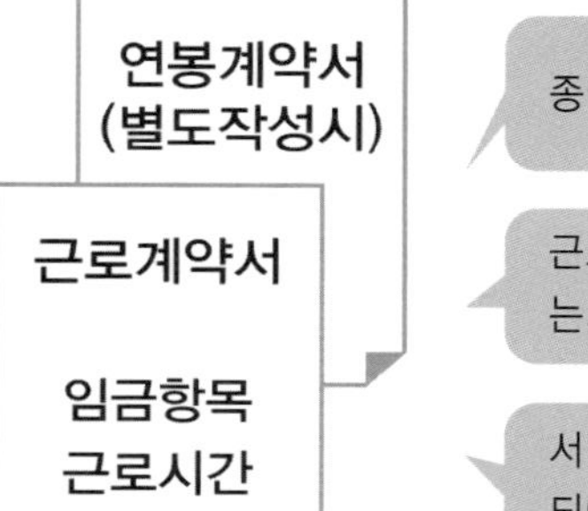

급여명세서 ≠ 사용증명서

- 30일 이상 계속근로시
- 퇴직 후 3년간

통상근로자의 경우

- 서면명시사항 누락(임금의 구성항목, 계산방법 및 지급방법, 소정근로시간, 휴일, 연차유급휴가), 근로계약서 미교부
  ☞ 벌금 500만 원

기간제근로자 및 단시간근로자의 경우

- 서명명시사항 누락: 근로계약기간, 임금의 구성항목, 계산방법 및 지불방법, 근로일 및 근로일별 근로시간
  ☞ 각 50/100/200만 원 과태료
- 서면명시사항 누락: 근로시간, 휴게시간, 휴일, 휴가, 취업장소 및 종사업무
  ☞ 각 30/600/120만 원 과태료

급여명세서를 교부하지 않은 경우

급여명세서는 작성 및 교부의무가 없음.

☞ 급여명세서 미작성, 미교부는 위법이 아님.

근로자가 청구시 사용증명서 발급

재직 및 퇴직근로자가 청구시 사용자는 사용 기간, 업무 종류, 지위와 임금, 그 밖에 필요한 사항에 관한 증명서를 청구하면 사실대로 적은 증명서를 즉시 내주어야 함.

☞ 급여명세서, 임금대장 등은 사용증명서에 포함되지 않음.

(1) 근로계약서 작성의무 및 교부의무

연봉계약서를 작성하는 것이 의무는 아닙니다. 정확히는 근로계약서를 작성하여야 하고, 근로계약서에 임금에 관한 사항이 없다면 연봉계약서를 체결하여야 합니다.

사용자는 모든 근로자에 대해 근로계약서를 반드시 작성하여야 합니다. 근로계약서는 사용자와 근로자가 체결하는 것이지만, 사용자에게 근로계약서 작성의무와 위반 시 제재를 부가하여 근로현장에서 근로계약서를 체결하도록 하고 있습니다.

사용자는 근로계약서를 '종이'로 작성하여 근로자에게 1부를 '교부'하여야 하고, 근로자의 지위별로 근로계약서에 명시하여야 할 사항을 모두 기재하여야 합니다.

(2) 근로계약서의 서면명시사항

근로계약서를 작성할 때는 근로자의 지위에 따라 근로계약서에 기재되어야 할 내용이 조금씩 다릅니다.

일반근로자는 임금의 구성항목, 계산방법 및 지급방법과 소정근로시간, 휴일, 연차유급휴가가 기재되어야 합니다. 기간제근로자는 이 외에 근로계약기간과 휴게, 휴가, 취업의 장소와 종사하여야 할 업무에 관한 사항이 기재되어야 합니다. 단시간근로자는 근로일 및 근로일별 근로시간이 추가적으로 기재되어야 합니다.

(3) 급여명세서

급여명세서는 법적 서류 같지만 아닙니다. 많은 회사에서 급여를 지급할 때 급여명세서를 지급하는 것일 뿐이지 사용자에게 급여명세서를 작성하거나 근로자에게 교부하여야 할 의무는 없습니다.

(4) 사용증명서

재직 중인 직원이나 퇴사한 직원이 경력증명서 발급을 요청하면 사용자는 이를 반드시 이행하여야 합니다. 근로자가 청구하는 경우에 사용자는 사용기간, 업무종류, 지위와 임금 등을 사실대로 적은 증명서를 즉시 발급하여야 하기 때문입니다.

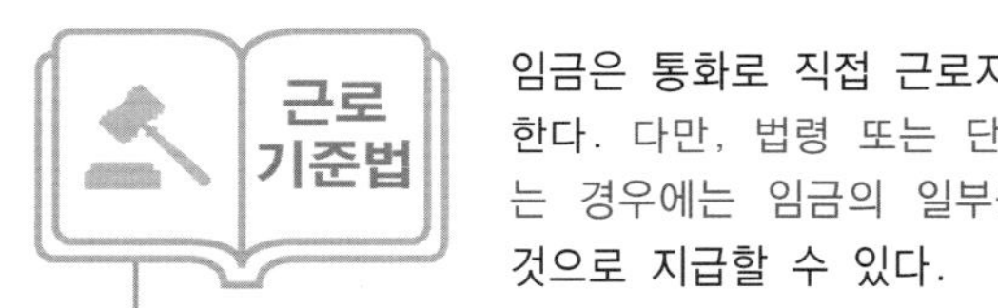

임금은 통화로 직접 근로자에게 그 전액을 지급하여야 한다. 다만, 법령 또는 단체협약에 특별한 규정이 있는 경우에는 임금의 일부를 공제하거나 통화 이외의 것으로 지급할 수 있다.

노동조합은 그 조직의 자주적·민주적 운영을 보장하기 위하여 당해 노동조합의 규약에 기재하여야 한다.

- 조합비 기타 회계에 관한 사항

사회보험

국민연금법
국민건강보험법
고용산재보험료징수법

세금

소득세법
지방세법 등

취업 후 학자금 상환 특별법
채무자 회생 및 파산에 관한 법률 등

단체협약

- 조합비일괄공제
- 경조사비 공제

+

노동조합규약

- 조합비공제
- 경조사비 공제

연봉계약서에 적힌 금액보다 통장에 입금되는 월급이 더 적습니다. 연봉 중 월 임금상당액에서 4대 보험료와 세금 등을 공제하고 월급을 수령하기 때문입니다.

(1) 법률에 의한 임금공제

임금은 근로자에게 전액을 지급해야 합니다. 다만, 사용자는 법률에 따른 금액을 임금에서 공제하고 지급하여야 합니다.

「국민연금법」, 「국민건강보험법」, 「고용보험 및 산업재해보상보험의 보험료징수 등에 관한 법률」에 따라 사용자는 근로자의 임금에서 국민연금액, 건강보험료, 고용보험료를 공제합니다. 산재보험료는 사용자가 전적으로 부담하므로 임금에서 공제되지 않습니다.

세금은 「소득세법」 등에 의해, 학자금 등은 「취업 후 학자금 상환 특별법」 등에 근거하여 근로자의 임금에서 공제합니다.

(2) 단체협약에 의한 임금공제

사용자와 노동조합이 조합비일괄공제, 경조사비[33] 등에 관한 단체협약을 체결하고 노동조합의 규약에 조합비공제 및 경조사비에 관한 규정을 두고 있다면 사용자는 근로자의 임금에서 이를 공제할 수 있습니다.

따라서 단체협약 없이 사내동호회 회비나 경조사비를 미리 임금에서 공제하는 것은 허용되지 않고, 이는 근로자의 동의가 있는 경우에만 적법합니다.

임금은 통화로 직접 근로자에게 그 전액을 지급하여야 한다. 다만, 법령 또는 단체협약에 특별한 규정이 있는 경우에는 임금의 일부를 공제하거나 통화 이외의 것으로 지급할 수 있다.

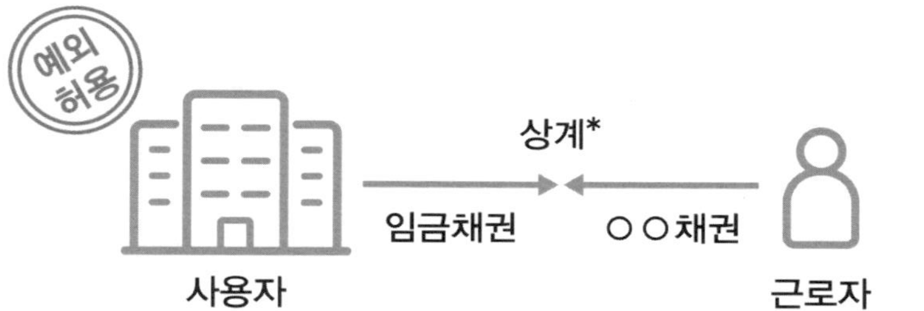

- 계산착오로 인한 과·오납금의 조정적 상계
- 미지급된 임금과 초과지급된 반환임금
- 가불임금, 결근·징계 등으로 인한 임금 삭감시
  ☞ 임금채권 자체가 발생하지 않은 것으로 봄.

* 상계: 채무자가 그 채권자에 대해 동종의 채권을 가지는 때에 그 채권과 채무를 대등액에서 소멸시키는 의사표시

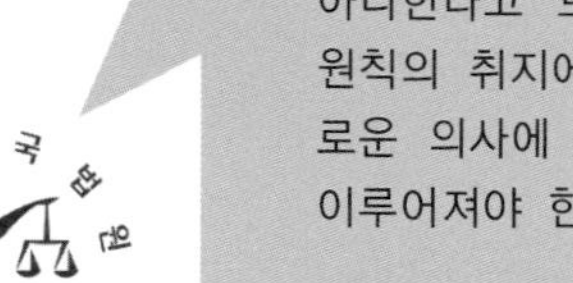

임금 전액지급의 원칙을 선언한 취지는 사용자가 일방적으로 임금을 공제하는 것을 금지하여 근로자에게 임금 전액을 확실하게 지급받게 함으로써 근로자의 경제생활을 위협하는 일이 없도록 그 보호를 도모하려는 데 있으므로, 사용자가 근로자에 대하여 가지는 채권을 가지고 일방적으로 근로자의 임금채권을 상계하는 것은 금지된다고 할 것이지만, 사용자가 근로자의 동의를 얻어 근로자의 임금채권에 대하여 상계하는 경우에 그 동의가 근로자의 자유로운 의사에 터잡아 이루어진 것이라고 인정할 만한 합리적인 이유가 객관적으로 존재하는 때에는 근로기준법 제42조 제1항 본문에 위반하지 아니한다고 보아야 할 것이고, 다만 임금 전액지급의 원칙의 취지에 비추어 볼 때 그 동의가 근로자의 자유로운 의사에 기한 것이라는 판단은 엄격하고 신중하게 이루어져야 한다.

업무담당자의 실수나 계산착오로 급여가 더 많이 들어올 수도 있고, 더 적게 지급될 수도 있습니다. 적게 지급된 경우에는 사용자가 추가적으로 지급하면 되나, 많이 지급된 경우 근로자가 많이 받은 만큼 회사에 돌려주어야 합니다.

이러한 번거로움 대신 사용자가 근로자의 다음 달 급여에서 이를 공제하고 지급하는 것이 '조정적 상계'입니다. 여기서 상계는 「민법」상 '채무자(근로자)가 그 채권자(사용자)에 대해 동종의 채권을 가지는 때에 그 채권(다음 달 임금)과 채무(과다 지급된 임금)를 대등액에서 소멸시키는 의사표시'를 말합니다.

법원[34)]은 임금전액지급의 원칙을 지켜야 하지만, 계산착오로 인해 과오납금을 상계하거나 미지급된 임금과 초과지급된 임금의 반환은 예외적으로 허용된다는 입장입니다.

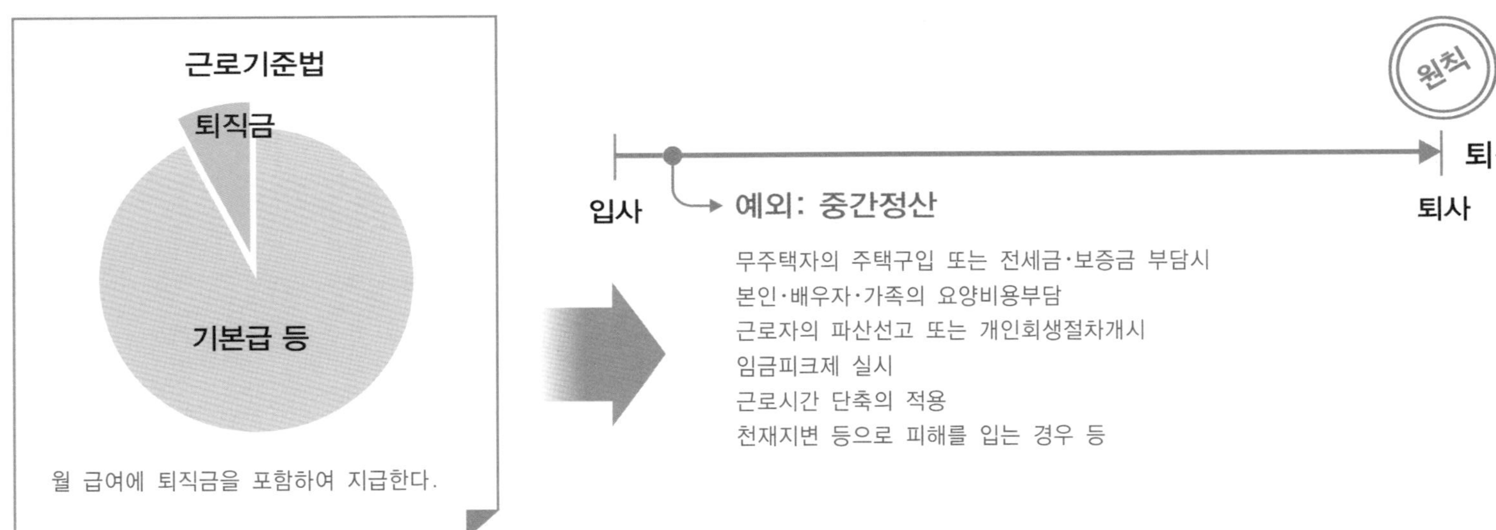

퇴직금분할약정: 매월 지급하는 월급이나 매일 지급하는 일당과 함께 퇴직금으로 일정한 금원을 미리 지급하기로 약정

퇴직금 지급을 회피하기 위한 퇴직금 분할 약정은 퇴직금 지급으로서 효력이 없고, 지급된 퇴직금 상당액은 부당이득으로 볼 수 없어 반환을 구할 수 없다.

(1) 퇴직금 지급의 원칙

근로자가 4주간 평균하여 1주간의 소정근로시간이 15시간 이상이고 계속하여 근로한 기간이 1년 이상이면, 사용자는 '근로자가 퇴직할 때' 퇴직금을 지급하여야 합니다.

(2) 퇴직금 지급의 예외

퇴직금은 퇴직 시에 지급하는 것이 원칙이나, 다음의 사유가 있을 때 예외적으로 「퇴직급여법」상 퇴직금의 중간정산이 허용됩니다.

- 무주택자인 근로자가 본인 명의로 주택을 구입하는 경우
- 무주택자인 근로자가 주거를 목적으로 「민법」 제303조에 따른 전세금 또는 「주택임대차보호법」 제3조의2에 따른 보증금을 부담하는 경우. 이 경우 근로자가 하나의 사업에 근로하는 동안 1회로 한정한다.
- 6개월 이상 요양을 필요로 하는 사람(근로자 본인, 근로자의 배우자, 근로자 또는 그 배우자의 부양가족)의 질병이나 부상에 대한 요양 비용을 근로자가 부담하는 경우
- 퇴직금 중간정산을 신청하는 날부터 거꾸로 계산하여 5년 이내에 근로자가 「채무자 회생 및 파산에 관한 법률」에 따라 파산선고를 받은 경우
- 퇴직금 중간정산을 신청하는 날부터 거꾸로 계산하여 5년 이내에 근로자가 「채무자 회생 및 파산에 관한 법률」에 따라 개인회생절차개시 결정을 받은 경우
- 사용자가 기존의 정년을 연장하거나 보장하는 조건으로 단체협약 및 취업규칙 등을 통하여 일정나이, 근속시점 또는 임금액을 기준으로 임금을 줄이는 제도를 시행하는 경우
- 사용자가 근로자와의 합의에 따라 소정근로시간을 1일 1시간 또는 1주 5시간 이상 변경하여 그 변경된 소정근로시간에 따라 근로자가 3개월 이상 계속 근로하기로 한 경우
- 법률 제15513호 근로기준법 일부개정법률의 시행에 따른 근로시간의 단축으로 근로자의 퇴직금이 감소되는 경우
- 그 밖에 천재지변 등으로 피해를 입는 등 고용노동부장관이 정하여 고시하는 사유와 요건에 해당하는 경우

(3) 퇴직금분할약정은 무효

법원[35]은 사용자와 근로자가 매월 지급하는 월급이나 매일 지급하는 일당과 함께 퇴직금으로 일정한 금원을 미리 지급하기로 약정, 즉 '퇴직금분할약정'은 '무효'이고 이미 지급한 금원도 퇴직금으로 인정하지 않습니다.

퇴직금으로서 효력이 없다면 근로자 입장에서는 부당이득이 되므로 근로자는 이를 사용자에게 돌려주어야 하고, 사용자는 근로자의 퇴직 시점을 기준으로 다시 퇴직금을 지급하여야 합니다.

앞서 설명한 상계가 적용되는 것인데, 최근 법원은 '퇴직금 지급을 회피하기 위한 퇴직금 분할 약정은 부당이득으로 볼 수 없다'고 하여 근로자는 퇴직금 명목의 임금을 돌려주지 않아도 되고, 사용자 또한 이를 돌려받지 못합니다. 게다가 사용자는 퇴직 시점을 기준으로 근로자에게 다시 퇴직금을 지급하여야 합니다.

임금은 통화로 직접 근로자에게 그 전액을 지급하여야 한다. 다만, 법령 또는 단체협약에 특별한 규정이 있는 경우에는 임금의 일부를 공제하거나 통화 이외의 것으로 지급할 수 있다.

선원이 청구하거나 법령이나 단체협약에 특별한 규정이 있는 경우에는 임금의 전부 또는 일부를 그가 지정하는 가족이나 그 밖의 사람에게 통화로 지급하거나 금융회사 등에 예금하는 등의 방법으로 지급하여야 한다.

본인에게 지급한 효과

- 현금으로 근로자 본인에게 지급
- 근로자명의의 은행 요구불예금계좌에 입금
- 근로자의 질병, 사망 등의 불가피한 사유 발생시 인감 등을 가지고 임금을 수령하는 경우

- 위임·대리
  - 근로자의 친권자, 법정대리인 및 근로자의 위임을 받은 임의 대리인에게 지급하는 것 모두 무효
- 임금채권 양도·압류
  - 근로자가 임금채권을 양도하여도 직접지급의 원칙이 적용되므로, 양수인은 사용자에게 임금지급을 청구할 수 없음.

(1) 가족 등 타인 명의로 임금지급의 금지

파산이나 개인회생 등을 이유로 근로자 본인 명의의 임금을 통장이 아닌 다른 사람 명의의 통장으로 임금지급을 하는 경우가 있습니다. 사용자는 임금을 근로자에게 직접 지급하여야 하기 때문에 이는 위법입니다.

근로자가 사망에서 직접 수령할 수 없거나 선원법 등 다른 법률에 근거하여 타인에게 임금을 지급하는 등의 특별한 사정이 없다면, 가족이라 하더라도 근로자가 아닌 자에게 임금을 지급하는 것은 허용되지 않습니다.

따라서 근로자 본인 명의의 통장으로 임금을 지급받을 수 없는 사정이 있다면 현금으로 근로자 본인에게 직접 지급하는 것이 근로자의 개인사정과 「근로기준법」을 준수하는 방법입니다.

(2) 임금채권의 양도와 임금지급의 원칙

근로자가 사용자로부터 임금 받을 권리, 즉 임금채권을 제3자에게 양도하는 것은 이를 금지하는 법률이 없으므로 가능합니다. 그럼에도 불구하고 사용자는 근로자에게 직접 임금을 지급하여야 합니다.

근로자로부터 임금채권을 받은 양수자는 임금채권을 받았다 하더라도 근로자가 아니므로 사용자에게 임금지급을 청구할 수는 없습니다.

이처럼 임금의 직접지급원칙에는 어떠한 예외도 인정되지 않습니다.

06

휴일, 휴가, 휴업

구분	휴가	휴일	휴무일
근로제공 의무	발생(면제): 소정근로일에 포함	없음: 소정근로일에서 제외	없음: 소정근로일에서 제외
관련근거	근로기준법 등	근로기준법 등	노사합의, 취업규칙 등
유·무급 구분(예)	• 유급: 연차유급휴가, 배우자 출산휴가 등 • 무급: 생리휴가 등 • 유·무급: 출산전후휴가* (유급 60일+무급 30일)	• 유급: 근로자의 날, 주휴일(개근시), 관공서의 공휴일(시행예정) • 무급: 주휴일(결근시) • 유·무급: 창립기념일 등	• 별도의 규정이 없는 등 주 6일 근무하는 사업장의 토요일 ☞ 휴일근로 아니고 연장근로에 해당

* 한 번에 둘 이상 자녀를 임신한 경우 출산전후휴가는 유급 75일 및 무급 45일

휴직

휴업

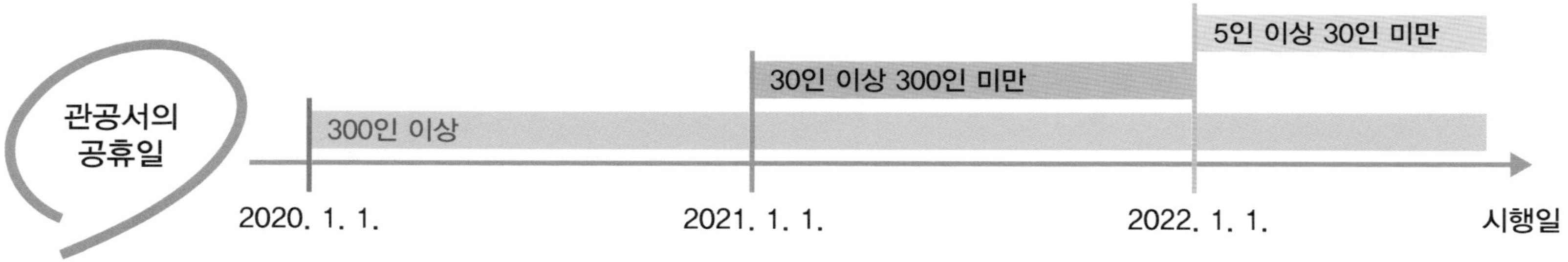

관공서의 공휴일

300인 이상

30인 이상 300인 미만

5인 이상 30인 미만

2020. 1. 1.

2021. 1. 1.

2022. 1. 1.

시행일

앞서 휴가, 휴일, 휴무일 모두 그날 회사에 출근하지 않는다는 점에서 같지만 법률적인 의미는 다르다고 설명하였습니다. 휴직과 휴업 역시 장기간 회사에 출근하지 않는다는 점에서 같지만, 법률적으로 다소 다릅니다.

(1) 휴가

휴가는 근로제공의무가 있는데 법률이나 단체협약, 사용자의 명령 등으로 근로제공의무가 면제되는 날을 의미합니다.

「근로기준법」상 연차유급휴가, 생리휴가, 출산전후휴가 등이, 「남녀고용평등법」상 배우자출산휴가, 가족돌봄휴가 등이 있으며, 결혼, 장례 등 경조사 휴가는 법정휴가가 아니라 취업규칙 등에 정한 약정휴가입니다.

(2) 휴일

휴일은 당초부터 근로제공의무가 없는 날을 말하는데, 법률에 근거를 두면 법정휴일이고 단체협약이나 취업규칙 등에 근거하는 경우에는 약정휴일이라고 합니다.

법정휴일에는 근로자의 날, 주휴일, 「관공서의 공휴일에 관한 규정」에서 정한 공휴일 등이 있습니다. 관공서공휴일은 상시근로자 수에 따라 2020년부터 순차적으로 법정휴일이 됩니다.

(3) 휴무일

휴무일은 근로제공의무가 없다는 점에서 휴일과 같은데 휴무일은 법률상 개념은 아니라 노사합의나 취업규칙에 의해 임의적으로 정한 것입니다. 취업규칙 등에 소정근로일(예: 월~금요일)과 휴일(예: 일요일)만 정해두었다면 토요일을 휴무일로 보는 것이 일반적[36]입니다.

(4) 휴직

'휴직'은 '어떤 근로자를 그 직무에 종사하게 하는 것이 불능이거나 또는 적당하지 아니한 사유가 발생한 때에 그 근로자의 지위를 그대로 두면서 일정한 기간 그 직무에 종사하는 것을 금지시키는 사용자의 처분'입니다.[37]

노동법상 휴직에는 업무상 질병휴직, 육아휴직, 가족돌봄휴직 등이 있는데, 이와 같은 휴직사유가 발생하여 근로자가 휴직을 신청하면 사용자는 허용하는 것이 원칙입니다.

(5) 휴업

'휴업'이란 '개개의 근로자가 근로계약에 따라 근로를 제공할 의사가 있음에도 불구하고 그 의사에 반하여 취업이 거부되거나 또는 불가능하게 된 경우'를 말합니다.

휴직은 휴업을 포함하는 넓은 개념인데 휴직은 근로자 사정으로, 휴업은 사용자의 사정으로 일을 하지 못한 것으로 구분하기도 합니다.

* 단태아 임산부 출산전후휴가(예시)

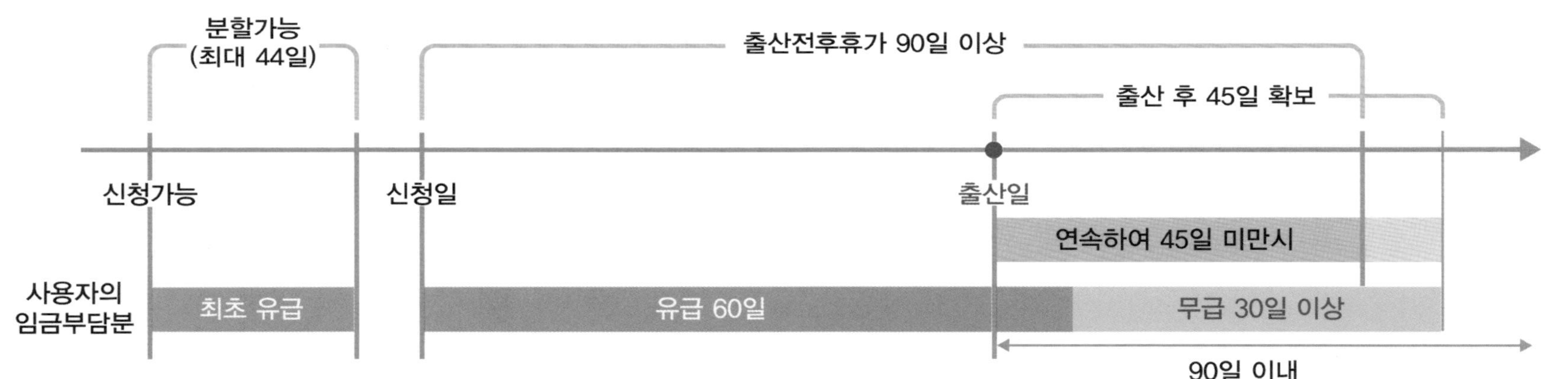

출산전후휴가

- 대상: 출산을 앞둔 임신 중인 여성근로자
- 기간: 출산을 전후하여 90일 부여(출산 후 45일 보장)
  - 단, 다태아일 경우 120일 부여(출산 후 60일 보장)
- 사용방법: 근로자의 신청으로 개시
  - 단, 신청하지 않은 경우 출산일부터 개시되고, 출산일이 휴무일이나 휴일인 때에는 다음 날부터 개시됨.
- 분할사용 시 횟수제한 없이 분할사용가능

배우자출산휴가

- 대상: 배우자가 출산한 남성근로자
- 기간: 10일(유급)
- 사용방법: 출산일로부터 90일 이내 신청, 1회 분할가능

유·사산휴가

- 대상: 유산 또는 사산한 여성근로자(단, 모자보건법에서 정한 사유 제외하고 인공임신중절시 적용제외)
- 기간: 임신기간에 따라 차등부여(미신청시 미부여가능)

(1) 출산전후휴가

출산전후휴가는 임신 중인 여성근로자에게 출산 전과 출산 후를 통하여 90일 이상을, 한 번에 둘 이상의 자녀(이하 '다태아'라 함)를 출산하는 경우에는 120일 이상을 휴가로 부여하는 것을 말합니다. 다태아는 자녀의 수와 관계없이 휴가기간이 120일로 동일합니다.

출산전후휴가는 명칭에서 알 수 있듯이 출산 전과 출산 후에 사용하는 휴가로서 출산 후 휴가기간이 45일, 다태아의 경우 60일이 되어야 합니다. 유·사산의 위험이 높은 임신근로자의 경우 출산전후휴가를 분할하여 사용할 수 있는데, 분할하여 사용하더라도 사용자는 출산 후 보장되어야 하는 휴가기간을 반드시 부여하여야 합니다.

출산전후휴가는 유급인 기간과 무급인 기간이 혼재되어 있는데, 휴가 중 최초 60일은 유급이고 그 후 30일은 무급이며, 다태아의 경우 최초 75일은 유급이고 그 후 45일은 무급입니다. 여기서 유급이란 사용자가 지급할 의무가 있는 휴가기간을 말합니다.

유급휴가기간에 대해서는 사용자가 근로자의 통상임금을 기준으로 수당을 지급합니다. 상시근로자 수가 적은 우선지원대상기업은 고용보험에서 사용자를 대신해서 근로자에게 유급휴가분의 수당을 지급합니다. 무급휴가기간은 회사에서 지급하는 수당이 없다는 뜻이고, 근로자는 무급기간에 고용보험으로부터 지원금을 받습니다.

(2) 유·사산휴가

임신 중인 근로자가 유산 또는 사산하는 경우에 근로자가 청구하면 사용자는 유·사산휴가를 부여하여야 합니다. 유·사산휴가는 임신기간에 따라 5일에서 90일로 그 기간이 상이합니다. 출산전후휴가는 다태아를 출산하는지 여부에 따라 휴가기간이 다르지만, 유·사산휴가와 배우자출산휴가는 다태아인 경우에도 휴가기간이 동일합니다.

유·사산휴가도 출산전후휴가기간과 마찬가지로 휴가기간 중 최초 60일까지는 통상임금을 기준으로 유급휴가를 부여받는데, 사용자 내지 고용보험에서 수당을 받을 수 있습니다.

다만, 인공 임신중절 수술(「모자보건법」상 허용하는 경우는 제외)로 유·사산하는 경우에는 휴가와 수당을 받을 수 없습니다.

(3) 배우자출산휴가

배우자가 출산하는 경우 남성근로자도 10일의 유급휴가를 사용할 수 있습니다. 여성근로자와 달리 남성근로자는 배우자출산휴가를 신청하지 않으면 회사에서 알 수 없기 때문에 출산일로부터 90일 이내 신청하여야만 휴가를 부여받습니다.

출산전후휴가와 유·사산휴가는 소정근로일과 휴일 등을 포함하여 달력상 일자를 기준으로 휴가를 부여하는데 반해, 배우자출산휴가는 소정근로일을 기준으로 10일의 휴가를 부여합니다.

10일의 배우자출산휴가는 1회에 한해 분할하여 사용할 수 있고, 우선지원대상기업은 고용보험에서 5일치를 사용자에 지원합니다.

일	월	화	수	목	금	토
1	2	3	4	5	6	7
8	9	10	11	12	13	14
15	16	17	18	19	20	21
22	23	24	25	26	27	28
29	30					

생리휴가

- 대상: 연령·근로형태·직종·소정근로일의 개근 여부 등에 관계없이 생리현상이 있는 여성근로자
  - 임신 중인 여성, 폐경인 여성 제외
- 기간: 월 1회(무급)
- 사용방법: 여성근로자가 청구하는 날

난임치료휴가

- 대상: 인공수정 또는 체외수정 등 난임치료를 필요로 하는 근로자
- 기간: 연간 3일(최초 1일 유급)
- 사용방법: 근로자가 청구하는 시기에 부여하되 협의하여 시기변경가능

가족돌봄휴가

- 대상: 가족(부모, 자녀, 배우자, 배우자의 부모, 조부모, 손자녀)이 질병, 사고, 노령 또는 자녀의 양육으로 인해 긴급하게 가족을 돌봐야 하는 근로자
- 기간: 연간 최대 10일(무급)
- 사용방법: 1일 단위로 청구(시기변경가능)

(1) 생리휴가

생리휴가는 연령·근로형태·직종·소정근로일의 개근여부 등에 관계없이 생리현상이 있는 여성근로자가 청구하면 사용자는 이를 허용하여야 합니다. 임신 중인 근로자나 폐경인 여성근로자처럼 생리현상이 없다면 생리휴가를 신청할 수 없습니다.

생리휴가는 유급으로 부여하라는 규정이 없으므로 무급휴가가 원칙인데, 단체협약이나 취업규칙 등에 유급으로 부여한다는 규정이 있으면 이에 따르면 됩니다.

사용자는 근로자가 요청하는 날에 생리휴가를 부여하여야 하고 일정을 변경할 수 없습니다. 그에 반해 난임치료휴가나 가족돌봄휴가는 요청한 날에 휴가를 부여하는 것이 원칙이나 정상적인 사업 운영에 중대한 지장을 초래하는 경우에는 근로자와 협의하여 그 시기를 변경할 수 있습니다.

(2) 난임치료휴가

인공수정 또는 체외수정 등 난임치료를 필요로 하는 근로자가 청구하면 연간 3일의 범위 내에서 난임치료휴가를 사용할 수 있습니다.

난임치료휴가는 성별에 무관하게 신청가능하고, 최초 1일은 유급휴가입니다.

(3) 가족돌봄휴가

예전에는 가족돌봄휴직만 있었는데, 최근 법 개정으로 가족돌봄휴가가 신설되었습니다. 가족돌봄휴가는 조부모, 부모, 배우자, 배우자의 부모, 자녀 또는 손자녀(이하 '가족'이라 함)의 질병, 사고, 노령 또는 자녀의 양육으로 인하여 긴급하게 그 가족을 돌보기 위한 휴가입니다.

가족돌봄휴가는 1일 단위로 사용할 수 있고 연간 최장 10일입니다. 가족돌봄휴가의 기간은 가족돌봄휴직 기간에 포함되며, 무급휴가가 원칙입니다.

업무상 재해로 인한 휴가

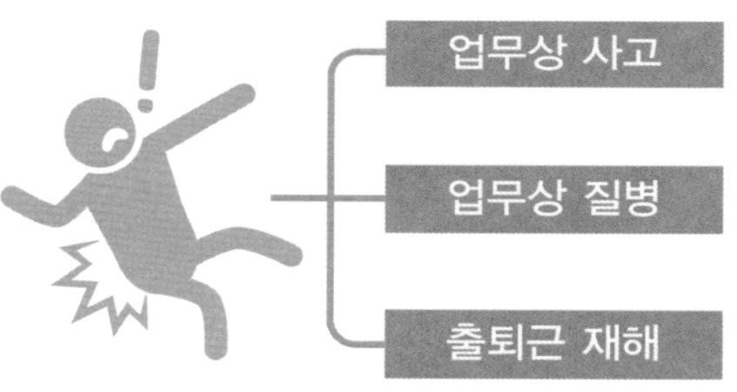

- 업무상 사고
- 업무상 질병
- 출퇴근 재해

구분	근로기준법	산업재해보상보험법
요양기간	3일 이내	3일 초과
비용부담 주체 등	• 사용자가 비용부담 • 부담내역: 요양보상, 휴업보상 – 장해보상, 유족보상 및 장의비는 산업재해보상보험이 우선 적용됨.	• 근로복지공단에서 비용부담 • 부담내역: 요양급여, 휴업급여, 장해급여, 간병급여, 유족급여, 상병보상연금, 장의비 및 직업재활급여
보상급여 산정방법	• 요양비: 요양비 전액 • (휴업보상)평균임금의 100분의 60	• 요양급여: 요양비 전액 • (휴업급여)평균임금의 100분의 70

(업무 외 사유로 인한)병가

- 업무상 재해가 아닌 이유로 인한 병가는 각 회사의 취업규칙에 정한 바에 따름.
  - 취업규칙 등에서 업무상 재해 외 사유로 인한 병가를 두고 있다면, 그에 따라 유·무급 휴가 여부가 결정됨.
  - 병가규정이 없다면 병가 대신 연차유급휴가를 사용할 수 있음.

(1) 병가의 구분

아파서 회사에 출근하지 못하는 휴가를 '병가'라고 부르는데, 법적 용어는 아닙니다. 아픈 원인이 회사에서 근로하다가 발생한 사고나 질병인 경우에는 치료비와 근무하지 못한 기간에 대한 급여를 받을 수 있고, 업무 외의 사유로 아파서 회사에 출근하지 못하는 경우에는 취업규칙 등에 따릅니다.

(2) 업무상 재해로 인한 휴가

업무상 재해는 크게 업무상 사고, 업무상 질병과 출퇴근 재해로 구분할 수 있습니다. 일을 하다가 사고를 당하거나 병에 걸리거나 출·퇴근 길에 다치는 것에 대해 「근로기준법」 및 「산업재해보상보험법」으로 보호받을 수 있습니다.

업무상 재해를 입은 근로자는 치료를 위한 비용과 재해로 인해 근로하지 못한 기간에 대해 임금의 일부를 받습니다. 요양기간이 3일 이내인 경우에는 사용자가 요양비와 평균임금 100분의 60에 해당하는 휴업보상을 하고, 요양기간이 3일을 초과하는 경우에는 근로복지공단에서 치료에 소요된 요양급여와 평균임금 100분의 70에 해당하는 휴업급여를 지급합니다.

「산업재해보상보험법」은 「근로기준법」의 특별법으로서 「산업재해보상보험법」이 우선 적용되는데, 「산업재해보상보험법」은 요양기간이 3일을 초과하는 경우에만 보상을 하기 때문에 3일 이내인 경우에는 「근로기준법」에 정해진 바에 따라 다소 적은 금액을 지급합니다.

(3) 업무 외의 사유로 인한 휴가

업무 외의 사유로 아파서 회사에 출근하지 못하는 경우에는 각 회사의 단체협약이나 취업규칙 등에 정한 바에 따라 휴가를 사용할 수 있습니다.

단체협약이나 취업규칙에 업무 외 사유로 인한 병가규정을 두고 있다면 이에 따르면 될 것이고, 그런 규정이 없다면 병가 대신 연차유급휴가를 사용할 수 있을 것입니다.

연차유급휴가 적용대상 및 발생요건

'연차유급휴가'란?

근로자에게 일정기간 근로의무를 면제함으로써 정신적·육체적 휴양의 기회를 제공하고 문화적 생활의 향상을 위해 근로자의 계속근로기간에 대하여 '연 단위'로 부여되는 '유급'휴가

5인 이상 사업장 + **근로시간 주 15시간 이상** + **계속근로 1월 이상** = **연차유급휴가**

일	월	화	수	목	금	토
1	2	3	4	5	⑥	7
8	⑨	⑩	⑪	⑫	13	14
15	16	⑰	⑱	⑲	⑳	21
22	㉓	㉔	25	26	27	28
29	30					

4주 평균

– 단, 연장, 야간, 휴일근로시간은 소정근로시간에서 제외됨.

- (원칙)근로계약을 체결하여 해지될 때까지의 기간
- 기간의 정함이 있는 근로계약의 경우 그 계약기간의 만료로 고용관계는 종료되는 것이 원칙이나, 근로계약이 만료됨과 동시에 근로계약기간을 갱신하거나 동일한 조건의 근로계약을 반복하여 체결한 경우에는 갱신 또는 반복한 계약기간을 모두 합산하여야 함.

연차유급휴가 적용제외

5인 미만 사업장

연차유급휴가규정이 적용되지 않음.

초단시간근로자

4주 동안(4주 미만으로 근로하는 경우에는 그 기간)을 평균하여 1주 동안의 소정근로시간이 15시간 미만인 근로자, 소위 '초단시간근로자'에 대해서는 연차유급휴가규정이 적용되지 않음.

연차유급휴가는 많은 근로자들이 알고 있고 많은 관심을 가지고 있는 제도 중 하나입니다. 다른 휴가제도와 달리 이미 명칭에서 '유급'임을 알 수 있고 사용하지 못한 휴가일수만큼 1년에 1번 수당으로 받을 수 있습니다. 그런데 가끔 연차가 없는 회사나 연차수당을 주지 않는 회사가 있어 이에 대해 알아보고자 합니다.

(1) 연차유급휴가의 의미

'연차유급휴가'란 근로자에게 일정기간 근로의무를 면제함으로써 정신적·육체적 휴양의 기회를 제공하고 문화적 생활의 향상을 위해[38] '근로자의 계속근로기간'에 대하여 '연 단위'로 부여되는 '유급'휴가를 말합니다.

(2) 연차유급휴가의 적용대상자 및 적용제외자

연차유급휴가는 '5인 이상 사업장'에서 근로하는 근로자 중 '소정근로시간이 주 15시간 이상'이고 '계속근로기간'이 일정기간 이상인 경우에 적용됩니다.

상시근로자 수가 5인 미만 사업장의 사용자는 근로자에게 연차유급휴가를 부여하지 않을 수 있으므로, 소규모 사업장에서 근로하는 근로자는 안타깝게도 연차유급휴가를 적용받을 수 없습니다.

상시근로자 수가 5인 이상인 사업장에서 근로하더라도 일을 하기로 약정한 시간 즉, 소정근로시간이 15시간 미만인 근로자는 연차유급휴가 규정 자체가 적용되지 않습니다.

(3) 연차유급휴가의 발생요건

근로계약을 체결하고 최초 1년 동안은 1개월 개근시 1일의 휴가가, 그 이후부터는 1년간 80% 이상 출근하면 15일의 휴가와 장기근속한 기간마다 가산휴가가 발생합니다. 이처럼 계속근로기간과 출근율이 연차유급휴가 일수에 영향을 미칩니다.

계속근로기간이라 함은 '근로계약을 체결하여 해지될 때까지의 기간'으로서 '기간의 정함이 있는 근로계약의 경우 그 계약기간의 만료로 고용관계는 종료되는 것이 원칙이나, 근로계약이 만료됨과 동시에 근로계약기간을 갱신하거나 동일한 조건의 근로계약을 반복하여 체결한 경우에는 갱신 또는 반복한 계약기간을 모두 합산하여 산정'합니다.[39]

이에 따라 수습기간은 계속근로기간에 포함되고,[40] 기간제근로자가 기간의 정함이 없는 계약으로 전환될 때에도 기간제근로계약기간은 계속근로기간에 포함됩니다.[41]

출근율은 다음과 같은 수식을 통해 알 수 있는데, 분모는 365일이 아닌 '연간 근로의무가 있는 일수'를 기준으로 하여야 하고, '출근일'은 '현실적으로 근로를 제공한 날'뿐만 아니라 '관계 법령 등에서 출근한 것으로 간주하는 경우'를 모두 합산하여야 합니다.

$$\frac{\text{출근일}}{\text{연간소정근로일수}} \times 100 = \text{출근율}$$

5월 1일을 근로자의 날로 하고, 이날을 「근로기준법」에 따른 유급휴일로 한다.

사용자는 근로자에게 1주에 평균 1회 이상의 유급휴일을 보장하여야 한다.

유급휴일은 1주 동안의 소정근로일을 개근한 자에게 주어야 한다.

단시간근로자의 근로조건은 그 사업장의 같은 종류의 업무에 종사하는 통상 근로자의 근로시간을 기준으로 산정한 비율에 따라 결정되어야 한다.

4주 동안(4주 미만으로 근로하는 경우에는 그 기간)을 평균하여 1주 동안의 소정근로시간이 15시간 미만인 근로자에 대하여는 휴일을 적용하지 아니한다.

통상근로자

- 개근시: 유급 주휴일(8시간)
- 결근시: 무급 주휴일이므로 월급근로자의 경우 −16시간 (결근 −8시간, 주휴일 −8시간)만큼 임금공제됨.

단시간근로자

- 주 15시간 이상 근로시: 유급 주휴일, 결근시 무급 주휴일

$$\frac{\text{통상근로자의 소정근로시간}}{\text{단시간근로자의 소정근로시간}} \times 8\text{시간}$$

- 주 15시간 미만 근로시: 무급 주휴일

일용직

- 4주 평균 1주 소정근로시간이 주당 15시간 이상인지를 판단: 소정근로일이 불연속적인 단시간근로자의 주휴일 적용은 일용직 근로자인지 관계없이 당해 근로자의 고용관계가 지속되는 한 주휴일 적용의 산정사유가 발생한 날을 기준으로 위 원칙에 따라 판단하면 될 것
- 주 15시간 이상 근로시: 단시간근로자의 주휴일 산정방법
- 주 15시간 미만 근로시: 주휴일 미적용

(1) 법정휴일이란?

휴일은 당초부터 근로제공의무가 없는 날을 말하는데, 법률에 근거를 두면 법정휴일이고 단체협약이나 취업규칙 등에 근거하는 경우에는 약정휴일이라고 합니다.

(2) 근로자의 날

「근로자의 날 제정에 관한 법률」에 따라 5월 1일은 근로자의 날이고, 유급휴일이므로 근로제공의무가 없고, 근로를 하면 휴일근로수당을 추가로 받게 됩니다.

(3) 주휴일

매주 일요일에 쉬는 직장인이 많습니다. 이 때문에 무조건 주휴일이 '일요일'이라고 생각하는데, 대부분의 회사에서 주휴일을 일요일이라고 정하고 있을 뿐 회사마다, 근로자마다 주휴일은 다를 수 있습니다.

「근로기준법」에 따라 1주에 평균 1회 이상 휴일을 부여하는 것을 '주휴일'이라고 합니다. 해당 주를 개근하면 유급휴일이고 개근하지 않으면 무급휴일입니다. 유급휴일은 근로하지 않더라도 월급 등에 포함하여 임금을 지급하는 것으로, 주휴일에 지급되는 임금을 '주휴수당'이라고 부릅니다.

개근은 '출근하였는지 여부'로 판단하기 때문에 지각이나 무단조퇴를 했다 하더라도 출근한 것으로 인정됩니다. 또 휴일은 보장되어야 하므로 해당 주를 무단 결근했다 하더라도 이를 이유로 휴일에 대신 근로하게 하는 것은 원칙적으로 금지됩니다.

주휴일은 '8시간'인데 이는 1일 8시간, 1주 40시간 근로하는 통상근로자를 기준으로 한 것입니다. 1주에 근로하기로 약속한 시간 즉, 소정근로시간이 짧은 단시간근로자에게는 주휴일도 적게 부여됩니다. 다만, 1주 15시간 미만이면 주휴일 자체가 부여되지 않습니다.

또한 일용직인 경우에도 단시간근로자와 마찬가지로 4주 평균 1주 소정근로시간이 15시간 이상인지를 판단하여 15시간 이상이라면 주휴일을 부여합니다.

단시간근로자의 근로조건은 소정근로시간에 비례하여 결정되기 때문에 1주에 20시간 일을 하는 근로자라면 아래의 산식을 통해 주휴일도 4시간만큼 부여됩니다. 이때 통상근로자의 주휴일이 8시간인 이유는 소정근로시간은 1일 8시간이기 때문에 휴일도 8시간이 기준이 됩니다.

$$\frac{\text{소정근로시간}}{\text{40시간}} \times \text{주휴일 8시간} = \text{단시간근로자의 주휴일}$$

일용근로자에 대해서는 「근로기준법」에서 정의하고 있지 않은데 '1일 단위 근로계약을 체결하는 경우'나 '임금계약방식이 1일 단위인 경우'를 지칭하는 경우가 많습니다.

본래적 의미의 일용근로자라면 1일만 근로하므로 굳이 휴일을 보장하지 않아도 되지만, 사실은 계속근로하는데 주휴수당을 지급하지 않기 위해 일용직으로 근로계약을 체결하는 경우가 있어 이를 막기 위해 단시간근로자의 법리[42]에 따라 주휴일을 부여합니다.

약정휴일

- 취업규칙, 단체협약 등에 의하여 근로자의 휴식을 위하여 근로제공의무가 면제되는 휴일
  - 유·무급은 회사에 따라 다름.
- 유급인 약정휴일은 최저임금 산입 시 제외됨.

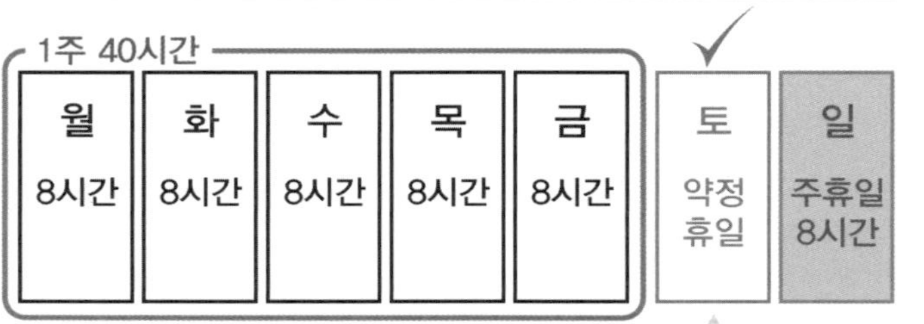

- 최저임금 적용기준 시간 수: 209시간
  =(주 40시간+주휴일 8시간)×365일÷12월÷7일
- 통상임금 적용기준 시간 수
  ① 토요일이 휴무일이거나 무급휴일인 경우: 209시간
  ② 토요일이 8시간 유급휴일인 경우: 243시간
  =(주 40시간+주휴일 8시간+약정유급 8시간)×365일÷12월÷7일

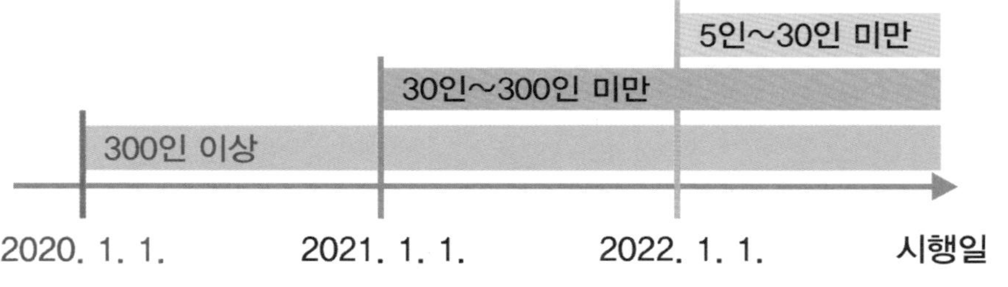

관공서의 공휴일

3·1절, 광복절, 개천절, 한글날, 1월 1일, 설 전날, 설날, 설날 다음 날(음력 12월 말일, 1월 1일, 2일), 부처님오신날(음력 4월 8일), 어린이날, 현충일, 추석 전날, 추석, 추석 다음 날(음력 8월 14일, 15일, 16일), 기독탄신일, 선거일, 기타 정부에서 수시 정하는 날, 대체공휴일(설연휴 및 추석연휴가 공휴일과 겹칠 때, 어린이날이 토요일이나 공휴일과 겹칠 때)

☞ 현재 관공서의 공휴일은 약정휴일(회사별로 상이)이나, 2020년부터는 상시근로자 수에 따라 법정휴일이 됨.

(1) 공휴일: 약정휴일에서 법정휴일로

단체협약이나 취업규칙 등에 따라 휴일을 부여하는 것을 '약정휴일'이라고 합니다.

3·1절과 같은 국가공휴일은 「관공서의 공휴일에 관한 규정」에서 정한 공휴일이므로 관공서가 아닌 회사에서 공휴일을 휴일로 두는 경우 이는 '약정휴일'입니다.

다만, 「근로기준법」 개정으로 300인 이상은 2020. 1. 1.부터, 30인 이상 300인 미만은 2021. 1. 1.부터, 5인 이상 30인 미만은 2022. 1. 1.부터 이하의 휴일이 법정휴일이 됩니다.

- 국경일 중 3·1절, 광복절, 개천절 및 한글날
- 1월 1일
- 설날 전날, 설날, 설날 다음 날(음력 12월 말일, 1월 1일, 2일)
- 부처님오신날(음력 4월 8일)
- 5월 5일(어린이날)
- 6월 6일(현충일)
- 추석 전날, 추석, 추석 다음 날(음력 8월 14일, 15일, 16일)
- 12월 25일(기독탄신일)
- 「공직선거법」 제34조에 따른 임기만료에 의한 선거의 선거일
- 기타 정부에서 수시 지정하는 날
- 대체공휴일: 설·추석 연휴 및 어린이날이 일요일 또는 다른 공휴일과 겹치면 다음 비공휴일을 공휴일로 정함. 단, 어린이날은 토요일이 겹치는 경우도 포함

(2) 약정휴일의 최저임금 산입 여부

공휴일의 확대로 약정휴일은 일부 회사의 창립기념일, 노조창립일 등이나 주 1회 약정휴일을 두는 경우로 한정됩니다.

최저임금 산입범위에서 '주휴일이 아닌 유급휴일은 최저임금에서 제외한다'는 규정이 신설되었으므로, 약정휴일이 유급인지 무급인지와 관계없이 월급근로자의 최저시급을 구할 때에는 '소정근로시간과 주휴일'을 기준으로 최저시급을 구합니다.

최저임금과 통상임금은 그 목적과 산정방법이 다르므로, 유급인 약정휴일이 최저임금 산입 시 제외되더라도 통상임금 산정 시에는 여전히 포함됩니다.

휴직의 특징

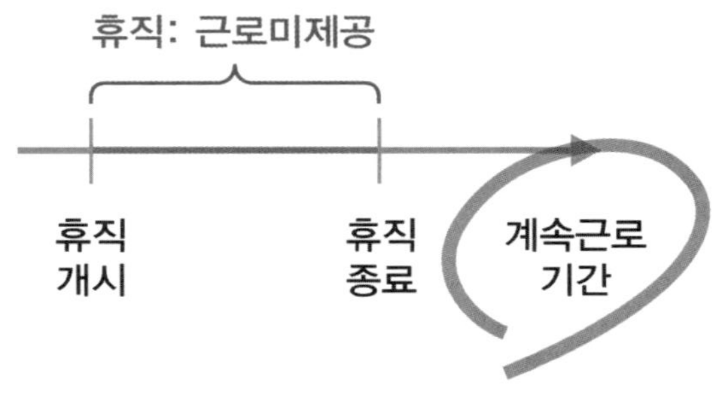

휴직

어떤 근로자를 그 직무에 종사하게 하는 것이 불능이거나 또는 적당하지 아니한 사유가 발생한 때에 그 근로자의 지위를 그대로 두면서, 일정한 기간 그 직무에 종사하는 것을 금지시키는 사용자의 처분

☞ 근로관계는 계속되므로 퇴직금 및 연차유급휴가 산정시 '계속근로기간'에 포함됨.
- 단, 군복무로 인한 휴직기간은 퇴직금 지급기간에서 제외함.

법정휴직: 육아휴직과 가족돌봄휴직

육아휴직

- 대상: 만 8세 이하 또는 초등학교 2학년 이하의 자녀(입양 포함)의 양육을 위해 휴직을 신청한 근로자
  - 적용제외: 계속근로기간 6개월 미만인 근로자
- 기간: 무급 1년(분할사용 가능)
- 근로조건: 연차산정시 출근간주, 원직복직, 해고 등 불리한 처우 금지
- 육아휴직 대신 육아기 근로시간단축을 사용할 수 있음.

육아휴직 최대 1년 | 단축 1년

육아기 근로시간단축 최대 2년

가족돌봄휴직

- 대상: 가족(조부모, 부모, 배우자, 배우자의 부모, 자녀 또는 손자녀)이 질병, 사고, 노령으로 인한 돌봄 필요시
  - 적용제외: 계속근로기간 1년 미만, 근로자 외 돌봄이 가능한 경우, 대체인력을 채용하지 못한 경우, 정상적인 사업 운영에 중대한 지장이 초래되는 경우
- 기간: 가족돌봄휴가(1일 단위 연 10일)를 포함하여 무급 90일(1회 30일 이상)
- 근로조건: 해고 등 불리한 처우 금지
- 휴직 대신 근로시간단축 가능

가족돌봄휴직 연간 최장 90일

가족돌봄휴가 연 최장 10일

(1) 휴직의 의미

휴직이란 '어떤 근로자를 그 직무에 종사하게 하는 것이 불능이거나 또는 적당하지 아니한 사유가 발생한 때에 그 근로자의 지위를 그대로 두면서, 일정한 기간 그 직무에 종사하는 것을 금지시키는 사용자의 처분'을 말합니다.

(2) 휴직의 특징

근로를 제공하지 않아도 휴직기간동안 근로자 지위는 유지되므로, 퇴직급여 및 연차유급휴가 산정 시에도 계속근로기간으로 인정됩니다.

즉, 휴직기간에 대해 퇴직급여를 지급하고 근속연수에 따른 가산연차휴가를 부여합니다. 다만, 군복무로 인한 휴직기간은 퇴직금 지급기간에서 제외됩니다.

(3) 육아휴직

육아휴직은 「남녀고용평등법」에 근거를 둔 법정휴직으로서 만 8세 이하 또는 초등학교 2학년 이하의 자녀를 둔 근로자가 자녀의 양육을 위해 휴직을 신청하면 사용자는 이를 허용하여야 합니다.

근로자가 기간제근로자인지, 파견근로자인지와 관계없이 육아휴직을 신청할 수 있는 요건이 된다면 사용자는 육아휴직을 허용하여야 하는데, 계속근로기간이 6개월 미만인 근로자가 육아휴직을 신청하는 경우에는 사용자가 육아휴직을 허용하지 않을 수 있습니다.

근로자는 육아휴직 시 근로를 제공하지 않지만 연차휴가 산정 시 출근한 것으로 보아 연차유급휴가를 받을 수 있고, 사용자는 휴직기간 종료 후에는 원직복직시켜야 하며 육아휴직을 이유로 한 불이익 취급을 할 수 없습니다.

육아휴직은 최대 1년으로서 자녀가 만 8세 이하 또는 초등학교 2학년 이하라면 분할사용이 가능하고, 육아휴직 대신 육아기 근로시간단축을 신청할 수 있습니다. 여기서 육아기 근로시간단축이란 육아휴직을 사용할 수 있는 근로자가 자녀의 양육을 위해 근로시간을 단축하여 1주 15시간 이상 35시간 이내의 범위에서 근로하는 것을 말합니다. 육아기 근로시간단축 역시 육아휴직과 별도로 최대 1년간 사용가능합니다.

(4) 가족돌봄휴직

가족돌봄휴직도 법정휴직이므로 가족(조부모, 부모, 배우자, 배우자의 부모, 자녀 또는 손자녀)이 질병, 사고, 노령으로 인한 돌봄을 필요로 하는 경우 근로자가 휴직을 신청하면 사용자는 허용해야 합니다. 다만, 대체인력 채용이 불가능한 경우, 정상적인 사업 운영에 중대한 지장을 초래하는 경우, 본인 외 조부모의 직계비속 또는 손자녀의 직계존속이 있는 경우에는 사용자가 휴직을 허용하지 않을 수 있습니다.

최근 1일 단위로 연간 10일까지 사용할 수 있는 가족돌봄휴가가 신설되었는데, 가족돌봄휴가를 신청할 수 있는 근로자의 요건은 동일하고 가족돌봄휴직의 경우 1회 30일 이상 연간 90일의 범위 내에서 휴직을 신청할 수 있는 점 등이 다릅니다.

휴직

- 어떤 근로자를 그 직무에 종사하게 하는 것이 불능이거나 또는 적당하지 아니한 사유가 발생한 때에 그 근로자의 지위를 그대로 두면서, 일정한 기간 그 직무에 종사하는 것을 금지시키는 사용자의 처분
- 유급: 업무상 질병휴직(3일 이내 사용자, 3일 초과시 근로복지공단이 지급)
- 무급: 육아휴직, 가족돌봄휴직

휴업

- 개개의 근로자가 근로계약에 따라 근로를 제공할 의사가 있음에도 불구하고 그 의사에 반하여 취업이 거부되거나 또는 불가능하게 된 경우
- 유급: 사용자 귀책사유로 휴업시 휴업수당 지급

평균임금 70% 이상≥ 통상임금 100%

주휴수당도 지급

일	월	화	수	목	금	토
			1	2	3	4
5	6	7	8	9	10	11
12	13	14	15	16	17	18
19	20	21	22	23	24	25
26	27	28	29	30	31	

- 무급: 근로자 귀책사유로 휴업시

(1) 휴업의 의미

'휴업'이란 '개개의 근로자가 근로계약에 따라 근로를 제공할 의사가 있음에도 불구하고 그 의사에 반하여 취업이 거부되거나 또는 불가능하게 된 경우'를 말합니다.

(2) 휴업과 휴직의 구분

휴직은 휴직사유가 발생하고 이에 따라 근로자의 신청으로 또는 사용자의 직권으로 휴직명령을 하는 것이나, 휴업은 근로자의 의사와 관계없이 사용자의 결정으로 휴업을 한다는 점에서 다소 차이가 있습니다.

(3) 휴업수당

사용자 책임으로 근로를 제공하지 못하면 근로자는 민사상 임금을 청구하여야 하는데, 사용자의 고의·과실이 민사소송을 통해 인정되어야 이 기간에 임금을 지급받을 수 있습니다.

이런 문제를 해결하기 위해 「근로기준법」에 휴업수당제도를 두고 있습니다. 사용자가 어떠한 이유에 의해 휴업을 한다면, 휴업으로 근로자가 근로를 제공하지 못한 기간에 대해 사용자가 근로자에게 평균임금의 100분의 70 이상을 휴업수당으로 지급하여야 합니다.

휴업수당은 '사용자의 귀책사유로 휴업하는지'가 중요한 판단기준인데, 천재지변으로 인한 휴업은 이에 해당하지 않고, 판매부진, 자금난, 원자재부족, 공장이전, 원도급업체의 공사중단으로 인한 하도급업체의 공사중단, 시장불황과 생산량감축 등은 사용자의 귀책사유에 해당합니다.

사용자의 귀책사유로 휴업하더라도 부득이한 사유로 사업을 계속하는 것이 불가능하면 노동위원회의 승인을 받아 법정휴업수당보다 적게 지급할 수 있습니다.

이처럼 휴업수당은 근로자의 생활 안정을 목적으로 하고 있기 때문에 휴업인 날을 제외하고 소정근로일을 전부 개근하였다면 주휴수당을 받을 수 있습니다.[43]

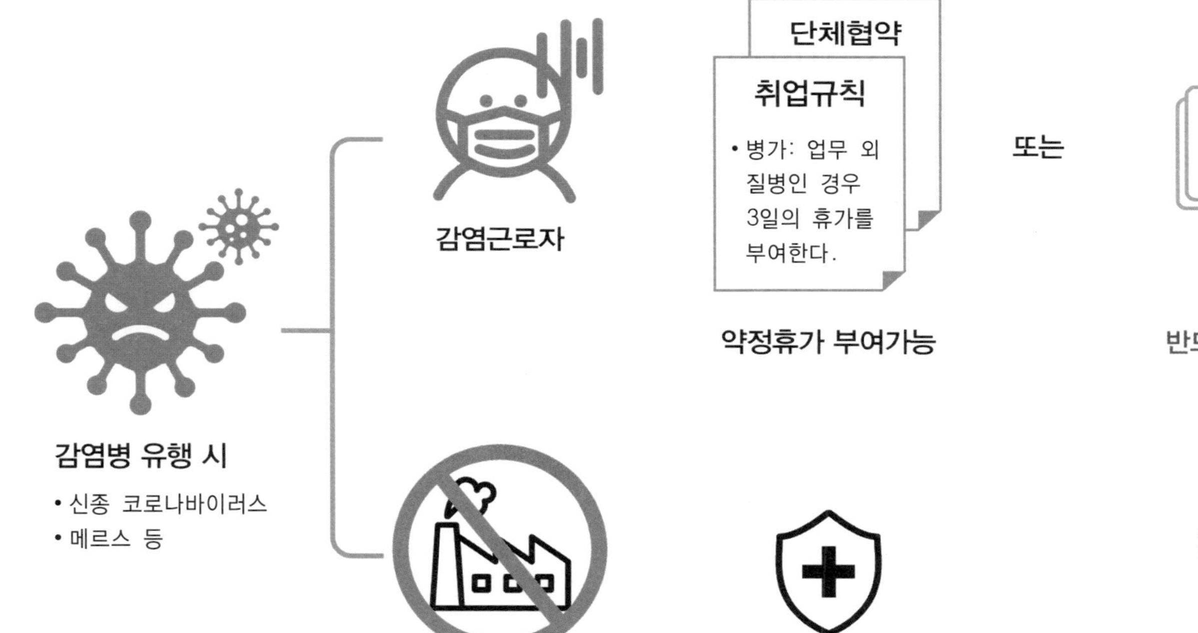
감염병 유행 시
• 신종 코로나바이러스
• 메르스 등
감염근로자
단체협약
취업규칙
• 병가: 업무 외 질병인 경우 3일의 휴가를 부여한다.
약정휴가 부여가능
또는
사업장 휴업
추가감염 방지를 위해 휴업 시
휴업수당 지급의무 없음

감염병
예방법
반드시 유급휴가 부여

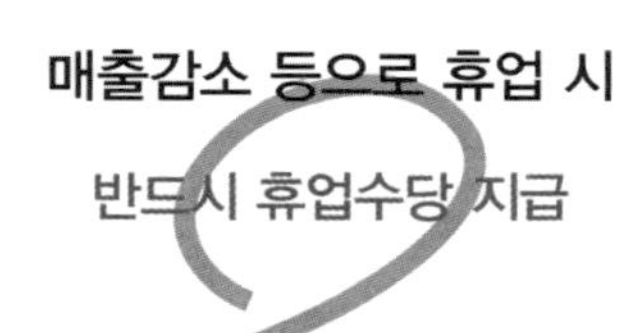
매출감소 등으로 휴업 시
반드시 휴업수당 지급

(1) 감염근로자 또는 감염이 의심되는 근로자의 경우

신종 코로나바이러스, 메르스, 사스 등 전 세계를 강타하는 전염병 유행 시 감염병의 확산 방지를 위해 자가격리나 입원 중인 근로자의 근태처리나 임금은 어떻게 처리하여야 할까요?

입원이나 격리된 경우 「근로기준법」 등 노동관계법령에는 따로 정함이 없습니다. 취업규칙이나 단체협약에 병가를 두고 있는 회사의 경우는 이에 따라 감염근로자 또는 감염이 의심되는 근로자에게 병가를 부여할 수 있습니다. 휴가는 근로제공의무가 있으나 이를 면제해주는 것이므로, 병가가 규정되어 있지 않은 회사의 경우에도 사용자의 판단으로 무급휴가를 부여하거나 근로자의 동의를 얻어 연차유급휴가를 사용할 수 있습니다.

「감염병의 예방 및 관리에 관한 법률(이하 '감염병예방법'이라 함)」상 보건복지부가 입원 또는 격리된 근로자에 대해 유급휴가비용을 지원할 수 있는데, 메르스의 경우 개인별 임금이 일급을 기준으로 1일 상한액 13만 원을 지원한 바 있습니다. 「감염병예방법」에 따라 유급휴가비용을 지원받은 회사는 입원이나 격리된 근로자에게 반드시 유급휴가를 부여하여야 합니다.

입원이나 격리된 기간에 대해 취업규칙이나 단체협약에 따른 병가, 사용자의 승인에 따른 무급휴가 또는 연차유급휴가, 「감염병예방법」상 유급휴가 등을 사용하게 하였다면 실제 근로를 제공하지 않더라도 이는 사용자의 승인 하에 근로제공의무가 면제된 것이므로 주휴수당이나 연차유급휴가 산정 시 등에 있어서 결근한 것으로 처리하여서는 안됩니다. 따라서 유급휴가를 부여한 경우에는 임금의 전액을, 무급휴가를 부여한 경우에는 결근한 일수만큼만 공제하고 임금을 지급하여야 합니다. 단, 무급휴가를 부여한 기간이 일주일 이상일 때에는 주휴수당까지 공제하고 임금을 지급할 수 있습니다.

(2) 감염병으로 인한 사업장 휴업 시

회사 사정으로 휴업 시 근로자에게 통상임금을 초과하지 않는 범위 내에서 평균임금의 100분의 70을 휴업수당으로 지급하여야 하는데, 감염병으로 인한 휴업 시 휴업수당을 반드시 지급하여야 하는 경우와 회사의 재량에 따라 휴업수당 지급을 결정할 수 있는 경우로 구분됩니다.

「근로기준법」상 휴업수당은 사용자의 귀책사유로 휴업하는 경우에 근로자에게 휴업수당을 지급할 의무를 부담하는데, 시장불황이나 생산량 감축으로 인한 휴업은 '사용자의 귀책사유'로 봅니다. 따라서 사업장 내 확진환자, 의심환자 또는 밀접접촉자가 없음에도 휴업하거나 여행사, 숙박업종, 병원 등이 신종 코로나바이러스 유행으로 인한 예약취소, 고객감소, 매출감소 등으로 휴업 시에는 휴업수당을 지급하여야 합니다.

천재지변 등 불가항력적인 사유는 '사용자의 귀책사유'로 볼 수 없는데, 근로자 중에서 확진환자, 의심환자 또는 밀접접촉자가 있어 추가 감염 방지를 위해 휴업하는 경우에는 휴업수당 지급의무가 없습니다. 다음과 같은 경우는 불가항력적으로 휴업하는 경우로 봅니다.

- 일반사업장: 근로자 중 확진환자, 의심환자 또는 밀접접촉자(확진환자 또는 의심환자와 유증상기에 접촉한 자)가 있어 추가 감염 방지를 위해 사업장 전체 또는 일부를 휴업하거나 근로자에 대해 휴직 조치하는 경우
- 학교 등: 확산 지역의 학교 및 유치원, 어린이집 등이 휴교하는 경우
- 병원: 확진환자 발생 및 의료진 감염에 따라 병원이 휴업(휴진)하거나 보건당국에 의해 휴원 조치되는 경우

감염병 진료 및 치료 중 의료진이 감염된 경우 업무상 사유에 따른 근로자의 질병이므로 「산재보험법」상 업무상의 재해에 해당하여 요양급여, 휴업급여 등을 지급받을 수 있습니다.

07

연차유급휴가

연차유급휴가 적용대상 및 발생요건

'연차유급휴가'란?

근로자에게 일정기간 근로의무를 면제함으로써 정신적·육체적 휴양의 기회를 제공하고 문화적 생활의 향상을 위해 근로자의 계속근로기간에 대하여 '연 단위'로 부여되는 '유급'휴가

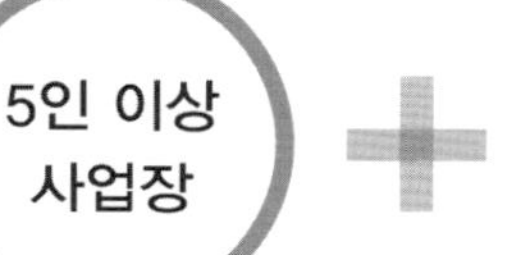

\+ 근로시간 주 15시간 이상 + 계속근로 1월 이상 = 연차유급 휴가

일	월	화	수	목	금	토
1	2	3	4	5	6	7
8	9	10	11	12	13	14
15	16	17	18	19	20	21
22	23	24	25	26	27	28
29	30					

4주 평균

– 단, 연장, 야간, 휴일근로시간은 소정근로시간에서 제외됨.

- (원칙)근로계약을 체결하여 해지될 때까지의 기간
- 기간의 정함이 있는 근로계약의 경우 그 계약기간의 만료로 고용관계는 종료되는 것이 원칙이나, 근로계약이 만료됨과 동시에 근로계약기간을 갱신하거나 동일한 조건의 근로계약을 반복하여 체결한 경우에는 갱신 또는 반복한 계약기간을 모두 합산하여야 함.

연차유급휴가 적용제외

5인 미만 사업장

연차유급휴가규정이 적용되지 않음.

초단시간근로자

4주 동안(4주 미만으로 근로하는 경우에는 그 기간)을 평균하여 1주 동안의 소정근로시간이 15시간 미만인 근로자, 소위 '초단시간근로자'에 대해서는 연차유급휴가규정이 적용되지 않음.

(1) 연차유급휴가의 의미

‘연차유급휴가’란 근로자에게 일정기간 근로의무를 면제함으로써 정신적·육체적 휴양의 기회를 제공하고 문화적 생활의 향상을 위해[44] ‘근로자의 계속근로기간’에 대하여 ‘연 단위’로 부여되는 ‘유급’휴가를 말합니다.

(2) 연차유급휴가의 적용대상자 및 적용제외자

연차유급휴가는 ‘5인 이상 사업장’에서 근로하는 근로자 중 ‘소정근로시간이 주 15시간 이상’이고 ‘계속근로기간’이 일정기간 이상인 경우에 적용됩니다.

상시근로자 수가 5인 미만 사업장의 사용자는 근로자에게 연차유급휴가를 부여하지 않을 수 있으므로, 소규모 사업장에서 근로하는 근로자는 안타깝게도 연차유급휴가를 적용받을 수 없습니다.

상시근로자 수가 5인 이상인 사업장에서 근로하더라도 일을 하기로 약정한 시간 즉, 소정근로시간이 15시간 미만인 근로자는 연차유급휴가 규정 자체가 적용되지 않습니다.

(3) 연차유급휴가의 발생요건: 계속근로기간

근로계약을 체결하고 최초 1년 동안은 1개월 개근시 1일의 휴가가, 그 이후부터는 1년간 80% 이상 출근하면 15일의 휴가와 장기근속한 기간마다 가산휴가가 발생합니다. 이처럼 계속근로기간과 출근율이 연차유급휴가 일수에 영향을 미칩니다.

계속근로기간이라 함은 ‘근로계약을 체결하여 해지될 때까지의 기간’으로서 ‘기간의 정함이 있는 근로계약의 경우 그 계약기간의 만료로 고용관계는 종료되는 것이 원칙이나, 근로계약이 만료됨과 동시에 근로계약기간을 갱신하거나 동일한 조건의 근로계약을 반복하여 체결한 경우에는 갱신 또는 반복한 계약기간을 모두 합산하여 산정’합니다.

이에 따라 수습기간은 계속근로기간에 포함되고,[45] 기간제근로자가 기간의 정함이 없는 계약으로 전환될 때에도 기간제근로계약기간은 계속근로기간에 포함됩니다.[46]

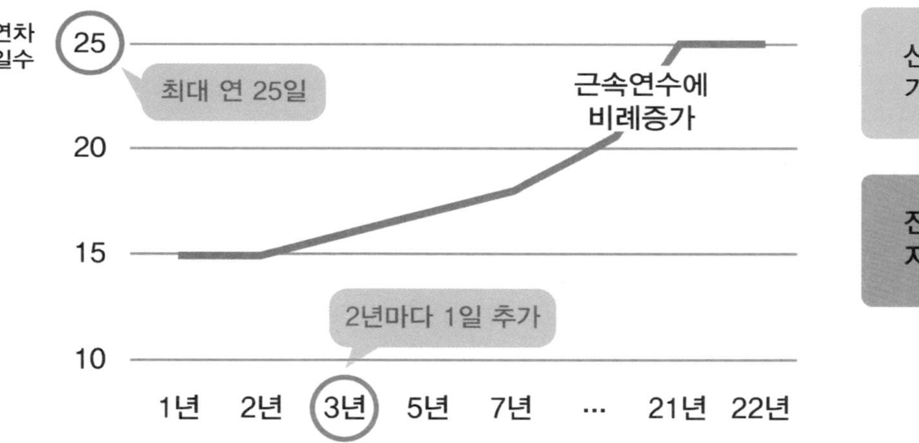

계속 근로연수	1년 미만	1	2	3	4	5	6	7	8	9	10
연차일수	~11	15	15	16	16	17	17	18	18	19	19
계속 근로연수	11	12	13	14	15	16	17	18	19	20	21년 이상
연차일수	20	20	21	21	22	22	23	23	24	24	25

산정 기준

- 원칙: 근로자 개인별 입사일 기준
  - 예외: 회계연도 기준(취업규칙 등 규정)

전부 지급

출근율이 80% 이상인 경우

$$\frac{\text{출근일수}}{\text{연 소정근로일수}} \times 100 \geq 80\%$$

☞ 연 15일+근속가산일수(최대 25일)

일부 지급

출근율이 80% 미만인 경우

$$\frac{\text{출근일수}}{\text{연 소정근로일수}} \times 100 < 80\%$$

계속근로기간이 1년 미만인 경우

☞ 개근한 '월'마다 1일씩 부여

(1) 연차유급휴가의 일수

연차유급휴가 일수는 계속근로기간 1년 미만인 기간과 계속근로기간이 1년 이상인 기간에 대해 산정하는 방법이 다릅니다.

계속근로기간이 1년 미만인 기간에는 '개근한 월의 개수'만큼 연차유급휴가가 발생하므로 휴가일수가 최대 11일입니다.

계속근로기간이 1년 이상인 기간에는 출근율이 80% 이상인지 여부에 따라 기본연차와 가산연차의 합만큼 연차유급휴가가 발생하거나 개근한 월의 개수만큼 연차유급휴가가 발생합니다.

출근율이 80% 이상이라면 계속근로기간 '1년'에 대해 '15일'이 기본적으로 발생되고, 계속근로기간이 최초 3년을 초과하면 근속기간에 대해 1일의 휴가가 추가적으로 부여됩니다. 이와 같은 장기간 근로에 대한 가산연차는 최초 3년을 초과한 이후부터는 매 2년마다 1일의 연차유급휴가가 발생합니다. 장기근속에 따른 가산연차가 계속해서 증가하는 것은 아니고 연차유급휴가 일수의 한도인 25일까지만 증가됩니다.

즉, 계속근로기간이 1년 이상이고 출근율 80% 이상이라면 발생하는 기본연차 15일과 장기 근속기간에 따른 가산연차를 합하여 최대 25일입니다.

반면 계속근로기간이 1년 이상이더라도 출근율이 80% 미만이면 계속근로기간이 1년 미만과 같이 '개근한 월의 개수'만큼만 연차유급휴가가 발생합니다.

(2) 연차유급휴가의 산정기준

연차유급휴가는 원칙적으로 입사일을 기준으로 계속근로기간을 산정하나, 취업규칙 등에 따라 회계연도(예: 1. 1.~12. 31. 등)를 기준으로 할 수 있습니다.

연차유급휴가는 출근율이 80% 이상되어야 기본연차 15일과 장기근속에 따른 가산연차를 받을 수 있고, 출근율이 80% 미만인 경우에는 개근한 '월'마다 1일의 연차유급휴가만 부여받습니다.

입사한지 1년이 되지 않은 근로자의 경우에는 입사일을 기준으로 1월을 개근할 때마다 1일의 연차유급휴가가 발생합니다.

$$\frac{\text{출근일수}}{\text{연 소정근로일수}} \times 100$$

출근한 것으로 보는 경우

- 출산전후휴가
- 육아휴직(2018. 5. 29. 이후 최초신청시)
- 연차유급휴가
- 생리휴가 등

출근일수 및 소정근로일수 모두 제외되는 경우

- 적법한 쟁의행위 기간
- 사용자의 귀책사유로 인한 휴업기간 등

소정근로일수에서 제외되는 경우

- 주휴일(일요일 등)
- 근로자의 날(매년 5월 1일)
- 약정휴일(창립기념일 등)

(1) 연 소정근로일수

출근율은 다음과 같은 수식을 통해 알 수 있는데, 분모는 365일이 아닌 '연간 근로의무가 있는 일수'이므로 회사마다 '연 소정근로일수'는 다릅니다.

소정근로일수는 근로제공의무가 있는 날을 의미하므로, 주휴일 및 근로자의 날과 같은 법정휴일과 회사의 창립기념일 등과 같은 약정휴일은 이에 포함되지 않습니다.

(2) 출근일수

분자인 '출근일'은 '현실적으로 근로를 제공한 날'뿐만 아니라 '휴가를 사용하여 근로를 제공하지 않은 날', '관계 법령 등에서 출근한 것으로 간주하는 경우'도 모두 출근일수에 포함됩니다.

휴가는 근로제공의무가 있으나 그 의무가 면제된 날이므로 연차유급휴가, 생리휴가 등 휴가를 사용하면 실제 근로하지 않더라도 출근일수에 포함됩니다.

출산전후휴가와 육아휴직은 다소 장기간 근로를 제공하지 않으나 근로기준법에서 '출근한 것으로 보는 날'이므로 연차유급휴가를 산정할 때 분자인 출근일수에 포함됩니다.

(3) 출근일수 및 연 소정근로일수 각각에서 제외되는 기간

적법한 파업을 하여 일을 하지 않는 경우는 어떻게 할까요? 출근해서 파업을 했으니 출근한 것으로 볼까요? 일을 하지 않았으니 결근한 것으로 볼까요?

법원[47)]은 "연간 소정근로일수에서 쟁의행위 등 기간이 차지하는 일수를 제외한 나머지 일수를 기준으로 근로자의 출근율을 산정하여 연차유급휴가 취득 요건의 충족 여부를 판단하되, 그 요건이 충족된 경우에는 본래 평상적인 근로관계에서 8할의 출근율을 충족할 경우 산출되었을 연차유급휴가일수에 대하여 '연간 소정근로일수에서 쟁의행위 등 기간이 차지하는 일수를 제외한 나머지 일수'를 '연간 소정근로일수'로 나눈 비율을 곱하여 산출된 연차유급휴가일수를 근로자에게 부여함이 합리적이라 할 것이다."라고 하여 비례계산방식을 택하고 있습니다.

$$\frac{\text{출근일} - \text{적법한 쟁의행위기간}}{\text{연간소정근로일수} - \text{적법한 쟁의행위기간}} \times 100 = \text{출근율}$$

사용자의 책임으로 휴업한 경우도 적법한 쟁의행위기간과 같이 연간소정근로일수와 출근일에서 휴업한 기간을 각각 제하고 출근율이 80% 이상인 경우 비례계산방식으로 연차유급휴가를 부여합니다.

적법한 쟁의행위기간과 사용자의 책임으로 인한 휴업기간에 대해 비례계산방식을 택하되 근로자의 출근율이 80% 미만인 경우에는 '개근한 월'마다 1일의 연차유급휴가가 발생합니다.

2017. 5. 29. 이후 입사자인 경우

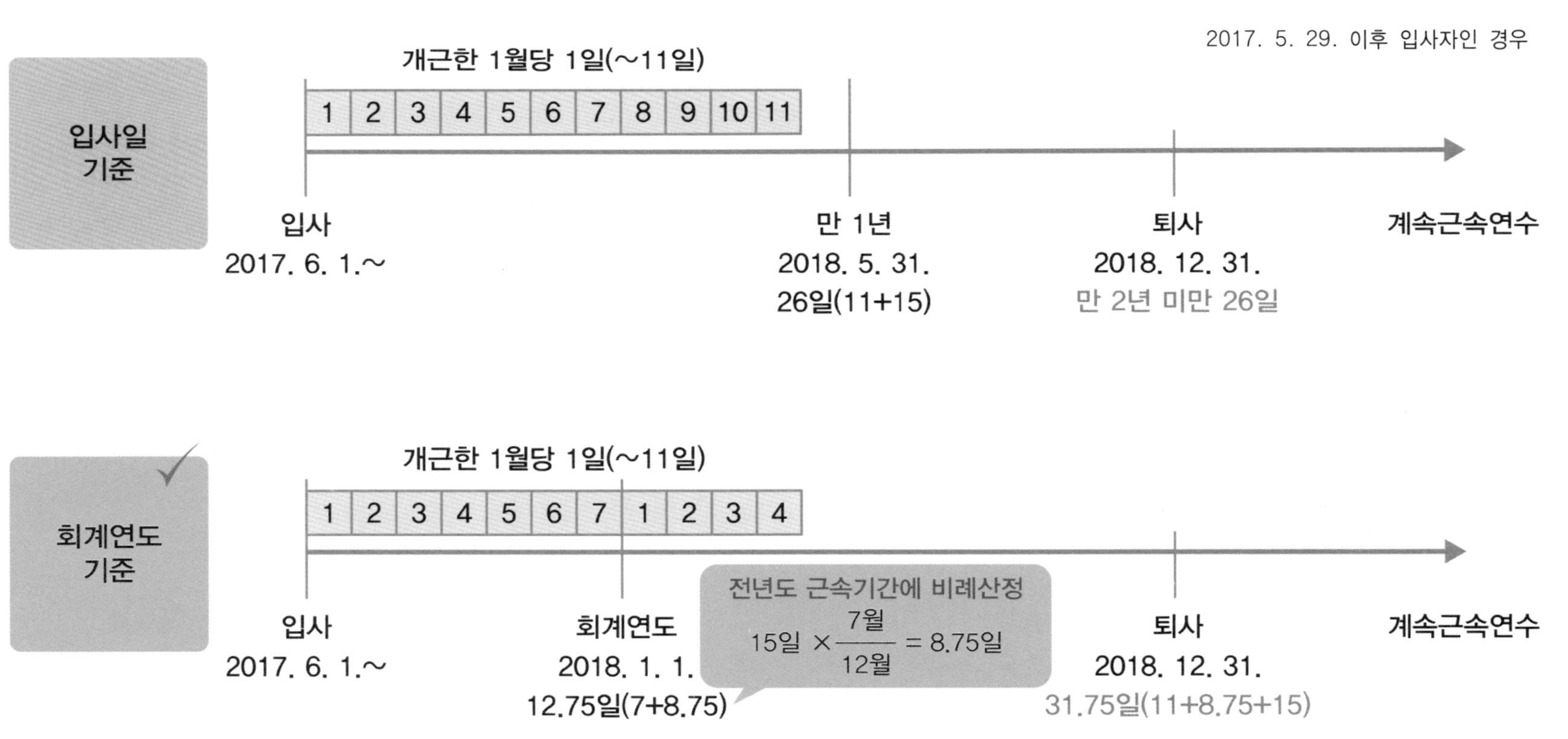

(1) 입사일을 기준으로 한 연차유급휴가의 산정

입사일을 기준으로 연차유급휴가가 발생하는 것이 원칙이므로, 근로자별로 연차유급휴가가 발생하는 시점이 달라집니다.

(2) 회계연도를 기준으로 한 연차유급휴가의 산정

근로자별로 연차유급휴가가 발생하는 시점, 발생하는 일수가 다른 것은 사용자 입장에서 현실적으로 관리하기 어렵습니다. 그래서 대부분의 사용자가 매년 1. 1.~12. 31. 등 일정기간을 정하여 연차유급휴가를 일괄적으로 발생시키는 제도를 택하고 있습니다.

입사한 지 1년이 되지 못한 근로자에 대하여 다음연도에 입사연도의 근속기간에 비례하여 유급휴가를 부여하고, 이후 연도부터는 회계연도를 기준으로 연차유급휴가를 부여하는 것이 일반적인 회계연도 기준 연차유급휴가 산정방식입니다.[48)]

회계연도를 기준으로 한 연차유급휴가의 산정방식은 회사마다 조금씩 다를 수 있는데, 어떠한 방식을 택하더라도 근로기준법에 따른 연차유급휴가일수보다 적게 부여하는 것은 금지됩니다. 따라서 회계연도방식에 따른 연차유급휴가가 입사일 기준보다 많은 때에는 사용자가 이를 삭감할 수 없고, 입사일 기준보다 적은 때에는 미달하는 일수만큼 연차유급휴가를 부여하여야 합니다.

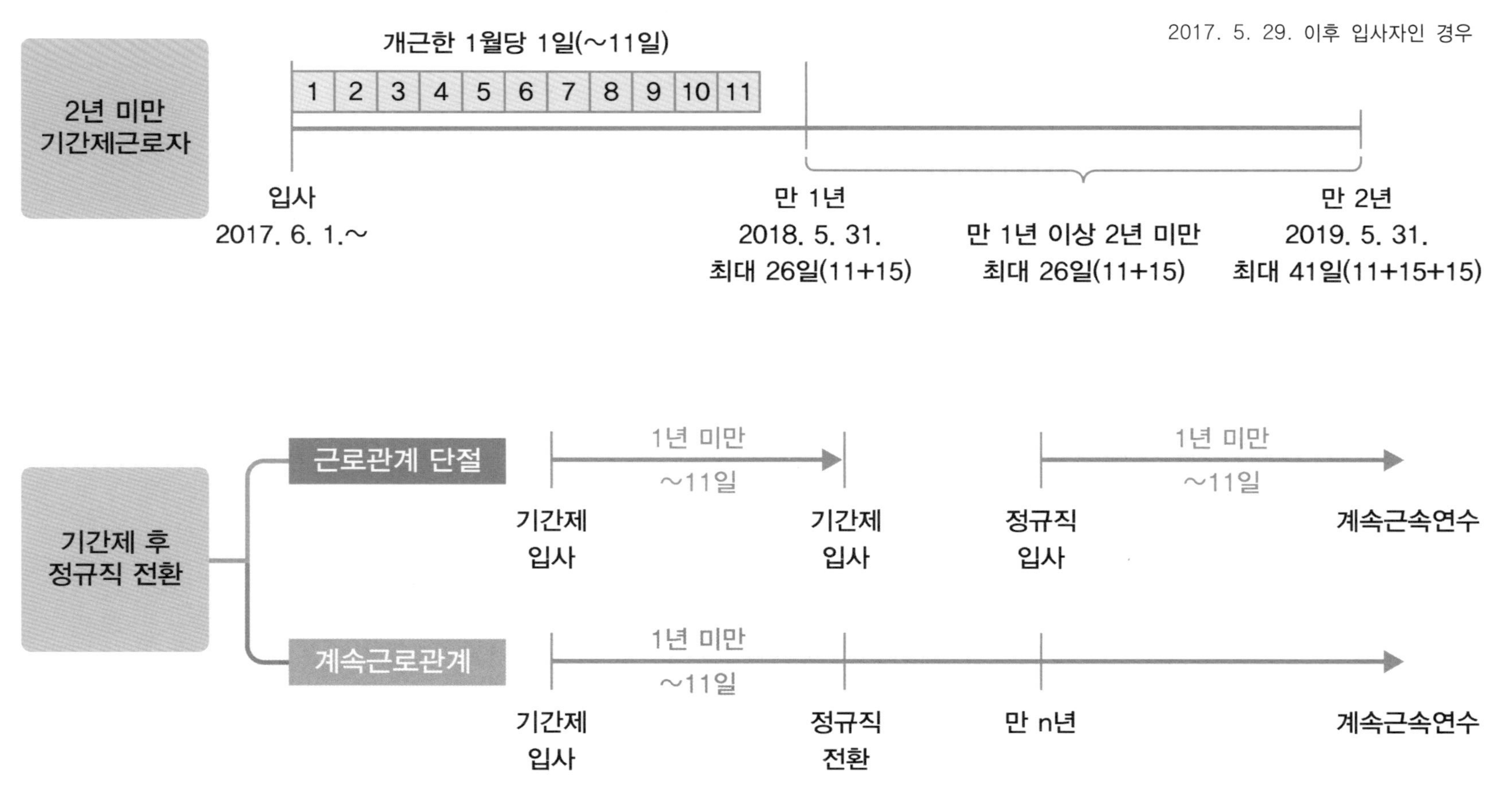
2017. 5. 29. 이후 입사자인 경우
2년 미만 기간제근로자
개근한 1월당 1일(~11일)
1 2 3 4 5 6 7 8 9 10 11
입사
2017. 6. 1.~
만 1년
2018. 5. 31.
최대 26일(11+15)
만 1년 이상 2년 미만
최대 26일(11+15)
만 2년
2019. 5. 31.
최대 41일(11+15+15)
기간제 후 정규직 전환
근로관계 단절
기간제 입사
1년 미만
~11일
기간제 입사
정규직 입사
1년 미만
~11일
계속근속연수
계속근로관계
기간제 입사
1년 미만
~11일
정규직 전환
만 n년
계속근속연수

(1) 계속근로기간이 2년 미만인 기간제근로자

연차유급휴가 일수는 계속근로기간 1년 미만인 기간과 계속근로기간이 1년 이상인 기간에 산정하는 방법이 다릅니다. 계속근로기간이 1년 미만인 기간에는 '개근한 월'의 수만큼 휴가가 발생되고, 계속근로기간이 1년 이상인 기간에는 출근율이 80% 이상이라면 기본연차와 장기근속연차의 합만큼을, 출근율이 80% 미만이라면 '개근한 월'의 수만큼만 휴가가 발생됩니다.

따라서 계속근로기간이 만 1년인 근로자의 경우 최초 1년 중 '1년 미만인 기간'에는 개근한 월수에 따라 최대 11일의 연차유급휴가가 발생하고, 1년 이상인 기간에 대해 출근율이 80% 이상이라면 15일의 연차유급휴가가 발생하므로 최대 26일의 연차유급휴가가 발생합니다.

2017. 5. 29. 이후 입사자	개근한 월수	출근율 80% 이상	출근율 80% 미만	합계
1년 미만인 기간	최대 11일			최대 11일
1년 이상 2년 미만	최대 11일	15일	개근한 월수	최대 26일
2년 이상 3년 미만	최대 11일	15일+15일	개근한 월수	최대 41일

(2) 기간제근로계약 종료 후 정규직으로 전환된 경우

연차유급휴가의 산정기준이 되는 '계속근로기간'은 원칙적으로는 근로계약을 체결하여 해지될 때까지의 기간이지만, 근로계약이 만료됨과 동시에 근로계약기간을 갱신하거나 동일한 조건의 근로계약을 반복하여 체결한 경우에는 갱신 또는 반복한 계약기간을 모두 합산합니다.

이에 따라 기간제근로계약 종료 후 정규직으로 전환될 때 연차유급휴가 일수가 며칠인지 문제될 수 있습니다. 기간제근로계약과 정규직근로계약을 '단절'된 것으로 볼지, '연결'된 것으로 볼지에 따라 계속근로기간이 달라져 연차유급휴가도 달라지기 때문입니다.

실무상 단지 퇴사처리하고 재입사 형식을 취하는 것은 근로관계가 단절된 것이 아니므로, 기간제근로계약 종료 후 정규직으로 전환하는 경우 근로관계가 계속된 것으로 봄이 법률적으로 안전합니다.

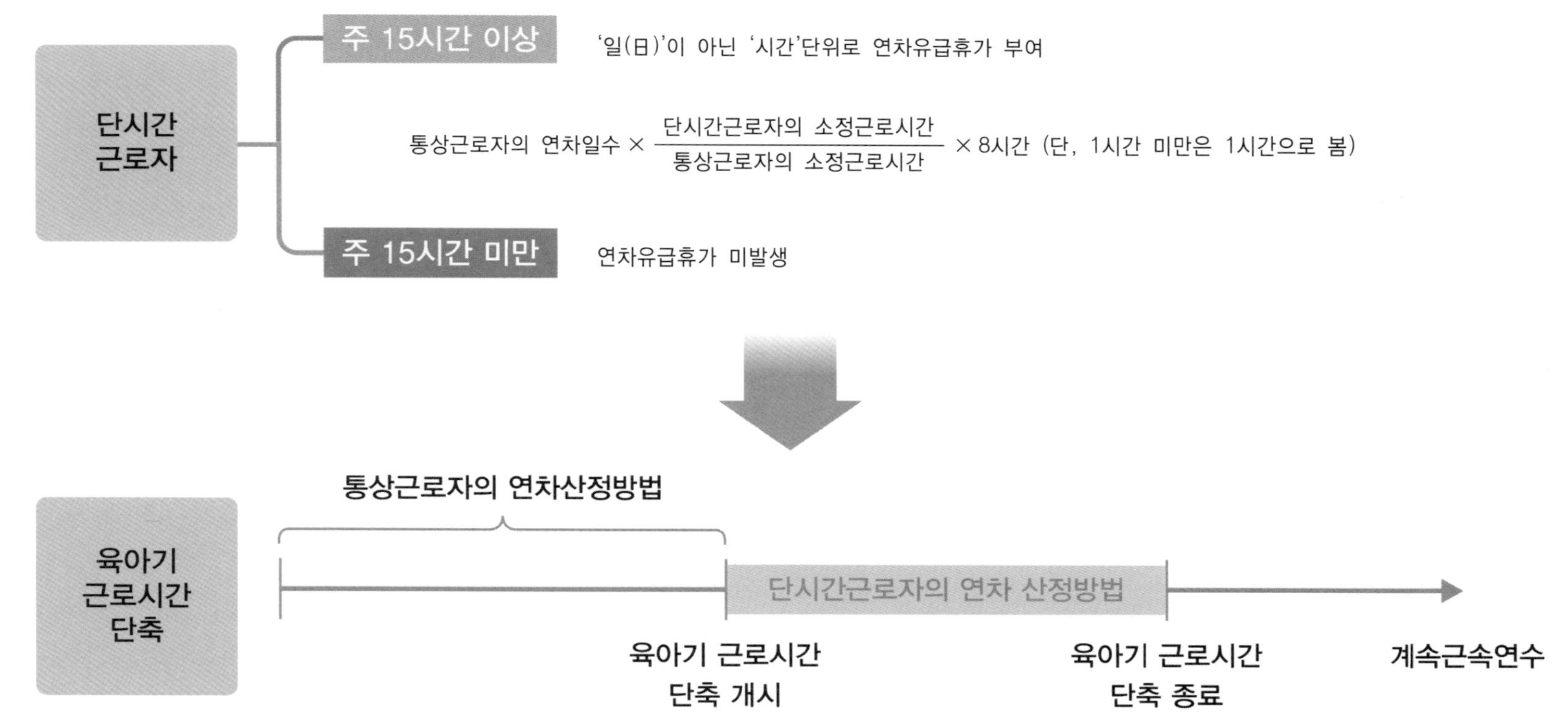
단시간
근로자
주 15시간 이상
'일(日)'이 아닌 '시간'단위로 연차유급휴가 부여
통상근로자의 연차일수 × 단시간근로자의 소정근로시간 / 통상근로자의 소정근로시간 × 8시간 (단, 1시간 미만은 1시간으로 봄)
주 15시간 미만
연차유급휴가 미발생
육아기
근로시간
단축
통상근로자의 연차산정방법
단시간근로자의 연차 산정방법
육아기 근로시간
단축 개시
육아기 근로시간
단축 종료
계속근속연수

(1) 단시간근로자의 연차유급휴가

소정근로시간이 짧은 단시간근로자는 1주 소정근로시간이 15시간 이상이라면 통상근로자에 비례하여 연차유급휴가를 부여받고, 15시간 미만이라면 연차유급휴가가 발생하지 않습니다. 여기서 통상근로자라 함은 단시간근로자의 비교대상이 되는 근로자로서 단시간근로자와 같은 종류의 업무에 종사하되 주 40시간 근로하는 것처럼 소정근로시간이 긴 근로자를 말합니다.

단시간근로자의 연차유급휴가는 '일(日)'이 아닌 '시간'단위로 부여되므로, 시간단위로 사용하는 것이 원칙입니다.

또 통상근로자와 마찬가지로 기본연차와 가산연차도 부여되는데, 이와 같은 수식에 따라 계산하여 소수점이 나올 경우 올림하여 1시간으로 봅니다.

(2) 육아기 근로시간 단축자의 연차유급휴가

만 8세 이하 또는 초등학교 2학년 이하의 자녀를 양육하기 위하여 근로시간의 단축을 신청하는 것을 '육아기 근로시간 단축'이라 하는데, 육아기 근로시간 단축자의 연차유급휴가는 단시간근로자의 연차유급휴가 산정방식을 이용하여 계산합니다.

육아기 근로시간 단축을 사용하지 않는 기간은 통상근로자의 연차유급휴가 산정방식에 따라 산정하고, 육아기 근로시간 단축 기간에는 단시간근로자의 연차유급휴가 산정방식에 따라 산정하면 됩니다.

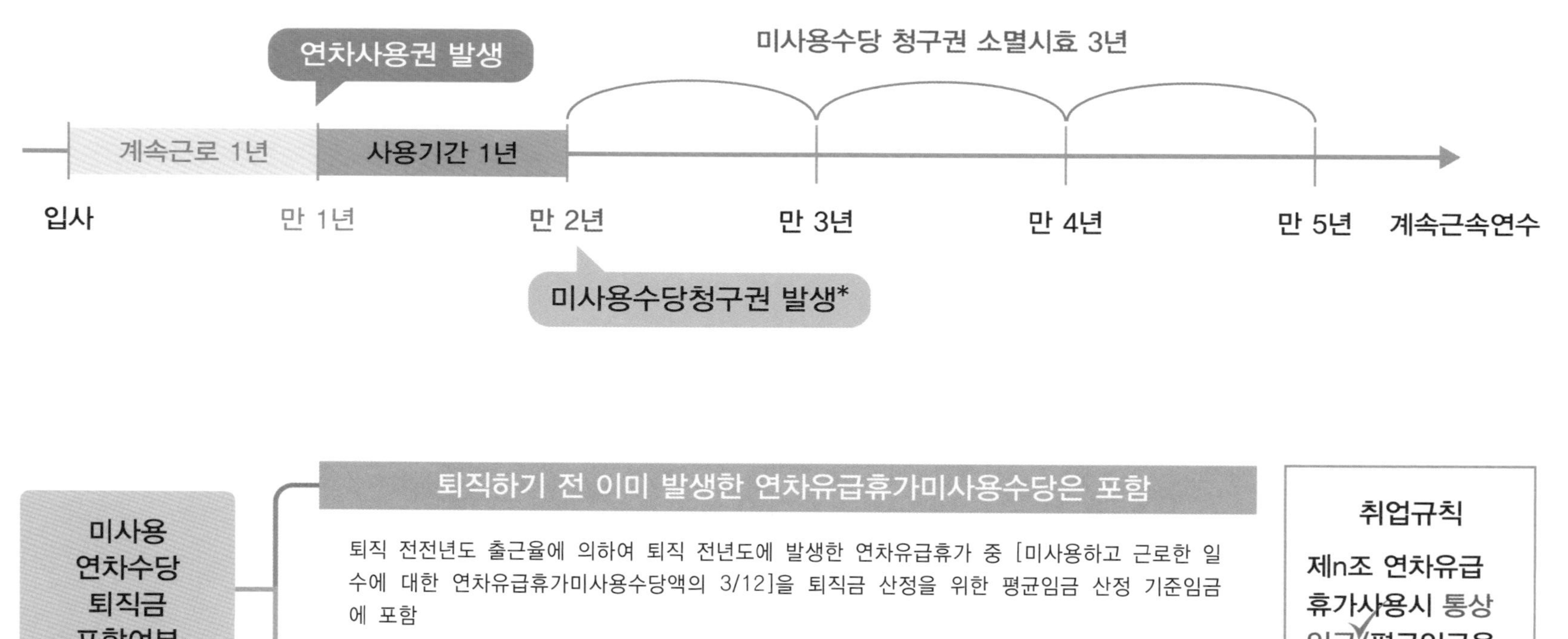

* 사용자가 근로기준법에 따른 연차유급휴가 사용촉진을 한 경우 연차유급휴가미사용수당 청구권이 소멸됨 (계속근로기간이 1년 미만인 자는 연차유급휴가 사용촉진 대상이 아님).

(1) 미사용연차수당의 발생시점

연차유급휴가를 사용기간 내에 미처 다 사용하지 못하면 수당으로 전환되는데, 이를 '미사용연차수당'이라고 합니다.

연차유급휴가의 사용기간은 1년으로서 연차유급휴가가 발생하고 1년 이내에 사용하지 못하면 수당으로 전환됩니다. 입사하고 1년이 되지 않은 경우에는 1개월 개근 시 1일의 연차유급휴가가 발생하고, 1년 내에 사용하지 못했다면 사용자는 사용기간이 종료된 다음 날에(임금지급일)에 미사용수당을 지급하여야 합니다.

> ㉮ 2018. 3. 1. 입사 후 1개월 개근하여 2018. 4. 1.에 1일 휴가 발생
> → 2019. 3. 31.까지 연차유급휴가 사용가능
> → 미사용시 2019. 4. 1.(4월 급여)에 수당 지급

입사하고 1년이 지난 후부터는 1년마다 기본연차 및 가산연차가 발생하고, 1년 내에 사용하지 못했다면 사용자는 사용기간이 종료된 다음 날에(임금지급일)에 미사용수당을 지급하여야 합니다.

> ㉮ 2015. 1. 1. 입사, 2019. 1. 1.~2019. 12. 31.의 출근율 80% 이상 17일 휴가 발생
> → 2020. 12. 31.까지 연차유급휴가 사용가능
> → 미사용시 2021. 1. 1.(1월 급여)에 수당 지급

(2) 미사용연차수당의 지급근거

연차유급휴가미사용수당의 금액은 '미사용 연차휴가일수×통상임금 또는 평균임금'으로 산정하는데, 취업규칙에서 연차유급휴가 사용시 '통상임금'을 기준으로 하는지, '평균임금'으로 지급하는지 정해진 바에 따릅니다. 즉, 연차수당은 회사마다 금액이 달라질 수 있는데 많은 회사들이 통상임금을 기준으로 연차유급휴가를 부여합니다.

(3) 미사용연차수당의 소멸시효

임금채권의 소멸시효는 3년이고 연차유급휴가미사용수당도 임금이므로, 사용자는 수당의 발생시점부터 3년 안에 수당을 지급하여야 합니다.

(4) 미사용연차수당의 퇴직금 포함 여부

미사용연차수당은 퇴직금을 산정하기 위한 평균임금에 산입되는 금액과 평균임금에 산입되지 않는 금액이 있습니다.

퇴직 전전년도 출근율에 의하여 '퇴직 전년도에 발생한 연차유급휴가 중 미사용하고 근로한 일수에 대한 연차유급휴가미사용수당액의 3/12'을 퇴직금 산정을 위한 평균임금 산정 기준임금에 포함합니다.

반면 '퇴직 전년도 출근율에 의하여 퇴직연도에 발생한 연차유급휴가를 미사용하고 퇴직함으로써 비로소 지급사유가 발생한 연차유급휴가미사용수당'은 평균임금의 정의상 산정사유 발생일 이전에 그 근로자에 대하여 지급된 임금이 아니므로 퇴직금 산정을 위한 평균임금 산정 기준임금에 포함되지 않습니다.[49)]

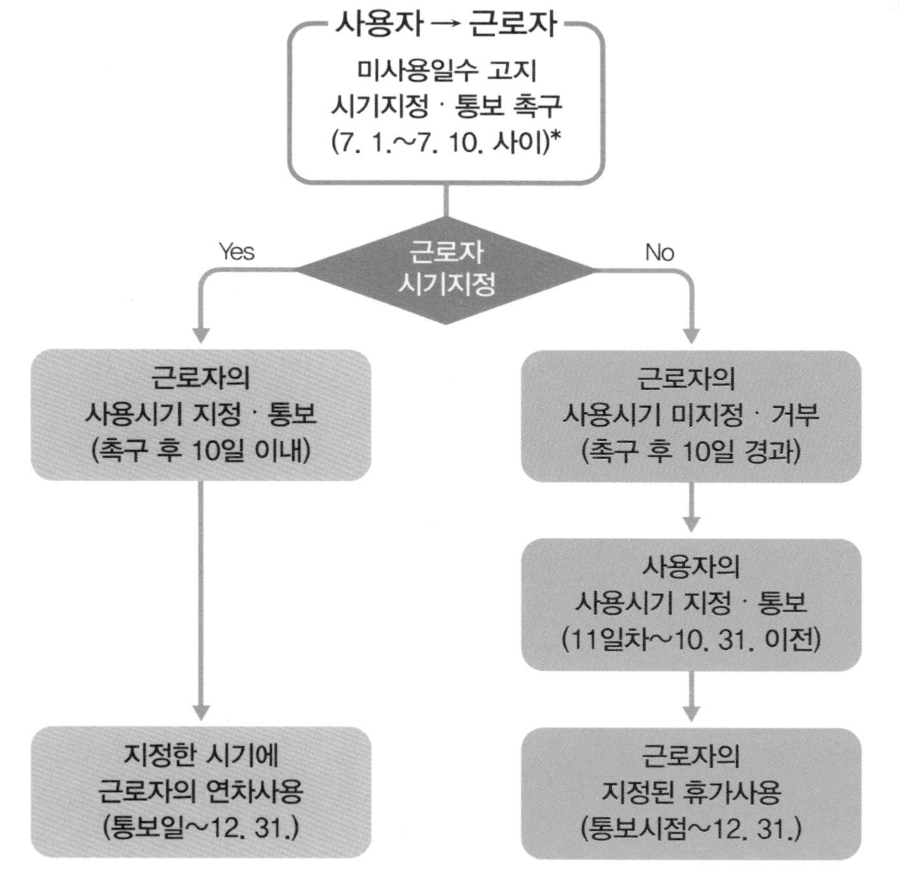

* 회계연도(1. 1.~12. 31.) 기준

미사용 연차휴가일수 통지 및 휴가사용시기 지정 요청

(근로기준법 제61조 및 취업규칙 제n조 관련)

성명		부서		사번	

발생연차(A)	사용연차(B)	미사용(A–B)	연차사용기간
N+5일	5일	n일	2020. 7. 1. ~12. 31.

○○○사원의 2020. 7. 1. 현재 사용하지 않은 연차휴가일수가 n일임을 알려드립니다. 2020. 7. 10.까지 미사용 연차휴가의 사용시기를 지정하신 후 첨부된 서식을 작성하셔서 인사팀으로 서면통보하여 주실 것을 촉구드립니다.

2020. 7. 1.

주식회사 ○○

(1) 연차유급휴가 사용촉진의 적용범위

연차유급휴가를 언제 사용할지는 근로자의 선택에 달린 것이고, 사용자는 근로자가 선택한 날에 휴가를 부여하는 것이 원칙입니다.

연차유급휴가 사용촉진은 연차휴가사용일을 사용자가 지정하여 근로자가 해당일에 휴가를 사용하게 하는 제도입니다. 이때 모든 연차유급휴가일을 사용촉진할 수 있는 것은 아니고 계속근로기간이 1년 이상이고 출근율이 80% 이상인 근로자들의 기본연차와 가산연차에 대해서만 사용촉진할 수 있습니다.

(2) 사용촉진의 방법

연차유급휴가가 근로자의 입사일을 기준으로 발생하는 것이므로 사용촉진도 근로자별로 다릅니다. 다만, 회사에서 회계연도를 기준으로 연차유급휴가를 부여하는 경우에는 일률적으로 사용촉진을 할 수 있습니다.

연차유급휴가의 사용촉진은 1차와 2차로 구분됩니다. 1차는 사용기간 6개월 전을 기준으로 10일 이내에 사용자가 근로자별로 사용하지 않은 휴가 일수를 알려주고, 근로자가 그 사용시기를 정하여 사용자에 통보하도록 서면으로 알려야 합니다.

사용자가 1차 사용촉진을 하였음에도 근로자가 10일 이내에 연차유급휴가의 전부 또는 일부의 사용시기를 정하여 사용자에 알리지 않으면 사용자는 2차 사용촉진을 하여야 합니다. 2차 사용촉진은 사용기간 2개월 전까지 사용자가 근로자의 휴가의 사용시기를 지정하여 근로자에게 서면으로 통보하는 것입니다.

그런데 근로자가 지정된 연차휴가일에 휴가를 사용하지 않고 출근하여 계속 근무한 경우 해당일의 연차유급휴가는 어떻게 될까요?

고용노동부[50]는 사용자가 「근로기준법」에 따른 연차유급휴가 사용촉진 조치를 정상적으로 이행하였음에도 근로자가 해당 휴가일에 출근한 경우 사용자가 노무수령 거부의사를 명확히 표시해야 연차수당을 지급할 의무가 없다는 입장입니다. 이때 사용자가 연차휴가일에 해당 근로자의 책상 위에 '노무수령 거부의사 통지서'를 올려놓거나, 컴퓨터를 켜면 '노무수령 거부의사 통지' 화면이 나타나도록 하여야 노무수령 거부의사를 표시한 것으로 봅니다.

(3) 사용촉진의 효과

연차유급휴가를 사용기간 내에 사용하지 못하면 수당으로 전환되지만, 사용자가 연차유급휴가의 사용촉진을 한 경우라면 수당으로 전환되지 않고 근로자는 사용자가 지정한 날에 휴가를 사용한 것으로 처리됩니다.

08

인사권과 징계권

인사권

사용자가 근로자를 채용하여 직무를 부여하고 노무제공을 명령하며, 이동·배치·승진 등 지위변동이나 정직·해고 등 각종 인사 조치를 할 수 있는 권한

☞ 근로계약(기업경영)의 본질상 사용자에게 인정되는 권한

징계권

사용자는 기업의 존립과 사업의 원활한 운영을 위하여 근로자의 기업질서위반행위에 대하여 근로기준법 등의 관련 법령에 반하지 않는 범위 내에서 이를 취업규칙에서 해고 등의 징계사유로 규정할 수 있음.

☞ 기업질서정립 및 유지권한으로서 원래 사용자의 권한

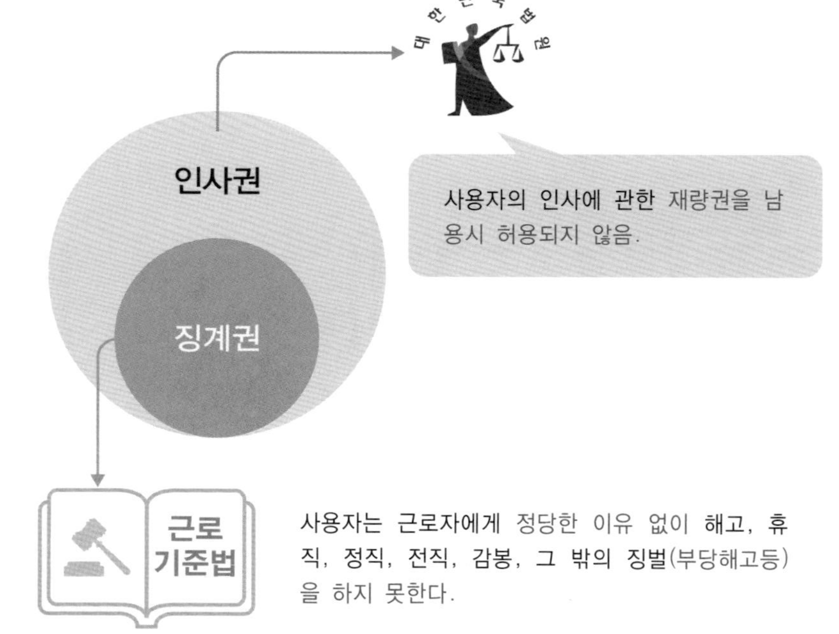

인사권을 남용하거나 정당한 이유없는 징계권 행사는 '부당해고등'으로서 허용되지 않음.

(1) 사용자의 권한으로서 인사권

'인사권'이란 사용자가 직원을 채용하여 직무를 부여하고 노무제공을 명령하며, 이동·배치·승진 등 지위변동이나 정직·해고 등 각종 인사 조치를 할 수 있는 권한을 말합니다. 이러한 인사권은 근로계약의 본질상 사용자에게 부여되는 것으로 봅니다.[51)]

(2) 사용자의 권한으로서 징계권

사용자는 기업의 존립과 사업의 원활한 운영을 위하여 근로자의 기업질서위반행위에 대하여 근로기준법 등의 관련법령에 반하지 않는 범위 내에서 이를 취업규칙에서 해고 등의 징계사유로 규정할 수 있습니다.

즉 '징계권'이란 경영조직의 질서 또는 규율을 위반한 근로자의 행위를 훈계 또는 시정할 목적으로 부과하는 불이익의 제재수단이고, 원래 사용자가 가지고 있는 권한입니다.

(3) 인사권 및 징계권의 제한

사용자가 직원의 승진, 배치, 전보 등을 할 수 있는 권한인 '인사권'과 직원의 비위행위에 대해 감봉, 정직, 해고 등을 할 수 있는 '징계권'을 가지고 있다 하더라도 이를 무제한적으로 행사할 수 있는 것은 아닙니다.

징계는 「근로기준법」에 따라 정당한 이유가 있는 경우에만 할 수 있습니다. 이때 정당한 이유 없는 해고, 휴직, 정직, 감봉, 그 밖의 징벌을 통칭하여 '부당해고등'이라고 부릅니다.

또 징계가 아닌 인사권 역시 사용자가 그 권한을 남용하는 것은 법의 원칙상 허용되지 않습니다.

따라서 사용자가 인사권을 남용하여 직원에게 인사조처를 하거나 정당한 이유 없이 직원에게 징계를 하는 것은 「근로기준법」상 '부당해고등'으로서 위법합니다.

전보·전직의 정당성 판단기준

근로계약서

- 업무: 주차지도 업무
- 장소: A공단

• **업무내용, 근로장소가 특정된 경우**
해당 근로자의 동의가 있는 경우에만 직종 간 인사이동, 근무지 변경이 가능

근로계약서

- 업무: 인사발령에 따름
- 장소: 인사발령에 따름

• **업무내용, 근로장소가 특정되지 않은 경우**
정당한 이유가 있으면 직종 간 인사이동, 근무지 변경이 가능

사용자는 근로자에게 정당한 이유 없이 해고, 휴직, 정직, 전직, 감봉, 그 밖의 징벌(부당해고등)을 하지 못한다.

✓업무상 필요성
✓생활상 불이익
• 근로자와의 성실한 협의
• 단체협약 및 취업규칙상 절차의 준수(규정한 경우)

직위해제·대기발령의 정당성 판단기준

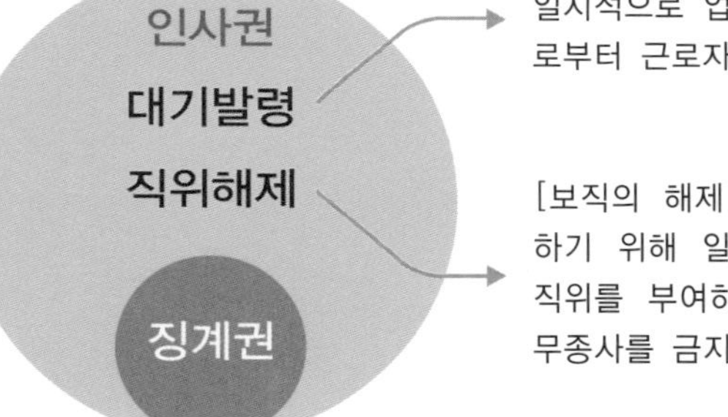

일시적으로 업무의 전체 또는 일부로부터 근로자를 격리하는 조치

[보직의 해제]업무상 장애를 예방하기 위해 일시적으로 근로자에게 직위를 부여하지 아니함으로써 직무종사를 금지하는 잠정적인 조치

경영 및 업무상의 필요에 의해 인사규정에 따라 이루어진 대기발령은 정당하다.

원칙

부당하게 장기간 동안 대기발령 조치를 유지하는 것은 특별한 사정이 없는 한 정당한 이유가 있다고 보기 어려우므로, 그와 같은 조치는 무효라고 보아야 할 것이다.

(1) 전보·전직명령의 정당성 판단기준

전보는 징계는 아니지만 근로자의 삶에 미치는 영향이 크기 때문에 「근로기준법」에서 징계에 준하여 정당한 이유 없이 전직을 하지 못하도록 규정하고 있습니다.

근무장소를 변경하는 것을 '전근', 수행하는 업무내용을 변경하는 것을 '전직', 직책이 부여된 직원에게 다른 직책을 부여하는 것을 '전보'라고 하는데, 회사 내에서 이를 혼용하여 사용하는 경우가 많고, 법원과 노동위원회 역시 명확히 구분하지 않고 정당한 인사권의 행사인지 여부를 판단하는 경우가 많습니다.

직장 내에서 이동인 전보 등은 근로계약에 업무내용과 근무장소가 정해진 경우와 그렇지 않은 경우에 따라 정당성의 판단기준이 다릅니다.

업무내용과 근무장소가 정해진 경우라면 근로자의 동의가 있는 경우에만 전보·전직을 할 수 있으므로, 근로자의 동의가 없다면 부당전직에 해당합니다.[52)]

근무장소와 업무내용이 특정되어 있지 않은 경우에는 근로자의 동의가 없더라도 사용자가 전보 명령을 할 수 있습니다. 다만, 사용자의 업무상 필요성, 근로자의 생활상 불이익 및 근로자와 성실한 협의를 하였는지 여부 그리고 전보에 관한 규정이 있다면 이를 준수하였는지 등을 살펴 사용자가 인사권을 남용하였는지 판단합니다.[53)] 이때 정당한 이유가 있는지는 사용자가 입증해야 합니다.

(2) 대기발령·직위해제의 정당성 판단기준

'대기발령'은 일시적으로 업무의 전체 또는 일부로부터 근로자를 격리하는 조치[54)]이고, '직위해제'는 직위가 있는 근로자를 대상으로 업무상 장애를 예방하기 위하여 해당 근로자에게 직위를 부여하지 않는 잠정적인 조치[55)]입니다.

징계대상자에게 대기발령 또는 직위해제 명령을 하기 때문에 대기발령과 직위해제가 징계라고 느껴질 수 있으나, 이는 징계가 아니고 사용자의 업무상 필요성 때문에 명하는 인사조처에 해당합니다. 따라서 경영 및 업무상의 필요성에 의한 대기발령 또는 직위해제는 원칙적으로 정당하다고 봅니다.[56)]

그러나 합리적 이유없이 대기발령 내지 직위해제 명령을 하거나, 업무상 필요성이 있는 대기발령인 경우도 그 기간이 지나치게 오래 지속된다면[57)] 인사권의 남용으로 보아 대기발령 및 직위해제가 무효입니다.

사용자는 근로자에게 정당한 이유 없이 해고, 휴직, 정직, 전직, 감봉, 그 밖의 징벌(부당해고등)을 하지 못한다.

☞ 징계가 정당한지는 사용자가 입증하여야 함.

단체협약

제n조(징계)

취업규칙은 단체협약과 어긋나서는 아니 된다.

☞ 단체협약이 취업규칙보다 우선적용

취업규칙

제n조(징계)

상시 10명 이상의 근로자를 사용하는 사용자는 제재에 관한 사항을 취업규칙으로 작성·변경하여 신고하여야 한다.

☞ 징계는 취업규칙의 필수적 기재사항

근로기준법에 반하지 않는 정당한 징계권을 행사하였는지는 징계사유의 정당성, 징계절차의 준수여부 및 징계양정의 적절성을 모두 충족하여야 함.

단체협약 및 취업규칙상 징계에 관한 사항을 준수하여야 함

	징계사유 정당성	징계절차 준수	징계양정 적절성	징계의 정당성
사례1	O	O	O	정당한 징계
사례2	O	X	O	부당해고등
사례3	O	O	X	부당해고등
사례4	O	X	X	부당해고등
사례5	X	O	X	부당해고등

(1) 징계의 정당성 판단기준

「근로기준법」에서 사용자가 정당한 이유 없이 해고, 휴직, 정직, 감봉, 그 밖에 징벌을 하지 못하도록 규정하고 있습니다. 이러한 징벌들을 통칭하여 '부당해고등'이라 하고, 징계에 정당한 이유가 있는지는 사용자가 입증하여야 합니다.

정당한 징계가 되기 위해서는 징계사유가 정당하여야 하고, 징계절차를 준수하여야 하며, 징계의 종류와 양이 적절하여야 합니다. 이 모든 요건을 충족하여야만 정당한 징계가 됩니다.

(2) 징계에 관한 규정이 단체협약과 취업규칙에 모두 규정된 경우

'단체협약'이란 '노동조합이 사용자 또는 사용자단체와 근로조건 기타 노사관계에서 발생하는 사항에 관하여 체결하는 협정'을 말합니다. 단체협약의 내용은 회사마다, 산업마다, 직종마다 다르지만 단체협약 내에 징계에 관한 규정을 두고 있는 경우가 대부분입니다.

징계는 취업규칙의 필수적 기재사항이므로 상시근로자 수가 10명 이상인 회사의 취업규칙에는 징계에 관한 규정이 있습니다.

징계에 관한 사항이 단체협약과 취업규칙에 모두 규정된 경우 어느 것을 먼저 적용해야 할까요?

「노동조합법」상 취업규칙은 단체협약과 어긋나서는 안 되므로, 단체협약을 우선하여 적용하고 나서 취업규칙을 적용하면 됩니다. 단체협약과 취업규칙의 내용이 충돌하는 경우에는 단체협약을 적용하고, 단체협약에 없는 내용이 취업규칙에 규정해 놓고 있다면 취업규칙을 보충적으로 적용하면 됩니다.

(3) 징계에 관한 규정이 없는 경우

징계사유가 정당하고, 징계절차를 준수하고, 징계의 종류와 양이 적절하여야만 정당한 징계입니다. 예를 들어 단체협약 및 취업규칙에 "징계위원회 개최 10일 전에 징계대상자에게 징계사실을 서면으로 통지하여야 한다."와 같은 징계절차를 준수하지 않는다면 그 자체로 부당징계가 됩니다.[58)]

그러면 징계절차에 관해 정한 규정이 없다면 어떻게 될까요? 「근로기준법」에서 정당한 이유 없이 징계를 하지 못하도록 규정하고 있을 뿐 징계사유의 정당성, 징계절차의 준수 및 징계양정의 적절성과 같은 요건은 판례에 의해 성립된 법리이기 때문에 징계에 관한 규정을 정한 바가 없다면 이를 준수하지 않아도 됩니다.[59)] 다만, 이 경우에도 법의 대원칙인 '권한남용금지'가 적용되므로 사용자가 징계권을 남용한 것으로 판단된다면 부당징계가 됩니다.

징계사유의 정당성

징계의 정당한 이유

취업규칙에서 징계사유와 그에 대한 징계종류를 규정하고 있는 이상 그 규정 자체가 신의칙에 위반한다거나 권리남용에 해당하는 등 특별한 사정이 없는 한 그 규칙에 정하는 바에 따라야 함.

☞ 특별한 사정이 없는 한 징계사유에 해당한다고 봄.

징계해고의 정당한 이유

사회통념상 고용계약을 계속할 수 없을 정도로 근로자에게 귀책사유가 있는 경우

☞ 일반해고 및 징계해고의 정당성 판단기준

징계절차의 준수

징계양정의 적절성

징계사유	구체적 예시
근무태도불량	근로계약을 충실히 이행치 않거나 생산성향상에 기여하지 않거나 직장규율을 문란케 하거나 그 밖에 노사관계의 신뢰를 상실케 하는 행위 - 무단결근, 전직·전보명령 거부, 정당한 업무명령 거부, 근무태만·직무해태, 직장규율문란, 회사명예 실추, 근로계약상 성실의무위반 등
범법행위	근로자의 범법행위가 기업존속을 직접적으로 손상시, 직장질서에 직접적인 영향을 미치는 경우, 회사명예를 상당히 실추시키거나 거래관계에 나쁜 영향을 미치는 행위시에 한해 징계가능 - 사법기관의 판결이나 소추, 폭행, 횡령, 교통사고, 풍기문란, 사회질서 위반 등
이중취업행위	직업선택의 자유와 기업질서유지가 조화를 이룰 수 있는 범위 내에서 허용(곧바로 징계대상 아님)
학력·경력사칭	학력이나 경력의 허위기재를 징계해고사유로 규정하는 것은 특별한 사정이 없는 한 징계사유임.

(1) 징계의 정당한 이유

단체협약이나 취업규칙에서 징계사유와 그에 대한 징계의 종류를 규정하고 있으면, 특별한 사정이 없는 한 징계사유에 해당한다고 봅니다.

여기서 특별한 사정이란, 징계사유에 관하여 정한 규정 자체가 신의성실의 원칙에 반하거나 권리남용에 해당하는 경우 등을 말합니다.

신의성실의 원칙은 법률관계의 당사자는 상대방의 이익을 배려하여 형평에 어긋나거나 신뢰를 저버리는 내용 또는 방법으로 권리를 행사하거나 의무를 이행하여서는 아니 된다는 추상적 규범을 말합니다.

권리의 행사가 권리의 남용에 해당한다고 할 수 있으려면 주관적으로 그 권리행사의 목적이 오직 상대방에게 고통을 주고 손해를 입히려는 데 있을 뿐 행사하는 사람에게 아무런 이익이 없을 경우여야 하고, 객관적으로는 그 권리행사가 사회질서에 위반된다고 볼 수 있어야 합니다.

(3) 징계해고의 정당한 이유

사용자의 일방적 의사결정에 의해 근로관계를 종료하는 것이 '해고'입니다. 사용자가 근로자를 해고하기 위해서는 '사회통념상 고용관계를 계속할 수 없을 정도로 근로자에게 책임'이 있어야 합니다.[60] 여기서 말하는 고용관계를 계속할 수 없는 근로자의 책임사유에 따라 일반해고와 징계해고로 구분합니다.

근로자의 개인 사정으로 근로제공을 할 수 없을 시에 해고하는 것을 '일반해고', 근로자의 비위행위 등 기업 질서위반 행위에 대한 제재조치로서 해고하는 것을 '징계해고'라고 합니다.

(3) 구체적인 징계사유의 예시

징계사유에는 근로자의 근무태도불량, 범법행위, 이중취업행위, 학력·경력사칭 등이 있습니다.

근로'계약'이므로 계약의 원칙상 성실하게 근로를 제공할 의무가 있음에도 근로계약을 충실히 이행하지 않거나 생산성향상에 기여하지 않는 것은 계약의 불완전한 이행이므로 징계사유에 해당합니다. 구체적으로 무단결근, 정당한 전직·전보명령의 거부, 정당한 업무명령 거부, 근무태만·직무해태, 직장규율문란, 회사명예실추 등이 이에 해당합니다.

회사업무와 관련된 범법행위는 물론 개인적인 범법행위인 경우에도 회사의 명예를 실추시키거나 거래관계에 나쁜 영향을 미치는 경우에는 징계사유에 해당합니다.

「대한민국헌법」상 직업선택의 자유가 있으므로 이중취업이 곧바로 징계사유에 해당하는 것은 아니나, 이중취업으로 인해 사용자의 영업비밀을 침해하거나 정상적인 근로제공을 할 수 없는 경우에는 징계사유에 해당합니다.

입사 시에 학력이나 경력을 사칭한 것은 근로관계의 신뢰에 부정적인 영향을 미치는 행위이므로 징계사유로 보는 것이 일반적[61]입니다.

징계사유의 정당성

징계절차의 준수

징계절차가 규정된 경우

단체협약에는 징계처분의 경우 징계위원회를 개최하도록 규정되어 있음에도, 징계위원회의 의결없이 징계처분을 할 수 있는 예외를 인정한 징계위원회규정은 무효이다.

☞ 징계위원회의 구성, 징계위원회 개최의 사전통보, 소명기회 부여 등 징계절차가 규정되었음에도 이를 위반할 경우 그 자체로 부당징계가 됨.

징계절차가 없는 경우

단체협약이나 취업규칙에 피징계자에게 소명의 기회를 부여하여야 한다는 규정이 없는 경우에는 피징계자에게 소명의 기회를 부여하여야 할 의무가 없다.

징계양정의 적절성

해고시 근로기준법에 따른 절차적 제한의 추가

구분	해고예고 및 해고예고수당	해고의 서면통지
원칙	• 해고일 30일 전에 예고 • 또는 30일분의 통상임금 지급	• 해고사유와 시기를 종이로 된 문서에 통지하여야 효력이 발생함.
예외	• 계속 근로한 기간이 3개월 미만인 경우 • 천재·사변, 그 밖의 부득이한 사유로 사업을 계속하는 것이 불가능한 경우 • 근로자가 고의로 사업에 막대한 지장을 초래하거나 재산상 손해를 끼친 경우로서 고용노동부령에 정하는 사유에 해당하는 경우	• 해고예고시 해고사유 및 시기를 서면으로 한 경우 '해고의 서면통지'로 봄.
위반시 효력	• 2년 이하 징역 또는 2천만 원 이하의 벌금 • 해고예고 등이 해고의 정당성 판단기준 아님.	• 해고사유나 절차준수여부와 무관하게 위법으로서 무효(부당해고)

(1) 징계절차가 규정된 경우

"단체협약에는 징계처분의 경우 징계위원회를 개최하도록 규정되어 있음에도, 징계위원회의 의결없이 징계처분을 할 수 있는 예외를 인정한 징계위원회규정은 무효이다."와 같은 판례[62]처럼 단체협약, 취업규칙 등에서 징계위원회의 구성, 징계위원회 개최의 사전통보, 징계대상자에 대한 소명기회의 부여 등을 규정하고 있다면 이를 반드시 준수하여야 적법한 징계가 됩니다.

징계절차가 규정되어 있음에도 이를 준수하지 않는다면 징계사유가 정당하고 징계양정이 적절하다 하더라도 그 자체로 부당징계가 됩니다.

(2) 징계절차가 규정되지 않는 경우

「근로기준법」에는 정당한 이유없는 징계를 금하도록만 규정하고 있을 뿐 징계절차를 규정하지 않은 경우에 대해서는 정하고 있지 않습니다.

이에 판례[63]는 "단체협약이나 취업규칙에 피징계자에게 소명의 기회를 부여하여야 한다는 규정이 없는 경우에는 피징계자에게 소명의 기회를 부여하여야 할 의무가 없다."고 판시하여 징계절차가 없는 경우에는 징계절차를 준수하지 않아도 부당징계에 해당하지 않습니다.

'징계절차가 없는 경우 징계절차를 준수하지 않아도 된다'라는 것은 얼핏 당연한 말처럼 들릴 수 있습니다. 하지만 '해고 시에는 징계위원회를 개최하되 당연퇴직 시에는 이에 대한 규정이 없는 경우'를 가정해보면 징계위원회를 개최하지 않고 해고한 것은 그 자체로 부당해고이지만, 징계위원회를 개최하지 않고 당연퇴직하더라도 위법은 아닙니다.[64]

(3) 해고 시 「근로기준법」에 따른 절차적 제한

징계절차가 단체협약이나 취업규칙에 정하여져 있는지와 관계없이 사용자가 근로자를 해고하기 위해서는 「근로기준법」상 해고예고를 하거나 해고예고수당을 주고, 해고사유와 시기를 서면으로 통지하여야 합니다.

해고예고를 하면 30일분의 통상임금인 해고예고수당을 지급하지 않아도 됩니다. 해고예고는 해고일 30일 전에 미리 해고사실을 근로자에게 알리는 것인데, 해고예고의 방법에 제한은 없으므로 말로 하거나 서면으로 하거나 문자나 메일 등 어떠한 방법으로 하여도 해고예고로 봅니다.

해고예고나 해고예고수당이 적용되지 않는 경우도 있는데, 계속 근로한 기간이 3개월 미만인 경우, 천재·사변, 그 밖의 부득이한 사유로 사업을 계속하는 것이 불가능한 경우, 근로자가 고의로 사업에 막대한 지장을 초래하거나 재산상 손해를 끼친 경우로서 고용노동부령에 정하는 사유에 해당하는 경우가 이에 해당합니다.

해고를 하려면 종이로 된 문서에 해고사유와 해고시기를 적어서 근로자에게 통지하여야 '해고'로서 효력이 생깁니다. 문자나 메일 등으로 한 해고통지는 원칙적으로 법적 효력이 없습니다. 해고예고 시에 해고사유와 시기를 종이로 된 문서로 적어서 근로자에게 통지했다면 해고의 서면통지를 한 것으로 봅니다. 해고예고나 해고예고수당과 달리 해고의 서면통지를 하지 않으면 그 자체로 위법이므로 부당해고가 됩니다.

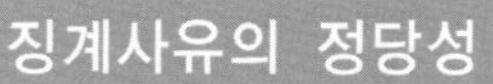

징계절차의 준수

징계양정의 적절성

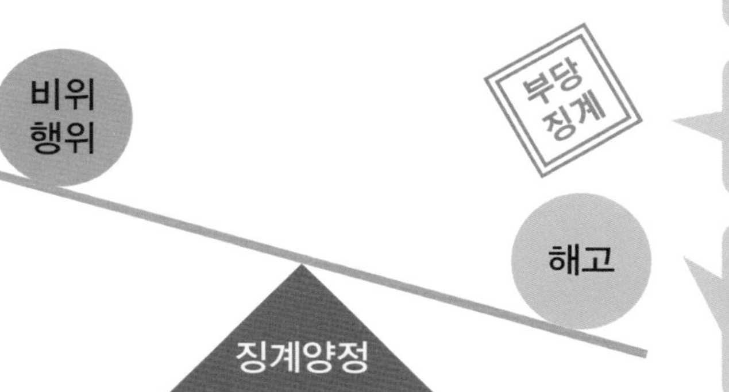

참작자료
피징계자의 평소소행과 근무성적, 징계사유 전후에 저지른 비위행위 사실 등 징계사유로 삼지 않더라도 참작자료로 고려가능

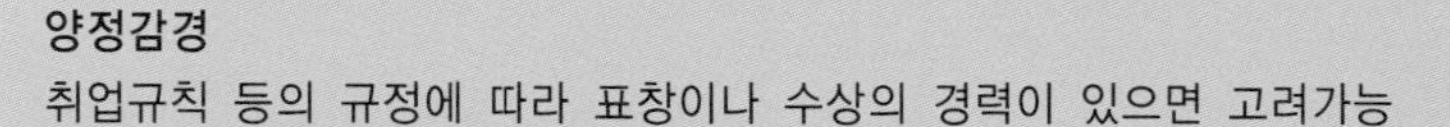

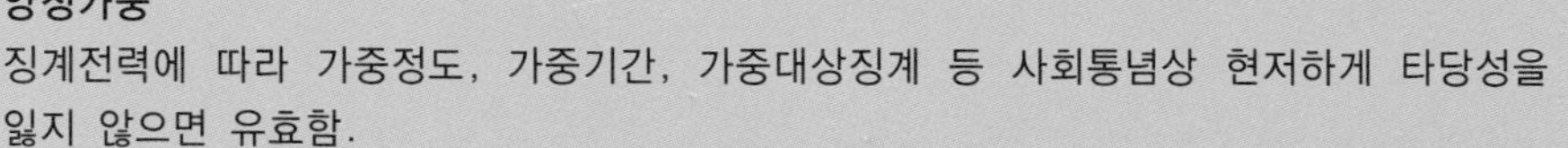

(1) 징계양정의 의미

징계양정이란 비위행위에 대한 징계의 양과 종류를 정하는 것을 말합니다. 징계권은 원칙적으로 사용자에게 있으므로 어떠한 처분을 할 것인지는 징계권자, 즉 사용자가 결정합니다.

(2) 징계양정의 적절성 판단기준

어떤 징계를 할지, 징계수위를 어떻게 결정할지는 사용자의 재량이므로 징계양정을 결정할 때 피징계자의 평소소행과 근무성적, 징계사유 전후에 저지른 비위행위 사실 등의 참작자료나 취업규칙 등의 규정에 따라 표창이나 수상의 경력 내지 과거 징계전력 등을 고려하여 할 수 있습니다.[65)]

하지만 사용자가 사회통념상 현저하게 타당성을 잃어 재량권자에게 맡겨진 재량권을 남용하였다고 인정되는 경우에는 부당징계가 됩니다.

구분	내용
당연종료	당사자 간의 의사관계와 관계없이 근로관계가 종료되는 경우 – 근로자사망, 사업장소멸, 기간제 계약기간만료, 정년 등
사직	근로자의 일방적 의사에 의한 근로관계종료 – 사직서 제출 등
합의해지	당사자 일방이 근로관계종료에 대한 청약을 하고 이를 승인한 경우 – 명예퇴직, 희망퇴직 등
해고	사용자의 일방적 의사 또는 경영상 부득이한 사유에 의한 근로관계종료 – 일반해고, 징계해고 및 경영상 이유에 의한 해고

근로기준법은 '해고'에 대한 제한만 있으므로 당연종료, 사직, 합의해지 등에 대해서는 근로기준법을 적용받지 않음.

해고(일반해고, 징계해고)

- ✓ 정당한 이유가 있는지: 사회통념상 고용관계를 지속할 수 없을 정도로 근로자에게 책임있는 사유가 있는지
- • 해고예고 또는 해고예고수당 지급
- ✓ 해고사유의 서면통지

경영상 이유에 의한 해고

- ✓ 정당성 요건: ① 긴박한 경영상의 필요성, ② 해고회피노력, ③ 해고대상자선정에 있어 합리적이고 공정한 기준, ④ 근로자 측에 50일 전 통보 및 성실한 협의 각 요건을 모두 갖출 것
- • 해고예고 또는 해고예고수당 지급
- ✓ 해고사유의 서면통지

(1) 근로관계종료의 구분

사용자와 근로자의 근로관계가 종료되는 것은 크게 당연종료, 사직, 합의해지 및 해고로 구분할 수 있습니다.

당연종료는 사용자 및 근로자의 의사와 관계없이 근로관계가 종료되는 것으로 근로자의 사망, 사용자 사업장의 소멸, 기간제근로자의 계약기간만료, 근로자의 정년도달 등이 이에 해당합니다.

사직은 근로자의 일방적 의사에 의해 근로관계가 종료되는 것으로 사직서 제출이 가장 대표적입니다.

합의해지는 어느 일방이 근로관계종료에 대한 의사표시를 하고 상대방이 이를 승인하여 근로관계가 종료되는 것으로 명예퇴직, 희망퇴직 등이 이에 해당합니다.

해고는 사용자의 일방적 의사에 근로관계가 종료되거나 사용자의 경영상 부득이한 사유에 의해 근로관계가 종료되는 것으로 일반해고, 징계해고 및 경영상 이유에 의한 해고가 있습니다.

(2) 「근로기준법」에 따른 해고의 제한

근로관계종료에는 여러 가지가 있으나 「근로기준법」은 '해고'에 대해서만 규정하고 있으므로 당연종료, 사직, 합의해지는 근로기준법이 적용되지 않습니다.

사용자가 근로자를 해고하기 위해서는 '사회통념상 고용관계를 계속할 수 없을 정도로 근로자에게 책임'이 있어야 합니다. 여기서 말하는 고용관계를 계속할 수 없는 근로자의 책임사유에 따라 근로자의 개인 사정으로 근로제공을 할 수 없을 시에 해고하는 것을 '일반해고', 근로자의 비위행위 등 기업 질서위반 행위에 대한 제재조치로서 해고하는 것을 '징계해고'라고 합니다.

일반적으로 정리해고라고 부르는 '경영상 이유에 의한 해고'는 근로자에게 귀책사유가 없으므로 법적 요건이 엄격합니다.

「근로기준법」에 경영상 이유에 의한 해고 시에는 ① 경영 악화를 방지하기 위한 사업의 양도·인수·합병 등 근로자를 해고하여야만 하는 사용자의 긴박한 경영상의 필요가 있어야 하고, ② 사용자가 해고를 회피하기 위한 노력을 다하여야 하며, ③ 합리적이고 공정한 해고의 기준을 정하여 이에 따라 그 대상자를 선정하고, ④ 해고일 50일 전까지 과반수노동조합이나 과반수근로자와 해고를 피하기 위한 방법과 해고의 기준 등에 대해 성실하게 협의하여야 합니다.

사용자가 근로자를 해고하기 위해서는 해고예고를 하거나 해고예고수당을 지급하고, 해고사유와 시기를 서면으로 통지하여야 합니다.

구제제도의 종류 / 징계 및 해고 제한제도의 유형	노동위원회 노동위원회를 통한 구제	고용노동부 벌칙을 통한 사법적 구제	대한민국법원 해고무효확인소송을 통한 민사구제
특정사유 금지 • 균등처우규정 • 해고 등에 있어서 남녀고용평등규정 • 출산전후휴가·육아휴직기간·업무상부상 질병기간과 관련한 절대적 해고금지규정 • 근로감독관에게 신고 또는 통보를 이유로 한 해고금지규정을 위반한 해고 및 징계 • 특정한 사유를 이유로 한 징계 및 해고금지	노동위원회 소관업무 • 판정·결정·의결·승인 또는 차별적 처우 등에 관한 업무	근로감독관의 수사권 • 현장조사권한 • 장부 및 서류제출요구권한 • 심문권한 등	실효원칙을 위반하지 않는 한 소제기 가능
일반사유 금지 • 근로자귀책사유에 의한 징계 및 해고 금지 • 부당한 경영해고금지	구제 대상	해당사항 없음	구제 대상

근로자가 사용자로부터 부당한 징계를 받거나 부당해고를 당하면 노동위원회, 법원, 고용노동부 등을 통해 구제를 받을 수 있습니다. 이들은 각각 독립적으로 운영되므로 근로자가 이 중 하나를 또는 전부를 선택하여 구제받을 수 있습니다.

(1) 노동위원회

노동위원회는 노동과 관련하여 행정심판을 받을 수 있는 행정적 구제방법으로서 구제에 소요되는 기간이나 비용, 그로 인해 얻게 되는 구제의 실익 등에 비추어볼 때 가장 효과적인 구제방법으로 볼 수 있습니다.

부당징계, 부당해고는 물론 기간제근로자나 파견근로자 및 단시간근로자 등을 이유로 한 합리적 이유 없는 차별, 남녀차별, 균등처우위반 등 노동과 관련된 거의 모든 법적 분쟁을 노동위원회에 구제 신청할 수 있습니다.

법원을 통한 민사소송 시 몇 년의 기간이 소요되는 것과 달리 3~6개월이라는 비교적 빠른 시간 내에 구제를 받을 수 있습니다. '징계가 부당하다', '부당해고다'라고 노동위원회로부터 결정을 받게 되면 근로자는 부당해고 등이 있기 전으로 원직복직되고, 해고된 경우 해고기간 중 임금상당액을 사용자로부터 지급받을 수 있습니다.

(2) 고용노동부

고용노동부는 행정기관으로서 사용자의 노동법 위반사실에 대해 과태료를 부과할 수 있고, 노동에 관한 사법경찰권 행사하는 근로감독관 제도를 통해 사용자 및 사업주에 형사처벌을 할 수 있습니다.

근로감독관은 근로감독 시 현장조사권한, 장부 및 서류제출요구권한, 심문권한 등을 가지고 있으므로 노동관련법률의 위반에 대해 민원이 제기되면 고용노동부는 이에 대한 사실확인 후 적정한 조치를 취할 수 있습니다.

(3) 민사구제

노동권 역시 사법상의 권리 중 하나이므로 민사소송을 통해 구제를 받을 수 있습니다.

노동위원회를 통한 구제는 3개월에서 6개월 이내에 신청하여야 하는데 반해 민사소송은 이 기간이 지났어도 실효의 원칙(권리를 행사하지 않고 오랜 시간이 지나 권리를 주장하는 것은 권리남용으로서 허용되지 않는다)에 반하지 않는다면 소송을 할 수 있습니다.

명예회복이나 손해배상 등 노동위원회에서 다툴 수 없는 소송의 대상이나 노동위원회로부터 구제명령을 받기 위한 구체적인 이익이 소멸한 경우에도 민사소송을 통해 구제를 받을 수 있습니다.

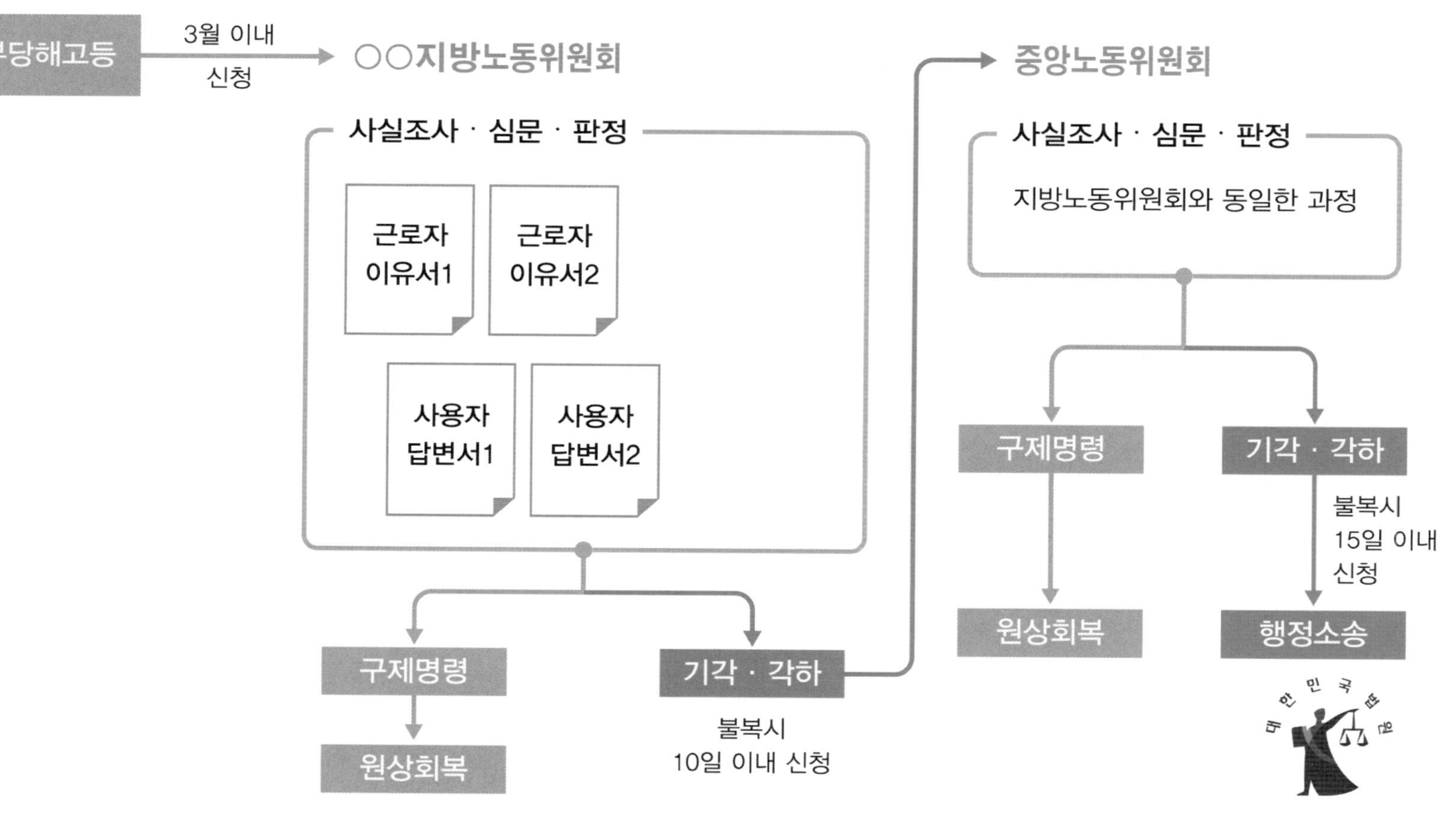
부당해고등
3월 이내
신청
○○지방노동위원회
사실조사 · 심문 · 판정
근로자
이유서1
근로자
이유서2
사용자
답변서1
사용자
답변서2
구제명령
원상회복
기각 · 각하
불복시
10일 이내 신청
중앙노동위원회
사실조사 · 심문 · 판정
지방노동위원회와 동일한 과정
구제명령
원상회복
기각 · 각하
불복시
15일 이내
신청
행정소송

(1) 노동위원회를 통한 구제의 기회 확대

우리나라는 민사 사건에 대해서는 3심제를 채택하고 있으나, 노동위원회를 거칠 경우 지방노동위원회와 중앙노동위원회, 행정법원과 고등법원 및 대법원 등 사실상 5번의 재판을 받을 수 있게 되어 구제를 받을 수 있는 기회가 더 많습니다.

(2) 전체적인 심문과정

근로자가 사용자의 부당해고 등에 대하여 노동위원회에 구제를 신청한 후 구제에 관한 주장과 근거를 담은 이유서 2부를 노동위원회에 제출합니다. 1부는 노동위원회용이고, 다른 1부는 사용자에게 전달됩니다.

사용자는 이에 반박하는 답변서를 2부 작성하여 노동위원회에 제출합니다. 이유서와 답변서가 오가는 과정을 거쳐 심문기일이 확정되면 심판일에 지방노동위원회가 사실조사와 심문을 거쳐 판정을 합니다.

근로자, 사용자 등 누구라도 지방노동위원회의 결정에 불복하게 되면 10일 안에 중앙노동위원회에 재심을 신청하고, 사실조사와 심문을 거쳐 판정을 받게 됩니다.

(3) 노동위원회 결정

노동위원회는 심문과정을 거쳐 각하, 기각, 인용결정할 수 있습니다.

각하는 소나 상소가 형식적인 요건을 갖추지 못한 경우 적법하지 않은 것으로 하여 내용을 판단하지 않고 소송을 종료하는 것을 말합니다. 근로자가 아닌 자가 노동위원회에 구제를 신청하거나 소 제기 기간이 지난 후에 구제를 신청하면 각하결정을 받게 됩니다.

기각은 소나 상소가 형식적인 요건을 갖추었으나 그 내용이 실체적으로 이유가 없다고 판단하여 소송을 종료하는 것을 말합니다. 근로자가 사용자의 해고가 부당해고라고 구제를 신청하였는데, 노동위원회에서 해고가 정당하다고 판단하면 부당해고구제신청에 대한 기각결정을 내리게 됩니다.

인용은 소를 제기한 것의 정당성을 인정해주는 것으로, 근로자가 사용자로부터 부당해고를 당했다고 구제를 신청할 경우 노동위원회가 해고의 부당함을 인정하면 인용결정을 합니다.

(4) 노동위원회 신청

노동위원회는 빠르고 신속한 구제를 목적으로 하는 행정심판 중 하나이므로 신청기간 안에 구제를 신청하여야 합니다. 부당해고 등에 대해서는 부당해고 등이 있은 날로부터 3월 이내에 구제를 신청하여야 하고, 지방노동위원회의 결정에 불복하는 때에는 구제명령서나 기각결정서를 통지받은 날로부터 10일 이내에, 중앙노동위원회의 재심판정에 불복하는 때에는 재심판정서를 송달받은 날로부터 15일 이내에 소를 제기하여야 합니다.

09

근로관계종료

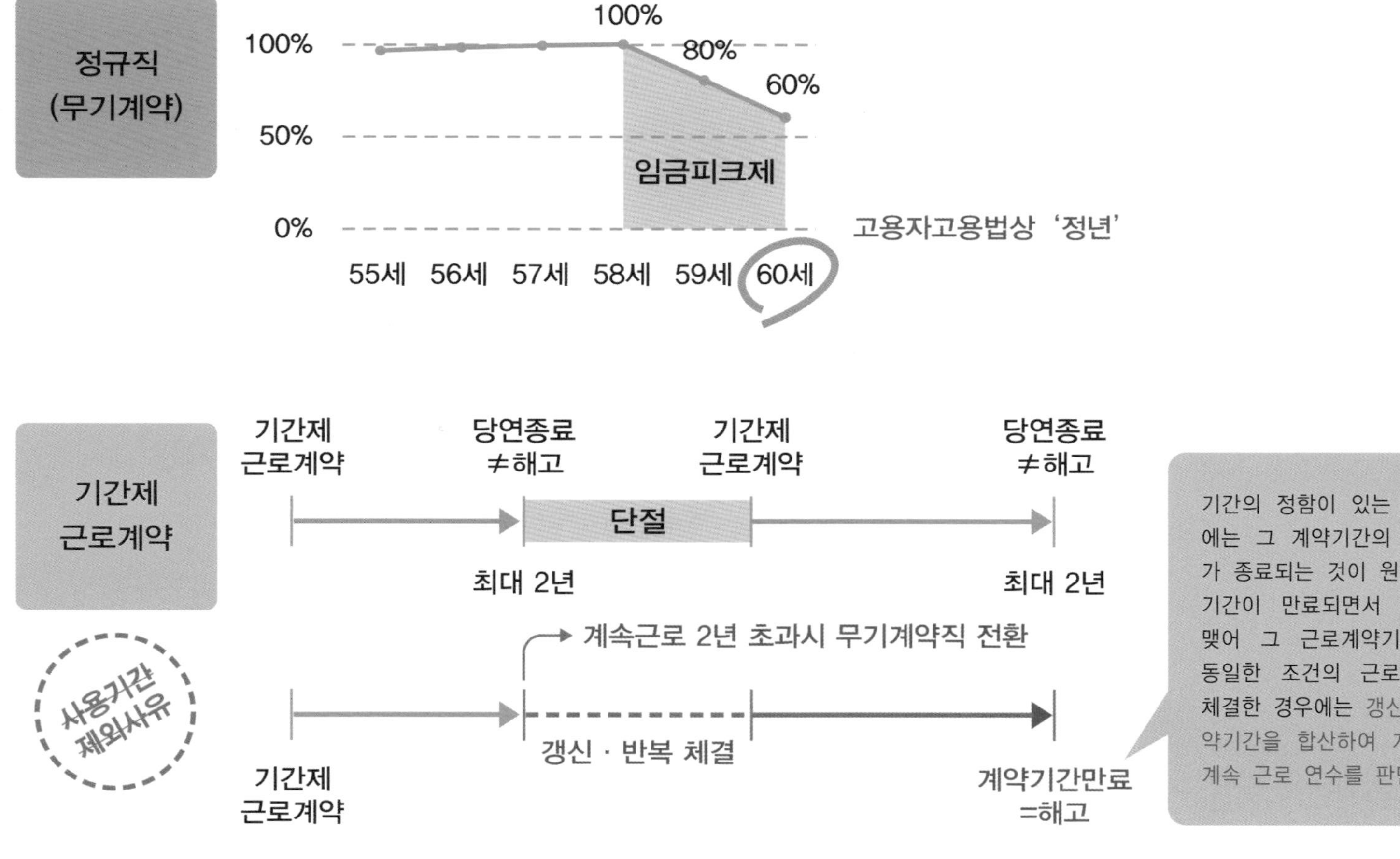
정규직
(무기계약)
100%
50%
0%
100%
80%
60%
임금피크제
55세 56세 57세 58세 59세 60세
고용자고용법상 '정년'
기간제
근로계약
기간제
근로계약
당연종료
≠해고
단절
기간제
근로계약
당연종료
≠해고
최대 2년
최대 2년
사용기간
제외사유
계속근로 2년 초과시 무기계약직 전환
갱신 · 반복 체결
기간제
근로계약
계약기간만료
=해고
기간의 정함이 있는 근로계약의 경우에는 그 계약기간의 만료로 고용관계가 종료되는 것이 원칙이나, 근로계약기간이 만료되면서 다시 근로계약을 맺어 그 근로계약기간을 갱신하거나 동일한 조건의 근로계약을 반복하여 체결한 경우에는 갱신 또는 반복된 계약기간을 합산하여 계속 근로 여부와 계속 근로 연수를 판단

사용자 및 근로자의 의사와 관계없이 근로관계가 종료되는 당연종료에는 근로자의 사망, 사용자 사업장의 소멸, 기간제근로자의 계약기간만료, 근로자의 정년도달 등이 있습니다. 이 중 정년 및 계약기간만료에 관련된 노동법적 이슈에 대해 이야기해보겠습니다.

(1) 정년과 임금피크제

「고용상 연령차별금지 및 고령자고용촉진에 관한 법률」에 따라 「근로기준법」을 적용받는 근로자의 정년은 만 60세 이상입니다.

「고용상 연령차별금지 및 고령자고용촉진에 관한 법률」이 적용되기 이전에는 만 55세에서 만 58세 등 사용자마다 정년이 다소 달랐습니다. 300인 이상 사업장의 경우 2016. 1. 1.부터, 300인 미만 사업장의 경우 2017. 1. 1.부터 정년이 만 60세 이상이 되면서 임금피크제를 도입하는 사업장이 많아졌습니다.

임금피크제란 일정 연령이 된 근로자의 임금을 삭감하면서 그 대신 정년을 연장하거나 정년까지 고용을 보장하는 제도입니다.

수행하는 직무를 변경하거나 근로시간의 단축 및 임금체계의 개선 등을 통해 일정 연령부터 임금이 감소되도록 설계할 수 있는데, 임금피크제 형태는 크게 정년보장형과 정년연장형으로 구분할 수 있습니다.

정년보장형 임금피크제는 정년까지의 고용을 보장하는 대신 일정 연령에 도달 시부터 정년까지의 임금을 감액·조정하는 형태를 말하고, 정년연장형 임금피크제는 정년 이전의 일정한 기간을 정해서 그 기간부터 임금을 감액하여 지급하되 정년 이후의 일정한 기간을 고용함으로써 총액임금이 많도록 설계하는 제도입니다.

(2) 기간제근로자의 계속근로기간

「기간제법」에는 기간제근로계약의 반복갱신 등을 포함하여 계속근로기간이 2년 이내에서만 기간제근로계약을 체결할 수 있다고 규정하고 있습니다. 따라서 한 회사에서 기간제근로자로 계속근로할 수 있는 기간은 2년이 원칙입니다.

다만, 기간제법에서 2년을 초과하여도 여전히 기간제근로자인 경우를 제한적으로 열거하고 있습니다.

- 사업의 완료 또는 특정한 업무의 완성에 필요한 기간을 정한 경우
- 휴직·파견 등으로 결원이 발생하여 당해 근로자가 복귀할 때까지 그 업무를 대신할 필요가 있는 경우
- 근로자가 학업, 직업훈련 등을 이수함에 따라 그 이수에 필요한 기간을 정한 경우
- 만 55세 이상인 자와 근로계약을 체결하는 경우
- 전문적 지식·기술의 활용이 필요한 경우와 정부의 복지정책·실업대책 등에 따라 일자리를 제공하는 경우로서 대통령령이 정하는 경우
- 이에 준하는 합리적인 사유가 있는 경우로서 대통령령이 정하는 경우

이와 같은 사용기간제외사유가 없다면 계속근로한 기간이 2년을 초과하면 기간의 정함이 없는 근로계약 즉, 무기계약직으로 전환됩니다.

'계속근로기간'을 어떻게 산정할 것인지는 매우 중요한 판단기준입니다. 계약기간만료 시 근로관계가 당연종료되는 것이 원칙이지만, 근로계약기간이 만료되면서 다시 근로계약을 맺어 그 근로계약기간을 갱신하거나 동일한 조건의 근로계약을 반복하여 체결한 경우에는 갱신 또는 반복된 계약기간을 합산하여 계속근로여부와 계속근로연수를 판단합니다.

사용자는 근로자에게 정당한 이유 없이 해고, 휴직, 정직, 전직, 감봉, 그 밖의 징벌을 하지 못한다.

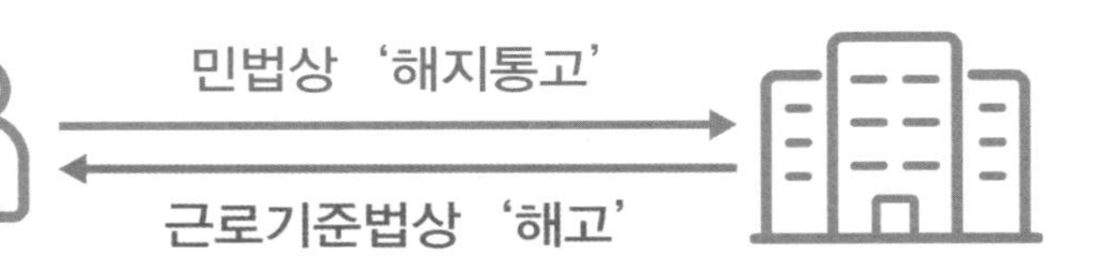

- 고용기간의 약정이 없는 때에는 당사자는 언제든지 계약해지의 통고를 할 수 있다.
- 전항의 경우에는 상대방이 해지의 통고를 받은 날로부터 1월이 경과하면 해지의 효력이 생긴다.

근로자에 대한 사용자의 손해배상청구

- 사용자가 근로자의 업무수행과 관련한 불법행위로 직접 또는 사용자책임을 부담하여 손해를 입은 경우 손해배상청구권을 행사할 수 있음
- 단, 사용자는 사업의 성격과 규모, 시설의 현황, 피용자의 업무내용과 근로조건 및 근무태도, 가해행위의 발생원인과 성격, 가해행위의 예방이나 손실의 분산에 관한 사용자의 배려의 정도, 기타 제반 사정에 비추어 손해의 공평한 분담이라는 견지에서 신의칙상 상당하다고 인정되는 한도 내에서만 근로자에게 손해배상을 청구할 수 있음.

인수인계

- 퇴사자가 업무의 인수인계 등을 하지 않아 발생한 손해에 대해서 사용자가 별도 민사상 손해배상을 청구할 수 있으나, 근로자의 사직을 막을 수는 없음(근로기준법상 강제근로금지)

퇴사하기 1개월 전에 사직의사를 표시하고 인수인계를 하도록 근로계약서나 취업규칙에 정한 경우가 많습니다. 이러한 규정이 노동법적으로 어떤 의미가 있는지 알아보겠습니다.

(1) 「민법」상 계약해지의 통고와 「근로기준법」상 해고

퇴사하기 1개월 전에 사직의사를 표시하여야 한다는 규정은 「민법」에 따른 계약의 해지통고를 지칭하는 것 같습니다.

근로'계약' 역시 '계약'의 일종으로서 「민법」이 적용될 수 있지만, 특별법 우선의 원칙에 따라 「근로기준법」이 우선 적용되고 「근로기준법」에서 정하지 않은 것에 한해 「민법」이 적용됩니다.

「근로기준법」은 사용자의 해고에 대해서만 법적 제한을 두고 근로자의 사직에 대해서는 정하고 있지 않으므로, 사용자의 근로계약 통지는 「근로기준법」을 적용받고 근로자의 근로계약 통지는 「민법」을 적용받습니다.

(2) 근로자가 1개월 전에 사직의사를 표시하지 않은 경우

퇴사하기 1개월 전에 사직의사를 표시하여야 한다는 규정을 두고 있는 경우 이를 준수하지 않고 퇴사하는 근로자는 어떤 불이익이 있을까요?

사실 법률상 어떠한 불이익도 없습니다. 1개월 전에 사직의사를 표하지 않은 것은 「민법」상 계약위반이지만, 사용자는 「근로기준법」에 따라 근로자의 의사에 반하여 강제근로를 시킬 수 없기 때문입니다.

(3) 인수인계를 하지 않고 퇴사하는 경우

근로자가 인수인계를 하지 않고 퇴사하는 경우 역시 사용자가 이를 강제하는 것은 「근로기준법」상 강제근로금지에 저촉될 위험이 있습니다. 만약 사용자가 인수인계를 하지 않는 것을 이유로 임금이나 퇴직금을 지급하지 않는다면 금품청산 위반으로 3년 이하의 징역 또는 3천만 원 이하의 벌금에 처해질 수 있습니다.

(4) 근로계약 위반으로 사용자의 손해가 발생한 경우

근로자가 「민법」상 계약위반으로 인해 사용자의 손해가 발생했다면 사용자는 손해배상을 청구할 수 있습니다.

1개월 전에 사직의사를 표명하지 않았다거나 인수인계를 하지 않았다는 그 자체로 사용자가 근로자에게 손해배상을 청구할 수 있는 것은 아니고 근로자가 업무수행과 관련된 불법행위로 직접 또는 사용자책임을 부담하여 손해를 입은 경우에 한해 손해배상을 청구할 수 있습니다.

이 경우에도 손해액의 전액이 아닌 법률적으로 상당하다고 인정되는 한도 내에서만 근로자에게 손해배상을 청구할 수 있습니다.[66)]

(5) 근로계약 위반 시 손해배상액을 예정하는 경우

근로계약 위반할 경우를 대비하여 손해배상액을 예정하거나 위약금을 약정하는 것은 「근로기준법」상 위약예정이므로 허용되지 않습니다.

합의해지

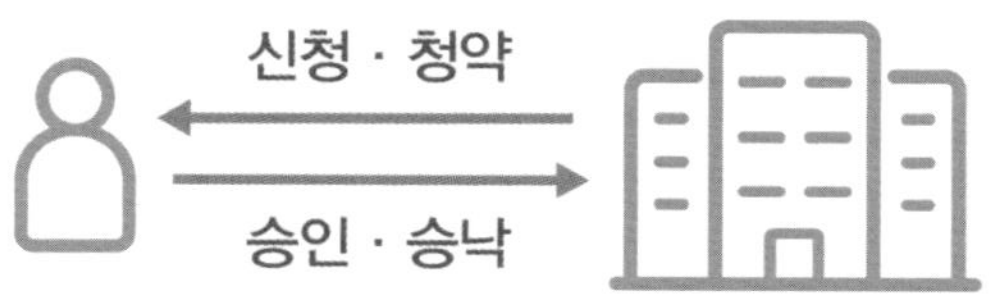

신청 · 청약
승인 · 승낙

당사자 일방이 근로관계종료에 대한 청약을 하고 이를 승인한 경우

- 명예퇴직
- 합의해지
- 권고사직 등

구분	명예퇴직	희망퇴직	권고사직
의미	근로자가 명예퇴직의 신청(청약)을 하면 사용자가 요건을 심사한 후 이를 승인(승낙)함으로써 합의에 의하여 근로관계를 종료시키는 것 • 장기근속에 대한 보상적 성격	회사가 인원감축을 위하여 근로자에게 퇴직희망을 물어 근로관계를 종료하는 것 • 경영위기 타개성격 • 단, 근로기준법상 경영상 이유에 의한 해고 아님.	사용자가 근로자에게 퇴직할 것을 권유하고 근로자가 자유의사에 따라 사표를 제출하여 퇴직하는 것(↔근로자가 자의에 따라 사표를 낸 다음 사용자가 수리하는 의원면직)
시행주기	상시적	임시적	임시적
적용대상	내규상 일정요건에 달한 자(집단적)	운영방식에 따라 상이(집단·개별적)	개별근로자

(1) 합의해지의 의의

계약을 신청하는 '청약'에 대해 이를 '승인'하면 계약이 성립됩니다. 이처럼 근로계약의 당사자 중 한쪽이 근로계약 해지를 신청하고 다른 한쪽이 이를 승인하면 당사자 간의 의사가 서로 일치하여 근로계약이 해지되는데, 이를 '합의해지'라고 합니다.

(2) 합의해지의 종류

명예퇴직이나 희망퇴직, 권고사직은 법률적 용어는 아니고, 모두 '합의해지'에 해당합니다. 다만, 실무적으로 사용되는 의미가 다소 상이하므로 이하에서 이를 구분하여 설명하고자 합니다.

명예퇴직은 근로자가 명예퇴직의 신청(청약)을 하면 사용자가 요건을 심사한 후 이를 승인(승낙)함으로써 합의에 의하여 근로관계를 종료시키는 것[67]으로서 장기근속에 대한 보상적 성격으로 이루어지는 경우가 많습니다.

희망퇴직은 경영상 이유에 의한 해고는 아니나 인원감축을 위하여 근로자에게 퇴직의 희망여부를 묻고 그에 따라 근로관계를 종료하는 것을 말합니다. 명예퇴직이 일정 요건에 달한 근로자에 한해 명예퇴직을 신청하는 상시적인 제도인데 반해 희망퇴직은 불특정한 시점에 임시적·일시적으로 운영하는 경우가 많습니다.

권고사직은 사용자가 근로자에게 퇴직할 것을 권유하고 근로자가 자유의사에 따라 사표를 제출하여 퇴직하는 것을 말합니다. '권고사직이냐, 해고이냐'로 실무상 다툼이 많습니다. 법률적으로 사용자와 근로자 간의 의사합치로 인한 근로계약 종료인 '합의해지'와 사용자의 일방적 근로계약 해지인 '해고'는 명확히 구분되나 실무상으로는 합의해지와 해고가 구분하기 어렵습니다. 사용자는 합의해지의 청약이었는데, 근로자는 해고의 예고로 받아들이기 때문입니다.

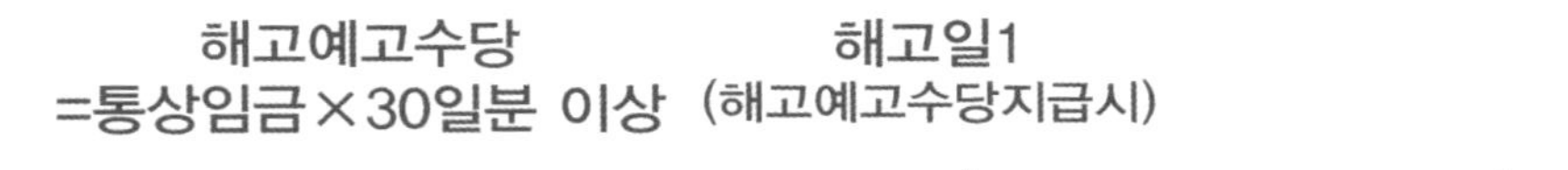

해고예고의 예외사유

- 근로자가 계속 근로한 기간이 3개월 미만인 경우
- 천재·사변, 그 밖의 부득이한 사유로 사업을 계속하는 것이 불가능한 경우
- 근로자가 고의로 사업에 막대한 지장을 초래하거나 재산상 손해를 끼친 경우로서 고용노동부령으로 정하는 사유에 해당하는 경우

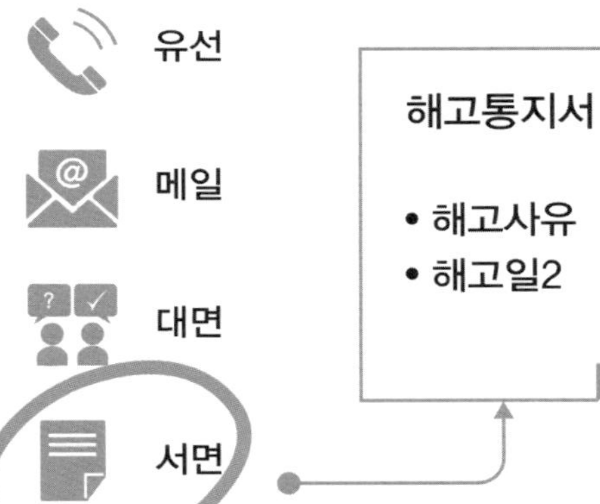

구분	해고예고 또는 해고예고수당	해고의 서면통지
원칙	• 해고일 30일 전 예고 • 또는 30일분의 통상임금 지급	• 해고사유와 시기를 종이로 된 문서에 통지하여야 효력이 발생함.
예외	• 근로기준법 제26조 및 동법 시행규칙에 따른 사유에 해당하는 경우	• 해고시기와 해고사유를 적어 해고예고를 서면으로 한 경우
위반시 효력	• 2년 이하 징역 또는 2천만 원 이하의 벌금 • 해고예고 등이 해고의 정당성 판단기준 아님.	• 해고서면통지를 위반시 해고사유나 절차준수여부와 무관하게 무효로서 부당해고임.

해고가 적법하기 위해서는 '정당한 이유'가 있어야 하는 바, 해고의 서면통지 위반시 그 자체로 부당해고임.

(1) 해고예고 또는 해고예고수당

사용자가 근로자를 해고하기 위해서는 해고예고를 하거나 해고예고수당을 주어야 합니다.

해고예고를 하면 30일분의 통상임금인 해고예고수당을 지급하지 않아도 됩니다. 해고예고는 해고일 30일 전에 미리 해고사실을 근로자에게 알리는 것인데, 해고예고의 방법에 제한은 없으므로 말로하거나 서면으로 하거나 문자나 메일 등 어떠한 방법으로 하여도 해고예고로 봅니다.

해고예고는 해고일 30일 전에 하여야 하는 바, 사용자가 해고예고를 하더라도 해고일 일주일 전과 같이 법적 요건을 갖추지 못한다면 30일분의 통상임금을 해고예고수당으로 지급하여야 합니다.

다음에 해당하는 경우에는 해고예고를 하지 않거나 해고예고수당을 지급하지 않더라도 위법하지 않습니다.

- 계속 근로한 기간이 3개월 미만인 경우
- 천재·사변, 그 밖의 부득이한 사유로 사업을 계속하는 것이 불가능한 경우
- 근로자가 고의로 사업에 막대한 지장을 초래하거나 재산상 손해를 끼친 경우로서 고용노동부령에 정하는 사유에 해당하는 경우

(2) 해고의 서면통지

또한 사용자는 해고사유와 시기를 서면으로 통지하여야 합니다. 여기서 서면이란 종이로 된 문서이므로 문자나 메일 등으로 한 해고통지는 원칙적으로 법적 효력이 없습니다.

해고예고 시에 해고사유와 시기를 종이로 된 문서로 적어서 근로자에게 통지했다면 해고의 서면통지를 한 것으로 봅니다. 해고예고나 해고예고수당과 달리 해고의 서면통지를 하지 않으면 그 자체로 위법이므로 부당해고가 됩니다.

즉, 해고사유와 해고시기를 적어서 근로자에게 통지하여야 '해고'로서 효력이 생깁니다.

(3) 경영상 이유에 의한 해고의 경우

경영상 이유에 의한 해고의 경우에도 해고예고를 하거나 해고예고수당을 지급하여야 하고 해고의 서면통지를 하여야 합니다.

이 외에도 경영상 이유에 의한 해고가 정당하기 위해서는 「근로기준법」상 경영상 이유에 의한 해고의 정당성 요건을 갖추어야 합니다. ① 경영악화를 방지하기 위한 사업의 양도·인수·합병 등 근로자를 해고하여야만 하는 사용자의 긴박한 경영상의 필요가 있어야 하고, ② 사용자가 해고를 회피하기 위한 노력을 다하여야 하며, ③ 합리적이고 공정한 해고의 기준을 정하여 이에 따라 그 대상자를 선정하고, ④ 해고일 50일 전까지 과반수노동조합이나 과반수근로자와 해고를 피하기 위한 방법과 해고의 기준 등에 대해 성실하게 협의하여야 합니다.

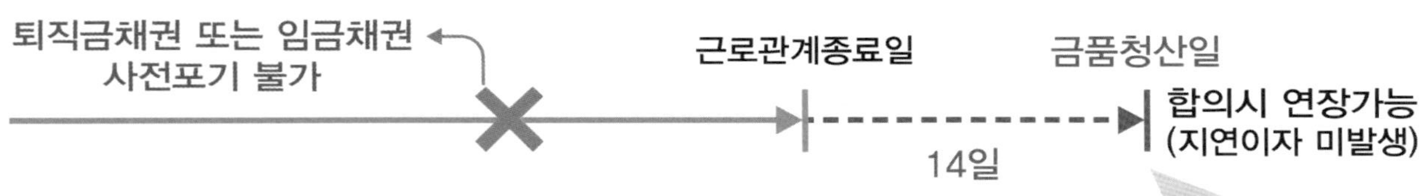

미지급 임금 및 퇴직금(일시금만)의 전부 또는 일부를 14일 이내에 지급하지 아니할 경우 지연 일수에 대하여 연 100분의 40의 범위 내에서 법정지연이자를 지급하여야 함.

퇴직금분할약정

사용자와 근로자가 매월 지급하는 월급이나 매일 지급하는 일당과 함께 퇴직금으로 일정한 금원을 미리 지급하기로 약정

근로계약서 — 월급 / 퇴직금 — 무효

연봉계약서 — 연봉 / 퇴직금 — 무효

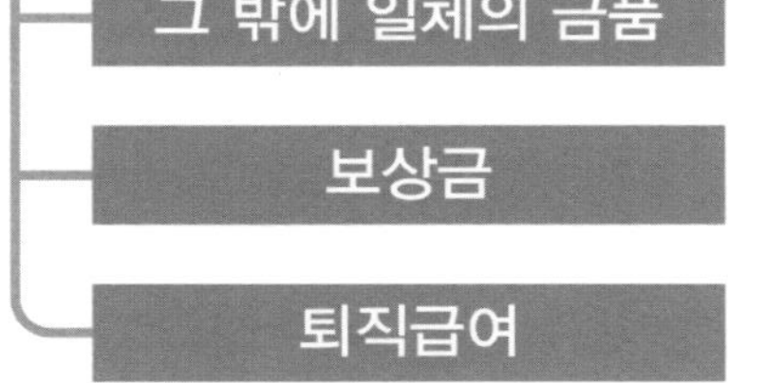

- 기본급, 시간외수당, 상여금 등의 일할 계산
- 퇴직함으로써 비로소 지급사유가 발생하는 연차유급휴가미사용수당

- 퇴직금
  - 원칙: 최종 퇴직시 발생
  - 예외: 법상 중간정산시 근로관계 계속 중에 퇴직금 지급가능
- 부당이득: '퇴직금' 명목의 금원 ≠ 퇴직금

☞ 단, 퇴직금 지급을 회피하기 위한 퇴직금 분할 약정은 퇴직금 지급으로서 효력이 없고, 지급된 퇴직금 상당액은 부당이득으로 볼 수 없어 반환을 구할 수 없음.

(1) 퇴직으로 인한 금품청산의 범위

근로종료의 사유가 무엇이든 근로관계가 종료되면 사용자는 퇴직일을 기준으로 14일 이내에 모든 임금과 퇴직금을 지급하여야 합니다.

근로자가 퇴직 시 사용자는 임금, 보상금, 그 밖에 일체의 금품 및 퇴직급여를 지급하여야 합니다. 따라서 월급과 퇴직급여는 물론 해당연도에 사용하지 못하고 남은 미사용연차휴가가 있다면 미사용연차수당도 지급하여야 합니다.

(2) 퇴직으로 인한 임금 및 퇴직금 지급기한

예를 들어 월급지급일이 다음 달 10일에 지급하기로 되어있더라도 근로자가 퇴사 시에 다음 달 10일이 아닌, 퇴직일로부터 14일 이내에 임금과 퇴직금을 지급하는 것이 원칙입니다.

퇴직일을 기준으로 14일 이내에 임금 및 퇴직급여 등을 지급하지 않는 경우에는 지연 일수에 대하여 연 100분의 40의 범위 내에서 법정지연이자가 발생합니다.

따라서 사용자가 근로자의 임금과 퇴직금 지급기한을 연장하고 싶을 때에는 근로자에게 동의를 받아야 합니다. 이때 동의 방법의 제한은 없으므로 구두나 서면, 유선 등을 통해 지급기한을 연장하면 됩니다.

(3) 퇴직금 지급요건

계속하여 근로한 기간이 1년 이상이면 사용자는 근로자가 퇴직 시에 계속근로기간 1년에 대하여 30일분 이상의 평균임금을 퇴직금으로 지급하여야 합니다. 단, 계속근로기간이 1년 미만이거나 계속근로기간이 1년 이상이지만 소정근로시간이 15시간 미만인 경우에는 퇴직금이 발생하지 않습니다.

퇴직금은 근로자가 퇴직 시에 지급하는 것이 원칙이고, 근로자가 퇴직 전에 사용자가 퇴직금을 지급할 수 있는 것은 「퇴직급여법」상 중간정산에 해당하는 경우뿐입니다.

(4) 퇴직금분할약정은 무효

퇴직금 중간정산에 해당하지 않는데 퇴직 전에 퇴직금을 미리 지급하는 경우 즉, 사용자와 근로자가 매월 지급하는 월급이나 매일 지급하는 일당과 함께 퇴직금으로 일정한 금원을 미리 지급하기로 한 약정(퇴직금분할약정)은 무효입니다.

최근 법원은[68] '퇴직금 지급을 회피하기 위한 퇴직금분할약정은 부당이득으로 볼 수 없다'고 하여 근로자는 퇴직금 명목의 임금을 돌려주지 않아도 되고, 사용자는 돌려받지 못합니다. 또한 사용자는 퇴직 시점을 기준으로 근로자에게 다시 퇴직금을 지급하여야 합니다.

퇴직금 (퇴직연금 미가입시)

확정급여형 퇴직연금: DB

확정기여형 퇴직연금: DC

개인형 퇴직연금: IRP

Step1 가입대상의 판단

- 근로자퇴직급여보장법상 '적용사업장'인지
  - 동거하는 친족만을 사용하는 사업 또는 사업장: 제외
- 근로기준법상 '근로자'인지 (다음은 제외)
  - 가구 내 고용활동
  - 4주 평균 1주 소정근로시간이 15시간 미만인 자
  - 계속근로기간이 1년 미만인 자
  - 사립학교교직원: 사립학교교직원연금법 적용

Step2 계속근로기간의 산정

- 원칙: 최초 입사일~퇴사일
- 예외: 근로자퇴직급여보장법상 중간정산
  - 최초 입사일~중간정산일/중간정산일 이후~퇴사일

퇴직금=평균임금×30일×계속근로기간÷365일

Step3 평균임금의 산정

'임시로 지급된 임금 및 수당과 통화 외의 것'으로 지급한 임금은 임금총액에 산입하지 않음.

$$평균임금 = \frac{사유발생한\ 날\ 이전\ 3개월\ 간\ 임금총액}{사유발생한\ 날\ 이전\ 3개월\ 간\ 총일수}$$

- 평균임금 계산시 제외되는 기간과 임금
  - 수습기간
  - 사용자의 귀책사유로 휴업한 기간
  - 출산전후휴가 기간
  - 업무상 부상 또는 질병으로 인한 휴업기간
  - 육아휴직기간
  - 적법한 쟁의행위기간
  - 국방의무를 이행하기 위해 휴직하거나 근로하지 못한 기간
  - 사용자의 승인받아 휴업한 기간

(1) 가입대상의 판단

업종을 불문하고 모든 사업장은 「퇴직급여법」이 적용되는 것이 원칙이지만, 동거하는 친족만을 사용하는 사업 또는 사업장은 「퇴직급여법」이 적용되지 않습니다. 예를 들어 함께 사는 가족끼리 편의점을 운영하거나 치킨집을 운영한다면 가족 간에 퇴직금이 적용되지 않습니다.

「퇴직급여법」은 「근로기준법」상 근로자에게 적용되므로, 근로자가 아닌 사업주나 임원 등에게는 퇴직금이 적용되지 않습니다.

「근로기준법」상 근로자인 경우에도 가구 내 고용활동이거나 계속근로기간이 1년 미만인 자, 4주 평균 1주 소정근로시간이 15시간 미만인 자에게는 「퇴직급여법」이 적용되지 않습니다.

사립학교교직원은 근로자이지만 「퇴직급여법」이 아닌 「사립학교교직원연금법」을 적용받습니다.

(2) 퇴직금의 계산방법

사용자는 계속근로기간 1년에 대해 30일분 이상의 평균임금을 퇴직금으로 지급하여야 합니다. 이를 수식으로 표현하면 다음과 같습니다.

퇴직금=평균임금×30일×계속근로기간÷365일

(3) 계속근로기간의 산정

계속근로기간은 최초 입사일부터 퇴사일까지의 기간을 말합니다. '기간의 정함이 있는 근로계약의 경우 그 계약기간의 만료로 고용관계는 종료되는 것이 원칙이나, 근로계약이 만료됨과 동시에 근로계약기간을 갱신하거나 동일한 조건의 근로계약을 반복하여 체결한 경우에는 갱신 또는 반복한 계약기간을 모두 합산하여 산정'합니다.

「퇴직급여법」상 중간정산을 한 경우에는 최초 입사일부터 중간정산일을 기준으로 퇴직금을 지급하고, 중간정산일부터 계속근로기간을 새로이 산정합니다.

(4) 평균임금의 산정

'평균임금'이란 '산정하여야 할 사유가 발생한 날 이전 3개월 동안에 그 근로자에게 지급된 임금의 총액을 그 기간의 총일수로 나눈 금액'을 말합니다. 따라서 산정사유가 발생한 날 즉, 퇴사 시를 기준으로 평균임금을 산정합니다.

분자에 해당하는 임금총액에는 임시로 지급된 임금 및 수당과 통화 외의 것을 제외한 모든 임금이 포함됩니다. 「근로기준법」에 평균임금 계산 시 제외되는 기간과 임금을 정하고 있으므로 이에 해당하면 분모와 분자에서 각각 제외하고 평균임금을 산정합니다.

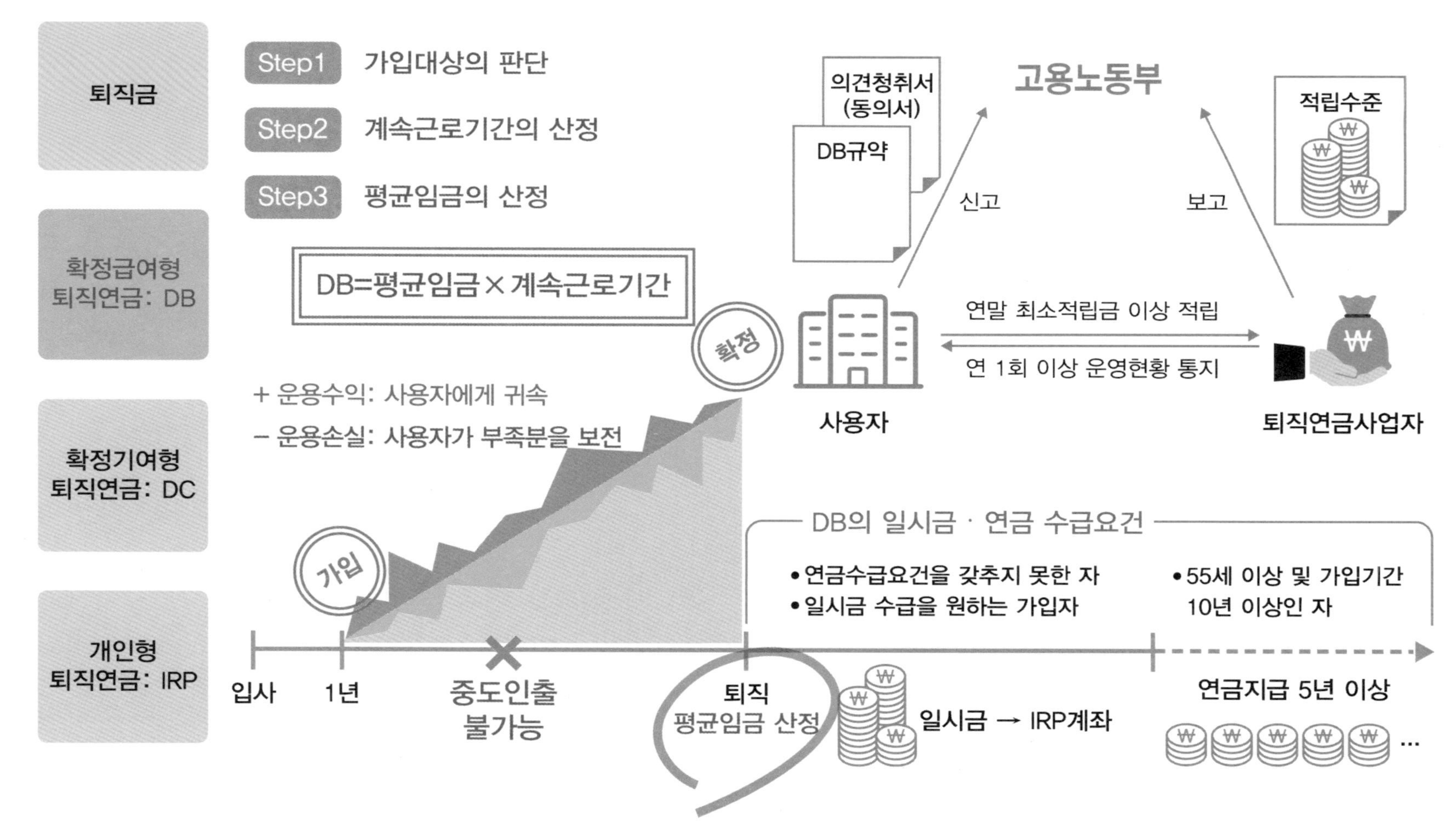
퇴직금
확정급여형
퇴직연금: DB
확정기여형
퇴직연금: DC
개인형
퇴직연금: IRP
Step1 가입대상의 판단
Step2 계속근로기간의 산정
Step3 평균임금의 산정
DB=평균임금×계속근로기간
확정
+ 운용수익: 사용자에게 귀속
− 운용손실: 사용자가 부족분을 보전
가입
입사
1년
중도인출
불가능
퇴직
평균임금 산정
일시금 → IRP계좌
의견청취서
(동의서)
DB규약
신고
고용노동부
보고
적립수준
연말 최소적립금 이상 적립
연 1회 이상 운영현황 통지
사용자
퇴직연금사업자
DB의 일시금 · 연금 수급요건
•연금수급요건을 갖추지 못한 자
•일시금 수급을 원하는 가입자
•55세 이상 및 가입기간
10년 이상인 자
연금지급 5년 이상

(1) 퇴직급여로서 퇴직연금과 퇴직금

「근로자퇴직급여 보장법」이라는 법의 이름에서 알 수 있듯이 근로자가 퇴직 시 퇴직금 또는 퇴직연금을 지급받을 수 있습니다. 퇴직연금이 원칙적으로 적용되고, 퇴직연금을 가입하지 않은 사업장이거나 퇴직연금에 가입하지 않은 근로자의 경우에 퇴직금이 적용됩니다. 따라서 퇴직금과 퇴직연금의 가입대상, 계속근로기간의 산정 등은 동일하게 산정합니다.

퇴직연금을 도입한 회사는 사내에 보유하던 퇴직급여를 사외의 퇴직연금사업자에게 운용을 맡기므로 사용자가 경영상 위기로 인해 근로자의 퇴직급여를 지급하지 못하는 상황을 예방할 수 있습니다.

(2) 확정급여형퇴직연금과 퇴직금의 공통점

확정급여형퇴직연금(DB: Defined Benefits Retirement Pension)은 '근로자가 받을 급여의 수준이 사전에 결정되어 있는 퇴직연금제도'입니다.

확정급여형퇴직연금은 퇴직금과 마찬가지로 퇴직 시의 평균임금에 계속근로기간을 곱하므로 근로자가 수령하는 퇴직급여액은 동일합니다.

(3) 확정급여형퇴직연금과 퇴직금의 차이점

사용자는 1년에 1회 이상 정기적으로 퇴직연금사업자에게 퇴직급여 부담금을 납입하는데, 퇴직연금사업자의 운용실적에 따라 사용자가 부담하는 퇴직급여 부담금이 달라집니다. 운용실적이 좋으면 사용자는 퇴직금에 비해 적은 부담액을 납입하면 되고, 운용실적이 나쁘면 퇴직금보다 더 큰 부담금을 납입하여야 합니다.

퇴직금은 일정한 경우 중도인출이 가능하지만, 확정급여형퇴직연금제도는 중도인출이 불가능합니다. 따라서 근로자는 퇴사 시에만 퇴직연금을 수령할 수 있습니다.

확정급여형퇴직연금은 '연금'이므로 퇴사 후 일정 연령 이상이 되었을 때 연금으로 퇴직급여를 수령하는 것이 원칙입니다. 다만, 연금수급요건을 갖추지 못했거나, 일시금으로 퇴직급여 수령을 원하는 등의 사정이 있을 때에 한해 연금이 아닌 일시금으로 수령할 수 있습니다.

(4) 확정급여형퇴직연금의 도입요건 등

사용자가 확정급여형퇴직연금을 도입하기 위해서는 근로자대표(근로자의 과반수가 가입한 노동조합이 있는 경우에는 그 노동조합, 근로자의 과반수가 가입한 노동조합이 없는 경우에는 근로자 과반수)의 의견을 들어야 하고, 다른 퇴직급여에서 확정급여형퇴직연금으로 변경하기 위해서는 근로자대표의 동의를 받은 후 규약을 작성하여 고용노동부 장관에게 신고하여야 합니다.

확정급여형퇴직연금을 도입한 이후에는 사용자가 연 1회 이상 퇴직연금사업자에게 퇴직급여부담금을 납입하고, 퇴직연금사업자는 연 1회 이상 적립금액 및 운용수익률 등을 가입자인 근로자에게 통지하여야 합니다.

퇴직금

확정급여형 퇴직연금: DB

확정기여형 퇴직연금: DC

개인형 퇴직연금: IRP

Step1 가입대상의 판단

Step2 사용자의 부담금 계산

DC=임금총액 ÷12

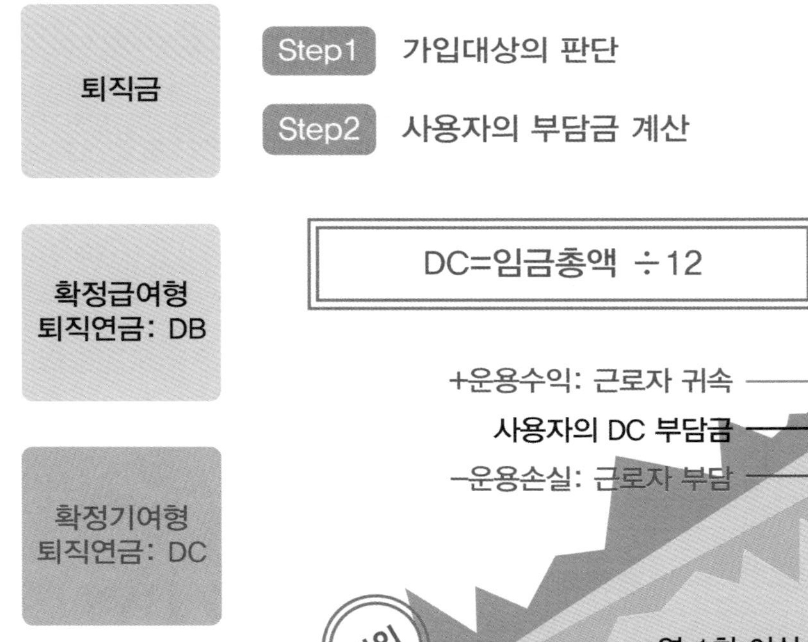

중도인출의 허용사유

- 무주택자의 주택구입 또는 전세금 및 보증금 부담시
- 본인 및 가족의 요양비용 부담시
- 천재지변 등으로 피해를 입는 등 고용노동부 장관이 고시하는 사유와 요건에 해당하는 경우
- 중도인출을 신청한 날부터 역산하여 5년 이내 파산선고 또는 개인회생절차개시 결정을 받은 경우

IRP 특례

- 상시 10명 미만의 근로자를 사용하는 사업의 경우 사용자가 개별 근로자의 동의를 받거나 근로자의 요구에 따라 개인형퇴직연금제도를 설정하는 경우에는 해당 근로자에 대하여 퇴직급여제도를 설정한 것으로 봄.
- IRP 특례는 DC와 동일하게 운영
  - 단, 법정 규약신고의무, 가입자교육의무 면제

※ DC 설정과 관련된 내용은 DB와 동일하고, DC의 일시금·연금 수급요건은 DB와 동일함.

(1) 확정기여형퇴직연금의 특징

확정기여형퇴직연금(DC: Defined Contribution)은 '급여의 지급을 위하여 사용자가 부담하여야 할 부담금의 수준이 사전에 결정되어 있는 퇴직연금 제도'를 말합니다.

사용자가 근로자의 1년간의 임금총액의 1/12에 상응하는 금액을 퇴직연금사업자에게 납부하면, 퇴직연금사업자의 운용실적에 따라 근로자가 실제로 수령하는 퇴직급여가 달라집니다. 운용실적이 좋으면 근로자의 퇴직금에 비해 퇴직급여가 증가하고, 운용실적이 나쁘면 퇴직금보다 근로자의 퇴직급여가 감소합니다.

확정기여형퇴직연금은 퇴직금처럼 중도인출이 가능합니다.

확정기여형퇴직연금의 도입을 위해서는 확정급여형퇴직연금과 마찬가지로 근로자대표의 의견청취를, 다른 퇴직급여에서 확정기여형퇴직연금으로 변경하기 위해서는 근로자대표의 동의를 받은 후 규약을 작성하여 고용노동부 장관에게 신고하여야 합니다.

(2) 개인형퇴직연금의 특징

개인형퇴직연금(IRP: Individual Retirement Pension)은 '가입자의 선택에 따라 가입자가 납입한 일시금이나 사용자 또는 가입자가 납입한 부담금을 적립·운용하기 위하여 설정한 퇴직연금제도로서 급여의 수준이나 부담금의 수준이 확정되지 아니한 퇴직연금제도'를 말합니다.

개인형퇴직연금제도는 퇴직급여를 일시에 수령하였거나, 추가로 연금제도를 운영하고자 하거나, 자영업자처럼 근로자가 아닌 경우에도 활용할 수 있는 제도로서 상시 근로자 수가 10인 미만인 사용자인 경우에 예외적으로 가입할 수 있는 제도입니다.

개인형퇴직연금 특례 사업장은 확정기여형퇴직연금처럼 1년간의 임금총액의 1/12에 상응하는 금액을 퇴직연금사업자에게 납입하면 됩니다. 상시 근로자 수가 적은 사업장에 특례로 적용되는 규정임을 고려하여 사용자의 규약신고의무나 가입자교육의무 등은 적용되지 않습니다.

10

노동법의 적용범위

인권보호를 위한 근로조건의 기준 설정

근로조건의 기준은 인간의 존엄성을 보장하도록 법률로 정한다.

근로
기준법

강제근로의 금지

사용자는 폭행, 협박, 감금, 그 밖에 정신상 또는 신체상의 자유를 부당하게 구속하는 수단으로써 근로자의 자유의사에 어긋나는 근로를 강요하지 못한다.

폭행의 금지

사용자는 사고의 발생이나 그 밖의 어떠한 이유로도 근로자에게 폭행을 하지 못한다.

중간착취의 배제

누구든지 법률에 따르지 아니하고는 영리로 다른 사람의 취업에 개입하거나 중간인으로서 이익을 취득하지 못한다.

직업선택자유와 경업금지약정

모든 국민은 근로의 권리를 가진다.
모든 국민은 직업선택의 자유를 가진다.

(1) 헌법에 명시된 노동권

과거에는 인권이 착취될 만큼 근로자에게 가혹한 근로조건이 팽배했던 적이 있었습니다. 이에 세계적으로는 국제노동기구(ILO; International Labour Organization)가 설립되었고, 우리나라는 「대한민국헌법」에서 "근로조건의 기준은 인간의 존엄성을 보장하도록 법률로 정한다."고 하여 노동권을 명시하고 있습니다.

(2) 강제근로의 금지

"사용자는 폭행, 협박, 감금, 그 밖에 정신상 또는 신체상의 자유를 부당하게 구속하는 수단으로써 근로자의 자유의사에 어긋나는 근로를 강요하지 못한다."고 하여 강제근로의 금지를 명시하고 있습니다.

지적 장애인을 감금하여 근로시키면서 임금을 지급하지 않는 것이 대표적인 강제근로금지를 위반한 사례입니다. 이 외에도 퇴직근로자에게 임금 및 퇴직금 등을 지급하지 않을 것으로 위협하거나 근무 중 비리 등에 대한 위협을 한다면 강제근로금지에 저촉될 수 있습니다.

(3) 폭행의 금지

폭행의 금지란 "사용자는 사고의 발생이나 그 밖의 어떠한 이유로도 근로자에게 폭행을 하지 못한다."는 것을 말합니다.

업무와 관련해서 발생한 폭행은 「형법」이 아닌 「근로기준법」이 적용됩니다. 「형법」과 달리 「근로기준법」상 폭행의 금지는 반의사불벌죄가 아니라서 폭행사건에 대해 합의가 불가능하므로 「근로기준법」에 따라 5년 이하의 징역 또는 5천만 원 이하에 벌금에 처해집니다.

(4) 중간착취의 배제

중간착취란 취업과정이나 취업 기간 중에 노사 중간에 개입하여 이익을 얻는 것을 말합니다. 법률에 따르지 않고 중간착취를 하는 것은 금지되나, 「직업안정법」 등에 따른 합법적인 국내·외 무료 및 유료직업소개소나 근로자공급사업은 중간착취에 해당하지 않습니다.

(5) 경업금지 규정

퇴직 후 경쟁업체로 이직하는 것을 금지하는 근로조건을 경업금지약정이라고 합니다. 회사의 영업비밀 등이 경쟁사로 유출되는 것을 막기 위해 보안유지약정이나 전직금지약정 등을 체결합니다.

이러한 경업금지약정을 무한정으로 허용하게 되면 근로자는 퇴사한 이후 생계유지가 막막해지는 등의 부작용이 커질 수 있고, 특히 경업금지약정은 「대한민국헌법」에 명시된 직업선택의 자유를 침해할 우려가 있습니다.

따라서 경업금지약정의 효력은 근로자의 직업선택자유와 근로권 그리고 사용자의 영업비밀 등과 같은 사용자의 이익을 종합하여 근로자의 자유와 권리에 대한 합리적인 제한으로 인정되는 범위 내에서만 유효한 것으로 인정됩니다.[69)]

① 근로자는 근로조건의 향상을 위하여 자주적인 단결권·단체교섭권 및 단체행동권을 가진다.
② 공무원인 근로자는 법률이 정하는 자에 한하여 단결권·단체교섭권 및 단체행동권을 가진다.
③ 법률이 정하는 주요방위산업체에 종사하는 근로자의 단체행동권은 법률이 정하는 바에 의하여 이를 제한하거나 인정하지 아니할 수 있다.

노동조합법 '근로자'

실업자 포함

근로기준법 '근로자'

– 자영업자, 개인택시운전자 등 제외

단결권

- 노동조합을 조직하거나 이에 가입하여 활동할 수 있는 권리(적극적 단결권)
  – 유니온숍: 근로자의 2/3 이상 대표하는 노동조합에 조합원이 될 것이 고용조건인 경우(소극적 단결권)

단체교섭권

- 임금·근로시간·복지·해고 기타 대우 등 근로조건의 유지·개선과 근로자의 경제적·사회적 지위향상을 위해 사용자와 자주적·집단적으로 교섭할 수 있는 권리
- 단체교섭 주체는 '노동조합'
- 민·형사상 책임 면제
- 사용자의 교섭거부 및 해태는 부당노동행위

단체행동권

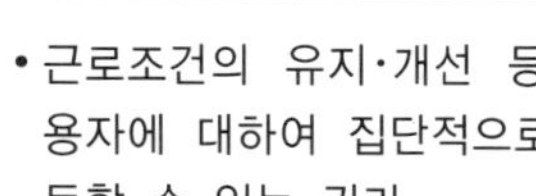

- 근로조건의 유지·개선 등 사용자에 대하여 집단적으로 행동할 수 있는 권리
  – 쟁의권: 파업, 태업 등 정상적 운영을 저해할 목적으로 근로제공을 거부하는 행위
  – 노동조합활동권: 피케팅, 벽보부착 등 사용자의 행동변화를 요구하는 대외적 활동
- 민·형사상 책임 면제
- 불이익취급시 부당노동행위

파업할 수 있는 권리가 헌법에 있는 것을 알고 계신가요? 노동조합을 만들 수 있는 권리, 단체교섭을 할 권리, 파업을 할 수 있는 권리를 일컬어 노동3권이라고 합니다. 노동3권에 대해 알아보도록 하겠습니다.

(1) 노동3권: 단결권, 단체교섭권, 단체행동권

「대한민국헌법」 제33조에서 "근로자는 근로조건의 향상을 위하여 자주적인 단결권, 단체교섭권 및 단체행동권을 가진다."하여 노동3권을 정하고 있습니다.

단결권은 노동조합에 가입하거나 노동조합을 조직하고 이를 운영하며 조합활동을 하는 권리를 말합니다.

단체교섭권은 노동조합이 사용자와 실제로 단체교섭을 하고 법률적으로 단체협약을 체결할 권리를 말합니다. 단체협약이 중요한 이유는 단체협약이 사업장 내에서 근로계약이나 취업규칙보다 우선 적용되기 때문입니다.

노동조합이 사용자와 단체협약을 체결하기 위한 투쟁수단 즉, 쟁의행위를 할 수 있는 권리를 단체행동권이라고 합니다. 여기서 쟁의행위란 근로를 제공하지 않는 파업, 불완전한 근로를 제공하는 태업 그리고 이에 대응하는 사용자의 직장폐쇄 등 노사관계 당사자가 그 주장을 관철할 목적으로 행하는 행위와 이에 대응하는 행위를 말합니다.

(2) 노동3권의 보호

단결권, 단체교섭권, 단체행동권을 행사하기 위해 「노동조합법」에서 노동3권을 보호하기 위한 구체적인 조처를 마련하고 있습니다. 「노동조합법」상 노동조합은 정당한 단체교섭 및 쟁의행위 중에 발생한 민·형사상 책임을 면제시키는 등 단체행동권을 보호하고 있습니다.

사용자가 노동조합에 가입하는 근로자에게 불이익을 주는 경우, 근로자가 노동조합에 가입하지 아니할 것 또는 탈퇴할 것을 고용조건으로 하는 경우와 같이 단결권을 침해하면 부당노동행위로 보아 사용자에게 2년 이하의 징역 또는 2천만 원 이하의 벌금을 부과할 수 있습니다.

노동조합과 단체교섭에 있어서 정당한 이유없이 거부하거나 성실하게 응하지 않는 것은 단체교섭권 침해이므로, 이 역시 부당노동행위에 해당합니다.

또한 사용자가 노동조합의 전임자나 조합운영비를 원조하는 등 노동조합에 지배·개입하는 것도 부당노동행위로 금지됩니다.

(3) 「노동조합법」의 보호를 받는 노동조합과 근로자

「근로기준법」상 근로자는 사용자가 지급하는 '임금'을 목적으로 근로를 제공하는 자이나, 「노동조합법」상 근로자는 임금뿐만 아니라 '기타 이에 준하는 수입'에 의하여 생활하는 자로서 실업자까지 포함하는 넓은 개념입니다.

「노동조합법」상 근로자로 구성된 노동조합은 「노동조합법」의 보호를 받을 수 있습니다.

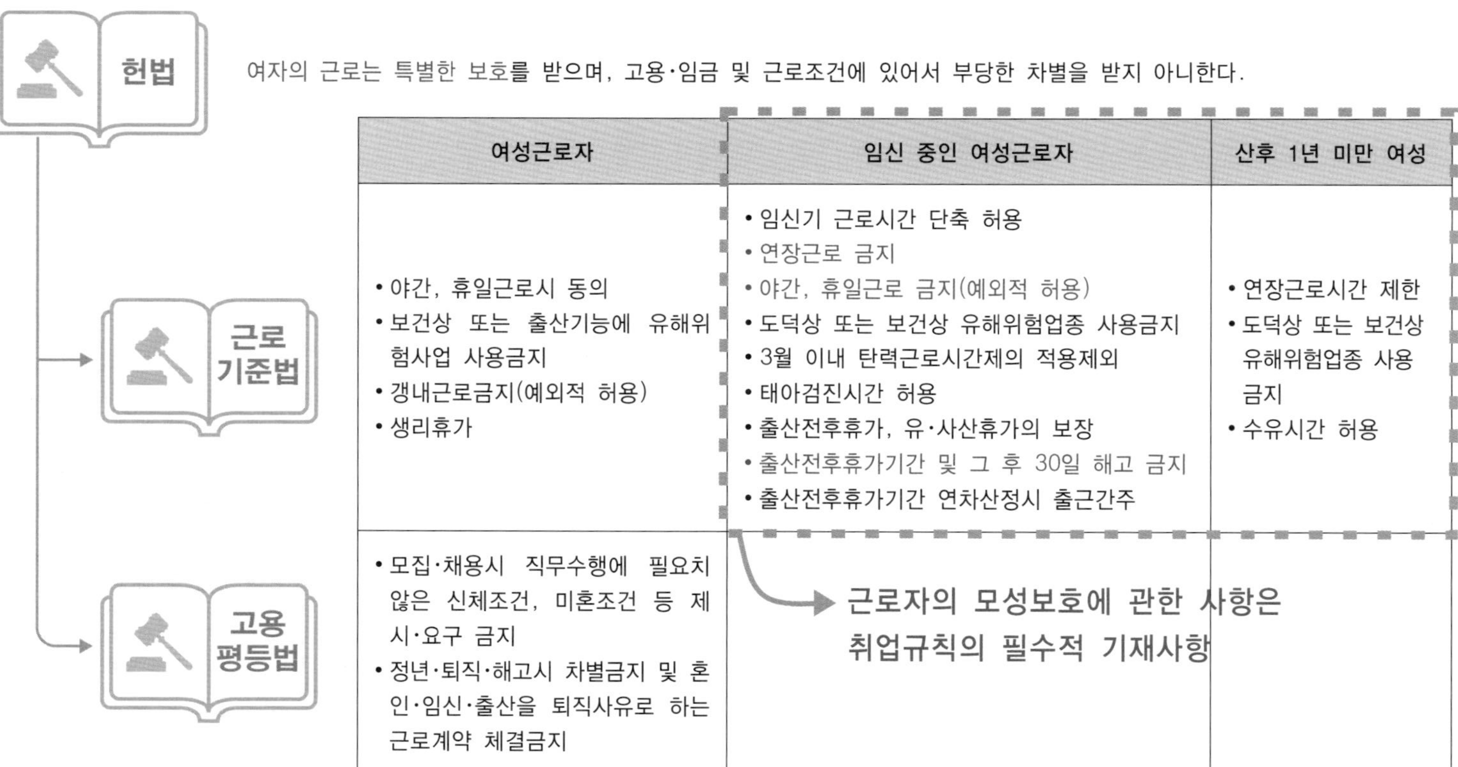

헌법: 여자의 근로는 특별한 보호를 받으며, 고용·임금 및 근로조건에 있어서 부당한 차별을 받지 아니한다.

	여성근로자	임신 중인 여성근로자	산후 1년 미만 여성
근로기준법	• 야간, 휴일근로시 동의 • 보건상 또는 출산기능에 유해위험사업 사용금지 • 갱내근로금지(예외적 허용) • 생리휴가	• 임신기 근로시간 단축 허용 • 연장근로 금지 • 야간, 휴일근로 금지(예외적 허용) • 도덕상 또는 보건상 유해위험업종 사용금지 • 3월 이내 탄력근로시간제의 적용제외 • 태아검진시간 허용 • 출산전후휴가, 유·사산휴가의 보장 • 출산전후휴가기간 및 그 후 30일 해고 금지 • 출산전후휴가기간 연차산정시 출근간주	• 연장근로시간 제한 • 도덕상 또는 보건상 유해위험업종 사용금지 • 수유시간 허용
고용평등법	• 모집·채용시 직무수행에 필요치 않은 신체조건, 미혼조건 등 제시·요구 금지 • 정년·퇴직·해고시 차별금지 및 혼인·임신·출산을 퇴직사유로 하는 근로계약 체결금지		

→ 근로자의 모성보호에 관한 사항은 취업규칙의 필수적 기재사항

(1) 여성근로자

앞서 설명한 바와 같이 노동법은 근로계약이 체결된 이후부터 퇴사하기까지 적용되는 것이 원칙이지만, 여성의 근로는 입사하기 전 고용단계에서도 차별하는 것이 금지됩니다. 사용자는 모집·채용시 직무수행에 필요하지 않은 신체조건, 미혼조건 등을 제시하거나 요구할 수 없고, 정년이나 퇴직 해고 시에 혼인, 임신, 출산을 퇴직조건으로 근로계약을 체결하여서는 아니 됩니다.

또한 보건상 또는 출산기능에 유해한 사업에는 여성근로자를 사용할 수 없고 갱내근로도 금지됩니다. 또 여성근로자가 요청하면 사용자는 생리휴가를 부여하여야 합니다.

(2) 임신 중인 여성근로자

임신 중인 여성근로자는 임신 초기(12주 이내)와 임신 후기(36주 이후)에 근로시간 단축을 신청할 수 있고, 사용자는 이를 허용하여야 합니다. 태아검진시간 역시 임신 중인 여성근로자가 신청하면 임금의 삭감 없이 허용하여야 합니다.

임신 중에는 야간 내지 휴일근로는 예외적으로만 허용되는데, 연장근로는 어떠한 사유에 있더라도 허용되지 않습니다. 이러한 취지에서 3개월 이상 단위기간 탄력적 근로시간제는 특정 주에 근로시간이 길어지게 되므로 임신 중인 여성근로자는 탄력적 근로시간제를 적용할 수 없습니다.

출산을 앞두고 출산전후휴가를 신청하면 사용자는 이를 부여하여야 하는데, 출산휴가기간은 실제 근로를 제공하지 않았지만 출근한 것으로 보아 연차유급휴가를 산정하여야 합니다. 또 출산휴가기간과 그 후 30일은 해고가 절대적으로 금지되는 기간이므로, 이 시기에 해고하는 경우 그 자체로 부당해고가 됩니다.

(3) 산후 1년 미만의 여성근로자

산후 1년 미만인 여성근로자는 1주 12시간이 아닌 1일 2시간, 1주 6시간, 1년에 150시간을 초과하지 않는 범위 내에서만 연장근로를 할 수 있습니다.

산후 1년 미만인 여성근로자가 청구하는 경우에는 1일 2회 각 30분씩 유급으로 수유시간을 부여하여야 합니다.

(4) 모성보호에 관한 사항: 취업규칙의 필수적 기재사항

모성보호에 관한 사항은 취업규칙의 필수적 기재사항이므로 「근로기준법」뿐만 아니라 「고용평등법」 등이 변경된 때에는 사용자는 이를 반드시 반영하여 취업규칙을 변경하여야 합니다.

연소자의 근로는 특별한 보호를 받는다.

구분	19세 미만	18세 미만	15세 미만
취업 제한	• 해당사항 없음.	• 중학교에 재학 중인 18세 미만인 자의 취업금지(예외적 허용)	• 취업금지 (예외적 허용)
근로 관계	• 친권자나 후견인의 동의를 얻어 직접 근로계약을 체결(대리계약 금지) • 근로관계 해지권: 미성년자, 친권인, 후견인, 고용노동부장관		
근로 조건	• 임금청구권(대리청구 금지)	• 도덕상 또는 보건상 유해위험업종 사용금지 • 갱내근로 금지(예외적 허용) • 근로시간 및 연장근로 제한 • 야간·휴일근로 금지(예외적 허용) • 3월 이내 탄력근로제 적용제외	
서류 비치	• 해당사항 없음.	• 연소자 증명서 비치	• 취직인허증으로 갈음

「대한민국헌법」상 연소자의 근로는 특별한 보호를 받는데, 민법상 만 19세 미만인 미성년자가 아니라 연령대별로 구분하여 어린 근로자들을 보호하고 있습니다.

(1) 19세 미만인 근로자

19세 미만인 근로자가 근로계약을 체결할 때에는 성인과 마찬가지로 직접 근로계약을 체결하고 직접 근로계약을 해지할 수 있습니다.

누군가 19세 미만인 근로자를 대리하여 근로계약을 체결하는 것이 금지되지만, 근로계약을 해지할 때에는 본인뿐만 아니라 친권자나 후견인 및 고용노동부 장관도 근로계약을 해지할 수 있습니다.

근로계약을 체결할 때에는 19세 미만인 근로자의 친권자나 후견인의 동의가 있어야 하지만, 임금청구권은 근로자에게 있는 것이므로 친권자나 후견인이라 하더라도 임금을 대신해서 청구할 수 없습니다.

(2) 18세 미만인 근로자

18세 미만인 근로자에 대해서는 19세 미만인 근로자에게 적용되는 근로계약의 체결 및 해지, 임금의 대리청구권 금지 규정 등이 모두 적용됩니다.

사용자는 18세 미만인 근로자를 사용함에 있어서 도덕상 또는 보건상 유해위험업종에 종사하게 하거나 갱내근로를 시킬 수 없습니다.

장시간 근로로부터 어린 근로자를 보호하기 위해 소정근로시간 자체가 주 35시간으로 다소 짧고 연장근로시간도 1일 1시간, 1주 5시간으로 제한됩니다. 이러한 취지에서 3개월 이상 단위기간 탄력적 근로시간제는 특정 주에 근로시간이 길어지게 되므로, 18세 미만인 근로자에게 탄력적 근로시간제를 적용할 수 없습니다.

야간 내지 휴일근로 역시 원칙적으로 금지됩니다.

18세 미만인 근로자 중에서도 중학교에 재학 중인 경우에는 취업이 금지되고 예외적으로만 허용됩니다. 사용자가 18세 미만인 근로자를 사용할 때에는 연소자 증명서를 비치하고 있어야 합니다.

(3) 15세 미만인 근로자

15세 미만인 근로자는 취업이 원칙적으로 금지되는데, 취직인허증이 있는 경우에만 예외적으로 근로할 수 있습니다.

국가유공자·상이군경 및 전몰군경의 유가족

국가유공자·상이군경 및 전몰군경의 유가족은 법률이 정하는 바에 의하여 우선적으로 근로의 기회를 부여받는다.

국가기관의 채용의무

기업체 등의 우선고용의무

국가보훈처장이 대상자의 고용명령, 거부시 과태료

차별대우금지

장애인

조약

UN총회 1975년 '장애인의 권리선언' 채택

국가, 지방자치단체의 고용의무

사업주의 고용의무

의무고용률에 미달시 장애인고용부담금 납부

차별대우금지

직장 내 장애인 인식개선 교육실시

자료제공 및 실태조사

(1) 국가유공자·상이군경 및 전몰군경 유가족의 채용기회 보장

공무원 임용시험뿐만 아니라 일반적인 회사의 채용공고에 국가유공자·상이군경 및 전몰군경의 유가족인 구직자에게 채용가산점을 부여하는 이유는, 「대한민국헌법」에서 이들에게 우선적으로 기회를 부여하도록 정하고 있기 때문입니다.

근로조건에 있어서 특별히 보호를 받는 여성근로자, 연소자와 달리 국가유공자·상이군경 및 전몰군경의 유가족은 채용된 이후에 근로조건은 동일하고 채용 시 고용기회만 두텁게 보호합니다.

(2) 장애인근로자의 보호

나라와 나라 사이에 맺은 약속인 조약은 국가가 의회 등을 통해 비준하면 그 국가의 법이 됩니다.

우리나라 역시 '장애인 권리선언'을 채택하여 「장애인고용법」이 제정된바, 상시근로자 수가 일정 규모 이상이 되면 장애인근로자를 의무적으로 고용하여야 하고 이에 미달하면 장애인고용부담금을 납부하여야 합니다.

구분	5인 이상 사업장	4인 이하 사업장의 '근로자'	가구 내 고용활동	가사사용인
근로기준법	• 취업규칙 작성·신고(10인 이상) 외 전부 적용	• 일부 적용 – 정리해고, 해고서면통지, 부당해고구제신청, 휴업수당, 근로시간, 연장근로시간 제한, 연장·야간·휴일근로 가산수당, 연차유급휴가 및 생리휴가 등 배제	• 미적용	• 미적용
기간제법	• 전부 적용	• 일부적용 – 기간제근로자 사용기간의 제한, 단시간근로자의 초과근로 제한, 차별처우금지 등	• 미적용	• 미적용
퇴직급여법	• 전부 적용	• 시행시기에 따른 구분 – 2010. 12. 1. 이전: 미적용 – 2010. 12. 1.~2012. 12. 31.: 법정 퇴직금의 50% 이상 지급 – 2013. 1. 1. 이후: 전부 적용	• 미적용	• 미적용
사회보험 (임금채권보장법)	• 전부 적용	• 전부 적용	• 국민연금 및 건강보험 적용 – 산재보험, 고용보험, 임금채권보장법 미적용	• 미적용
최저임금법	• 전부 적용	• 전부 적용	• 미적용	• 미적용

특별히 보호받은 근로자가 있는가 하면, 열악한 사용자의 사정을 고려하여 노동법을 적용하지 못하는 근로자도 있습니다. 상시 근로자 수가 4인 이하인 사업장이나 동거하는 친족만을 사용하는 경우, 가사사용인 등이 이에 해당합니다.

(1) 4인 이하 사업장의 근로자

4인 이하 사업장에는 근로기준법 중 일부만 적용되는데, 적용되지 않는 규정은 경영상 이유에 의한 해고, 해고의 서면통지, 부당해고구제신청, 휴업수당, 근로시간 및 연장근로시간 제한, 연장·야간·휴일근로 가산수당, 연차유급휴가 및 생리휴가 등입니다.

4인 이하 사업장에서 근로하다가 해고당하더라도 부당해고구제신청을 할 수 없기 때문에 갑자기 불안정한 지위에 놓일 위험이 더욱 큽니다. 이때 4인 이하 사업장에서도 해고예고 및 해고예고수당은 적용되므로 4인 이하 사업장의 사용자는 근로자를 해고 시 해고예고를 하거나 해고예고수당을 지급하여야 함을 유의하여야 합니다.

최근 52시간으로 근로시간이 단축되었다고 하지만, 4인 이하의 사업장은 근로시간과 연장근로시간의 제한이 적용되지 않으므로, 주 52시간으로 근로시간이 단축되는 효과를 받지 못합니다. 게다가 연장, 야간, 휴일근로에 대해 가산임금도 적용되지 않습니다.

연차유급휴가도 적용되지 않으므로 큰 회사에 비해 휴가일수도 부족하고 연차수당도 청구할 수 없습니다.

4인 이하 사업장의 경우 기간제근로자의 계속근로기간 2년의 제한을 받지 않으므로, 기간제근로자로 불안정한 지위가 계속될 수 있습니다.

「퇴직급여법」 역시 입사 시기에 따라 적용되는 기간과 일부만 적용되는 기간이 있었지만, 2013. 1. 1. 이후 퇴직급여는 모두 적용받을 수 있습니다.

(2) 가구 내 고용활동

동거하는 친족만을 사용하는 사업 또는 사업장을 '가구 내 고용활동'이라고 합니다. 가족 간에는 법을 적용하지 않도록 하고 있어 「근로기준법」은 물론 「퇴직급여법」, 「최저임금법」도 적용되지 않습니다.

다만, 국민연금과 건강보험의 경우에는 「근로기준법」상 근로자가 아닌 경우에도 국민연금과 건강보험 등이 적용되므로 가구 내 고용활동인 경우에도 직장가입자로 국민연금과 건강보험에 가입할 수 있습니다.

(3) 가사사용인

최근 어플을 통해 시간 단위로 가사업무를 해주는 경우가 있는데 이들은 「근로기준법」상 근로자이기는 하나 가정부, 파출부, 유모, 집사 등 일반 가정의 가사업무를 수행하는 가사사용인으로서 「근로기준법」, 「퇴직급여법」, 「최저임금법」은 물론 사회보험도 적용되지 않습니다.

특수형태근로종사자

계약의 형식에 관계없이 근로자와 유사하게 노무를 제공함에도 「근로기준법」 등이 적용되지 않아 업무상 재해로부터 보호할 필요가 있는 자

예: 보험설계사, 우체국보험모집인, 건설기계운전자, 학습지교사, 택배기사, 퀵서비스기사, 대출모집인, 대리운전기사 등

노동조합법 '근로자'

골프장 캐디

대한민국법원

근로기준법 '근로자'

	근로기준법상 '근로자'	특수형태근로종사자
판단기준	• 사용자와 사용종속관계가 있는지 • 임금이 근로의 대가인지	• 주로 하나의 사업에 그 운영에 필요한 노무를 상시적으로 제공하고 보수를 받아 생활할 것 • 노무를 제공함에 있어서 타인을 사용하지 아니할 것
법적보호	• 근로기준법 • 임금채권보장법 • 퇴직급여법 • 고용평등법 • 기간제법 • 파견법 • 노동조합법 • 근로자참여법 • 산업안전보건법 • 산재보험법 • 고용보험법 • 최저임금법 등	• 산업안전보건법 • 산재보험법
고용산재보험료 징수법상 차이	• 산재보험료 사용자 전액 부담 • 산재보험 의무가입(제외불가)	• 산재보험료 사용자 및 특수형태근로종사자 각 50%씩 부담 • 산재적용예외신청 가능

4인 이하의 사업장에서 근로하는 근로자나 가구 내 고용활동, 가사사용인이 「근로기준법」상 근로자이나 노동법의 전부 또는 일부에 대해서 적용받지 못하는 것과 달리 특수형태근로종사자는 「근로기준법」상 근로자가 아니라서 「근로기준법」 등을 적용받지 못합니다.

(1) 특수형태근로종사자의 의미

노동법상 근로를 제공하는 자는 크게 「근로기준법」상 근로자, 「노동조합법」상 근로자 그리고 특수형태근로종사자로 구분할 수 있습니다.

「근로기준법」상 근로자인지 여부는 사용자가 지급하는 '임금'을 지급받는지 등 사용종속관계가 성립되었는지가 중요한 판단기준이 되는데, 특수형태근로종사자가 실제로 수행하는 업무는 「근로기준법」상 근로자와 유사하지만 사용자가 없거나 금품을 지급하는 사람이 사용자가 아닌 점 등 근로자로 보기 어려운 면이 있습니다. 이들을 보호하기 위해 특수형태근로종사자라는 개념이 생겼습니다.

'특수형태근로종사자'는 '계약의 형식에 관계없이 근로자와 유사하게 노무를 제공함에도 「근로기준법」 등이 적용되지 아니하여 업무상의 재해로부터 보호할 필요가 있는 자'를 말하는데, 「산재보상법」이나 「산업안전보건법」의 보호를 받기 위해서는 ① 주로 하나의 사업에 그 운영에 필요한 노무를 상시적으로 제공하고 보수를 받아 생활하고, ② 노무를 제공함에 있어서 타인을 사용하지 아니하여야 합니다.

(2) 특수형태근로종사자의 범위

- 보험을 모집하는 사람: 보험설계사, 우체국보험모집인
- 「건설기계관리법」상 건설기계를 직접 운전하는 사람
- 한국표준직업분류표의 세세분류에 따른 학습지 교사
- 골프경기를 보조하는 골프장 캐디
- 한국표준직업분류표의 세분류에 따른 택배원
- 한국표준직업분류표의 세분류에 따른 퀵서비스
- 대출모집인
- 신용카드회원 모집인
- 대리운전기사

(3) 특수형태근로종사자에 대한 보호

특수형태근로종사자도 「산재보상법」을 적용받을 수 있는데, 「근로기준법」상 근로자의 산재보험료를 사용자가 전액 부담하는 것과 달리 사용자와 특수형태근로종사자가 각 50%씩 보험료를 부담합니다.

「근로기준법」상 근로자의 의사와 무관하게 사용자가 무조건 산재보험에 가입하여야 하는데 반해, 특수형태근로종사자가 「산재보상법」의 적용을 원하지 않는 경우에는 산재보험 적용 제외를 신청할 수 있습니다.

「산업안전보건법」이 전면개정되어 특수형태근로종사자와 배달종사자도 「산업안전보건법」을 적용받습니다.

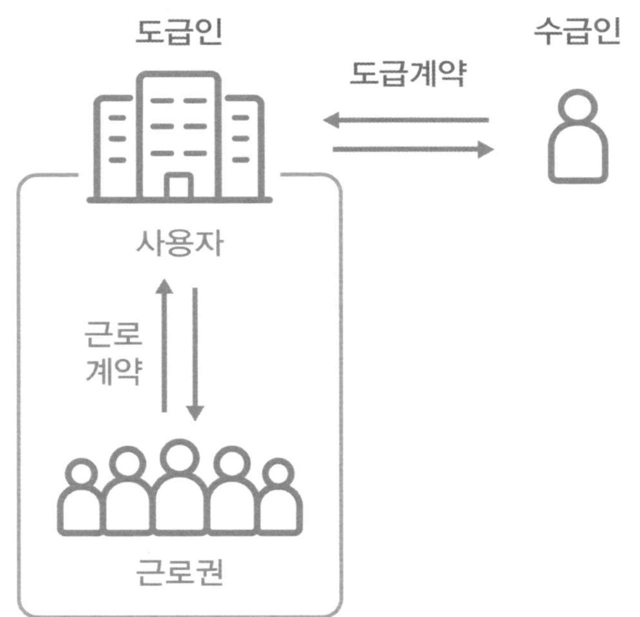

- 도급은 당사자 일방이 어느 일을 완성할 것을 약정하고 상대방이 그 일의 결과에 대하여 보수를 지급할 것을 약정함으로써 그 효력이 생긴다.
- "근로계약"이란 근로자가 사용자에게 근로를 제공하고 사용자는 이에 대하여 임금을 지급하는 것을 목적으로 체결된 계약을 말한다.

형식: 도급

실질: 사용종속성 판단

① 업무 내용이 사용자에 의해 정하여지는지
② 사용자에 의해 근무시간, 장소가 지정되고 구속받는지
③ 취업규칙 또는 인사규정 등의 적용을 받는지
④ 업무수행과정에서 사용자로부터 상당한 지휘·감독을 받는지
⑤ 근로제공관계의 계속성
⑥ 사용자에 대한 전속성의 유무와 그 정도
⑦ 노무제공자가 스스로 비품·원자재, 작업도구 등을 소유하거나 제3자를 고용하여 업무를 대행케 하는 등 독립하여 자신계산으로 사업을 영위할 수 있는지
⑧ 노무 제공을 통한 이윤의 창출과 손실의 초래 등 위험을 스스로 안고 있는지
⑨ 보수의 성격이 근로 자체의 대상적 성격인지
⑩ 기본급이나 고정급이 정하여졌는지
⑪ 근로소득세의 원천징수 여부 등 보수에 관한 사항
⑫ 사회보장제도에 관한 법령에서 근로자로서 지위를 인정받는지
⑬ 당사자의 경제적·사회적 조건 등

계약의 형식보다 실질을 보아 근로자인지 여부를 판단함.

특수형태근로종사자는 근로자가 아니지만 보호의 필요성 때문에 일부 노동법을 적용해주는데 반해, 프리랜서나 소사장 등은 실질에 따라 근로자인 경우도 있고 아닌 경우도 있습니다.

(1) 프리랜서, 소사장 등의 법률적 지위

프리랜서(Freelancer)는 특정 기업이나 단체, 조직에 전담하지 않고, 자신의 기술과 능력을 이용해 사회적으로 독립적인 개인사업자를, 소사장은 동일사업장 내에서 생산라인별 또는 공정별 책임자가 회사로부터 도급을 받아 각각 독립된 자격으로 자기 책임 하에 생산을 하는 자를 말합니다.

명칭이나 운용되는 방식이 상이하나 이는 「민법」상 '당사자 일방이 어느 일을 완성할 것을 약정하고 상대방이 그 일의 결과에 대하여 보수를 지급할 것을 약정'하는 '도급'에 해당합니다.

(2) 도급과 근로계약의 구분

근로계약은 '근로자가 사용자에게 근로를 제공하고 사용자는 이에 대하여 임금을 지급하는 것을 목적으로 체결된 계약'으로 법률적으로는 「민법」상 도급과 명확히 구분됩니다.

그러나 업무효율성 등을 이유로 프리랜서나 소사장이 회사의 기기나 시설 등을 이용하여 근로자처럼 업무를 수행하는 경우에는 근로계약과 도급을 구분하기 어렵습니다.

(3) 「근로기준법」상 근로자인지 여부의 판단기준

노동법은 근로자를 보호하기 위한 법이므로, 근로자인지 여부가 매우 중요합니다. 이에 「근로기준법」상 근로자인지를 판단함에 있어서는 계약의 형식이 아닌 실질에 따라 판단합니다.

사업자등록증이 있거나 건강보험에 지역가입자 등으로 가입한 사정이 있더라도 사용자와 사용종속관계 하에서 임금을 목적으로 근로를 제공하였다면 근로자입니다. 사용종속관계가 있는지 여부는 이하의 요소를 종합적으로 고려하여 판단합니다.70)

① 업무 내용이 사용자에 의해 정하여지는지
② 사용자에 의해 근무시간, 장소가 지정되고 구속받는지
③ 취업규칙 또는 인사규정 등의 적용을 받는지
④ 업무수행과정에서 사용자로부터 상당한 지휘·감독을 받는지
⑤ 근로제공관계의 계속성
⑥ 사용자에 대한 전속성의 유무와 그 정도
⑦ 노무제공자가 스스로 비품·원자재, 작업도구 등을 소유하거나 제3자를 고용하여 업무를 대행케 하는 등 독립하여 자신계산으로 사업을 영위할 수 있는지
⑧ 노무 제공을 통한 이윤의 창출과 손실의 초래 등 위험을 스스로 안고 있는지
⑨ 보수의 성격이 근로 자체의 대상적 성격인지
⑩ 기본급이나 고정급이 정하여졌는지
⑪ 근로소득세의 원천징수 여부 등 보수에 관한 사항
⑫ 사회보장제도에 관한 법령에서 근로자로서 지위를 인정받는지
⑬ 당사자의 경제적·사회적 조건 등

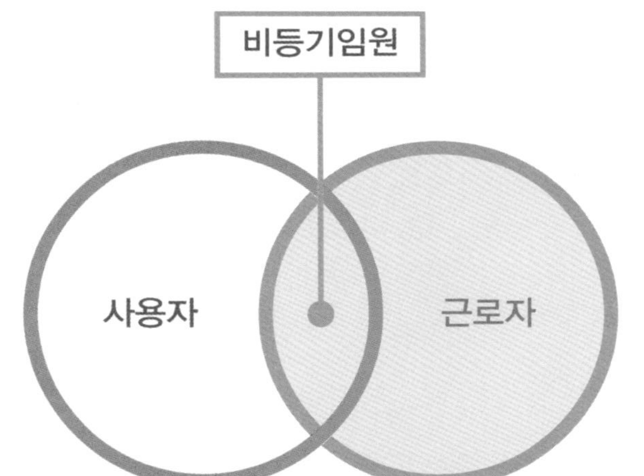

- "근로자"란 직업의 종류와 관계없이 임금을 목적으로 사업이나 사업장에 근로를 제공하는 자
- "사용자"란 사업주 또는 사업경영담당자, 그 밖에 근로자에 관한 사항에 대하여 사업주를 위하여 행위하는 자

☞ 사업주를 위하여 행동하는 자는 근로기준법상 근로자이면서 사용자로서 이중적 지위를 가짐.

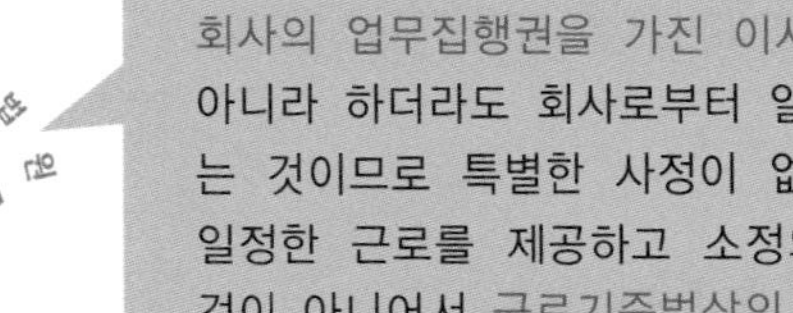

회사의 업무집행권을 가진 이사 등 임원은 그가 회사의 주주가 아니라 하더라도 회사로부터 일정한 사무처리의 위임을 받고 있는 것이므로 특별한 사정이 없는 한 사용자의 지휘·감독 아래 일정한 근로를 제공하고 소정의 임금을 받는 고용관계에 있는 것이 아니어서 근로기준법상의 근로자라고 할 수 없다.

근로기준법의 적용을 받는 근로자에 해당하는지 여부는 계약의 형식에 관계없이 그 실질에 있어서 임금을 목적으로 종속적 관계에서 사용자에게 근로를 제공하였는지 여부에 따라 판단하여야 할 것이므로, 회사의 이사 또는 감사 등 임원이라고 하더라도 그 지위 또는 명칭이 형식적·명목적인 것이고 실제로는 매일 출근하여 업무집행권을 갖는 대표이사나 사용자의 지휘·감독 아래 일정한 근로를 제공하면서 그 대가로 보수를 받는 관계에 있다거나 또는 회사로부터 위임받은 사무를 처리하는 외에 대표이사 등의 지휘·감독 아래 일정한 노무를 담당하고 그 대가로 일정한 보수를 지급받아 왔다면 그러한 임원은 근로기준법상의 근로자에 해당한다.

바지사장처럼 회사의 경영에 참여하지 않고, 운영하는 데 필요한 명의만 빌려주고 실제는 운영자가 아닌 경우에는 근로자로 보아야 할까요? 사용자로 보아야 할까요?

(1) '사용자'의 구분

「근로기준법」상 사용자는 사업주, 사업경영담당자, 그 밖에 근로자에 관한 사항에 대하여 사업주를 위하여 행위하는 자를 모두 사용자라 합니다.

'사업주'는 개인기업에서는 사업주 개인, 법인기업에서는 법인 그 자체를 말합니다.

'사업경영담당자'는 사업경영 일반에 대하여 권한을 가지고 책임을 지는 자로서 주식회사의 대표이사, 지배인 등이 이에 해당합니다.

근로자에 관한 사항에 대하여 사업주를 위하여 행위하는 자는 부장, 과장, 계장처럼 회사에 상대적으로 높은 지위에 있으면서 권한과 책임을 가지는 자를 말합니다.[71] 따라서 인사팀 소속 직원은 근로자에 관한 사항에 대하여 사업주를 위해 행위하는 자이므로 「근로기준법」상 사용자이고, 동시에 임금을 목적으로 근로를 제공하는 근로자에 해당합니다.

(2) '사용자'에 대한 노동법의 적용

'사업주'는 사용자에만 해당하므로 노동법을 적용하지 않습니다.

'사업주를 위하여 행동하는 자'는 자신이 맡은 업무성격 등을 이유로 사용자의 지위를 갖는 것이기 때문에, 근로자와 사용자의 지위를 모두 가지므로 연차유급휴가, 퇴직금, 부당해고구제신청 등 근로자로 법의 보호를 받습니다.

하지만 '사업경영담당자'는 경우에 따라 근로자이면서 사용자의 지위를 갖기도 하지만, 주식회사의 대표이사처럼 사용자에만 해당되기도 합니다. 또 바지사장처럼 회사의 임원이지만 실제 수행하는 업무는 근로자에 불과한 경우도 있습니다.

(3) 임원 등 사업경영담당자가 근로자인지 판단기준

「근로기준법」상 근로자인지를 판단함에 있어서는 계약의 형식이 아닌 실질에 따라 판단한다고 설명하였습니다. 바지사장처럼 사업주가 아닌 경우는 물론 회사임원의 경우에도 실질에 따라 근로자인지 여부를 판단합니다.

주식회사의 이사, 감사 등 임원은 회사로부터 일정한 사무처리의 위임을 받고 있는 것이므로 일정한 보수나 퇴직금 명목의 금원을 받더라도 이는 재직 중에 직무집행에 대한 대가로 지급되는 보수로 봅니다.

회사로부터 위임받은 사무를 처리하는 외에 대표이사 등의 지휘감독 아래에서 일정한 노무를 담당하고 그 대가로 보수를 지급받아왔다면 「근로기준법」상 근로자로 본 사례[72]가 있고, 회사의 업무집행권을 가지고 이를 행사한 경우라면 「근로기준법」상 근로자로 보지 않은 사례[73]도 있습니다.

11

비정규직

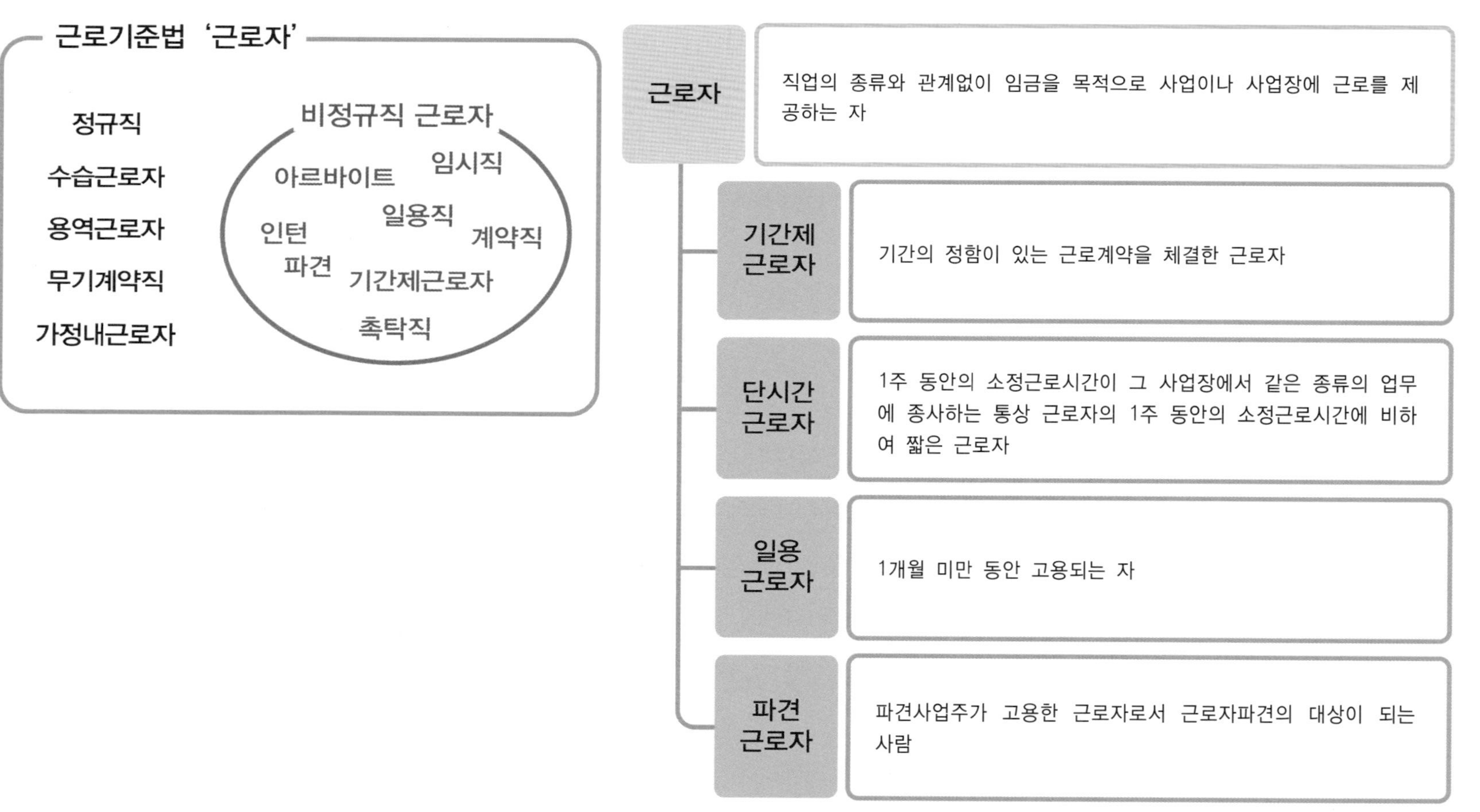
근로기준법 '근로자'
정규직
수습근로자
용역근로자
무기계약직
가정내근로자
비정규직 근로자
아르바이트
임시직
인턴
일용직
계약직
파견
기간제근로자
촉탁직
근로자
직업의 종류와 관계없이 임금을 목적으로 사업이나 사업장에 근로를 제공하는 자
기간제 근로자
기간의 정함이 있는 근로계약을 체결한 근로자
단시간 근로자
1주 동안의 소정근로시간이 그 사업장에서 같은 종류의 업무에 종사하는 통상 근로자의 1주 동안의 소정근로시간에 비하여 짧은 근로자
일용 근로자
1개월 미만 동안 고용되는 자
파견 근로자
파견사업주가 고용한 근로자로서 근로자파견의 대상이 되는 사람

(1) 비정규직의 의미

비정규직은 법적 용어는 아니나 고용이 불안정하고 상대적으로 근로조건이 열악한 경우가 많아서 정규직근로자의 반대되는 개념으로 많이 사용됩니다. 정규직 역시 법적 용어는 아니고 정년까지 고용이 보장되고 전일제로 일하는 등 안정적인 근로조건을 가진 경우를 지칭하는 용어로 사용됩니다.

근로자의 근로조건이나 근무특성에 따라 부르는 용어는 많지만 법률상으로는 「근로기준법」상 근로자와 단시간근로자, 「기간제법」상 기간제근로자, 「고용보험법」상 일용근로자, 「파견법」상 파견근로자 5가지 뿐입니다.

(2) 비정규직에 대한 법적 보호

고용노동부는 일반적으로 기간제근로자, 단시간근로자 그리고 파견근로자를 비정규직근로자로 보는데, 비정규직근로자는 「근로기준법」보다 「기간제법」과 「파견법」을 우선하여 적용합니다.

기간제근로자와 단시간근로자는 「기간제법」을, 파견근로자는 「파견법」을 적용하고 이에 보충하여 「근로기준법」을 적용합니다.

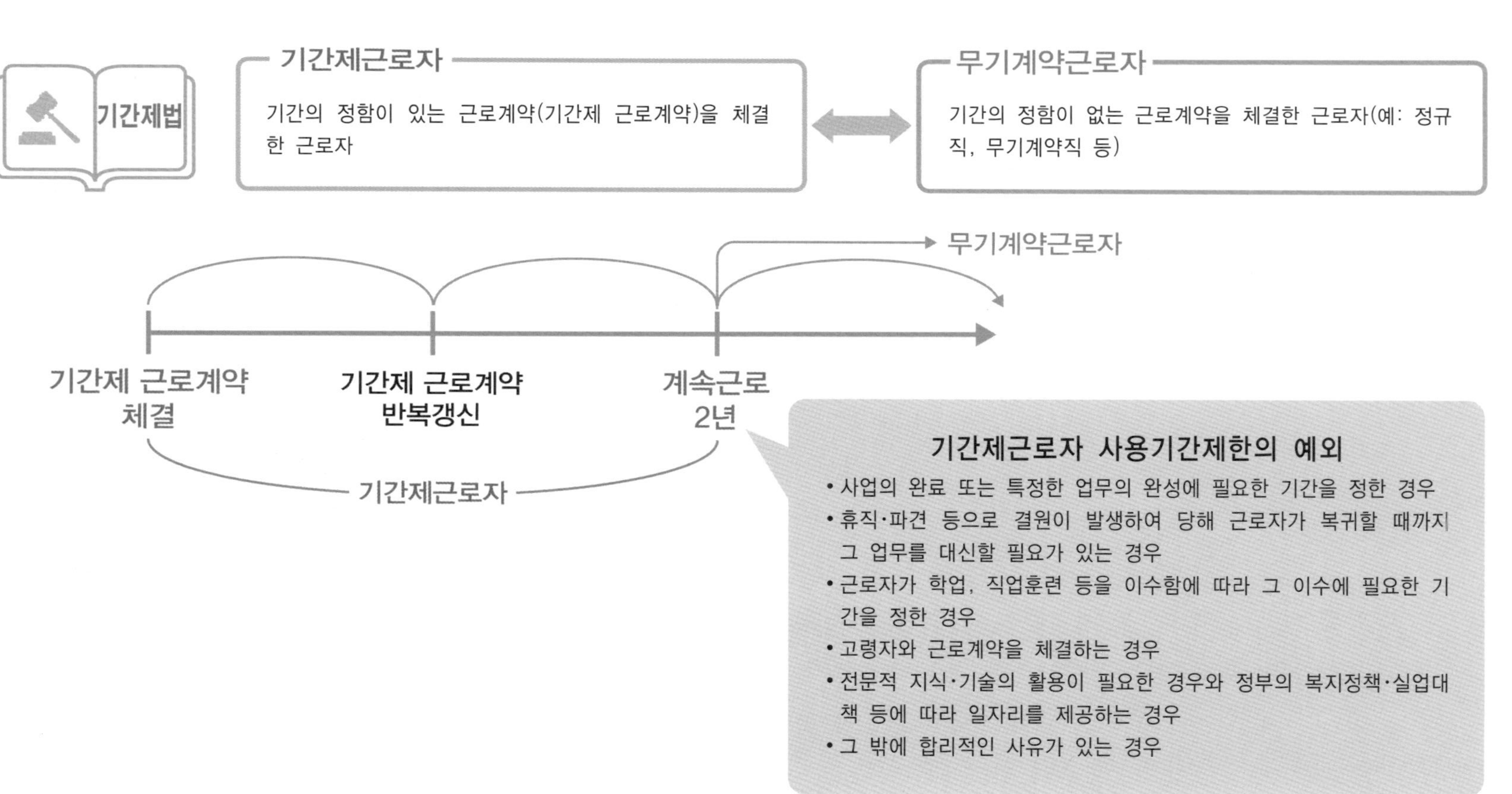
기간제법
기간제근로자
기간의 정함이 있는 근로계약(기간제 근로계약)을 체결한 근로자
무기계약근로자
기간의 정함이 없는 근로계약을 체결한 근로자(예: 정규직, 무기계약직 등)
무기계약근로자
기간제 근로계약 체결
기간제 근로계약 반복갱신
계속근로 2년
기간제근로자
기간제근로자 사용기간제한의 예외
• 사업의 완료 또는 특정한 업무의 완성에 필요한 기간을 정한 경우
• 휴직·파견 등으로 결원이 발생하여 당해 근로자가 복귀할 때까지 그 업무를 대신할 필요가 있는 경우
• 근로자가 학업, 직업훈련 등을 이수함에 따라 그 이수에 필요한 기간을 정한 경우
• 고령자와 근로계약을 체결하는 경우
• 전문적 지식·기술의 활용이 필요한 경우와 정부의 복지정책·실업대책 등에 따라 일자리를 제공하는 경우
• 그 밖에 합리적인 사유가 있는 경우

(1) 기간제근로자의 의미

'기간제근로자'는 '기간의 정함이 있는 근로계약을 체결한 근로자'를 말합니다. 기간제근로자에 반대되는 개념은 정규직근로자가 아니라 기간의 정함이 없는 근로계약을 체결한 '무기계약근로자'입니다.

회사에 정규직과 무기계약직이 모두 있는 경우 이를 구분하여 취업규칙 등을 제정하는 경우가 있습니다. 그러나 정규직과 무기계약직은 임금 등 근로조건이 다르더라도 법률적으로는 기간의 정함이 없는 근로계약을 체결했다는 점에서 동일하므로 같은 것으로 취급합니다.

(2) 기간제근로자의 근로계약기간

사용자가 기간제근로자를 사용할 수 있는 기간은 원칙적으로 반복갱신 등을 모두 포함하여 2년 이내입니다.

2년을 초과하여도 여전히 기간제근로자인 경우는 「기간제법」상 사용기간제한의 예외사유에 해당될 때만 가능합니다.

- 사업의 완료 또는 특정한 업무의 완성에 필요한 기간을 정한 경우
- 휴직·파견 등으로 결원이 발생하여 당해 근로자가 복귀할 때까지 그 업무를 대신할 필요가 있는 경우
- 근로자가 학업, 직업훈련 등을 이수함에 따라 그 이수에 필요한 기간을 정한 경우
- 만 55세 이상인 고령자와 근로계약을 체결하는 경우
- 전문적 지식·기술의 활용이 필요한 경우와 정부의 복지정책·실업대책 등에 따라 일자리를 제공하는 경우
- 그 밖에 합리적인 사유가 있는 경우

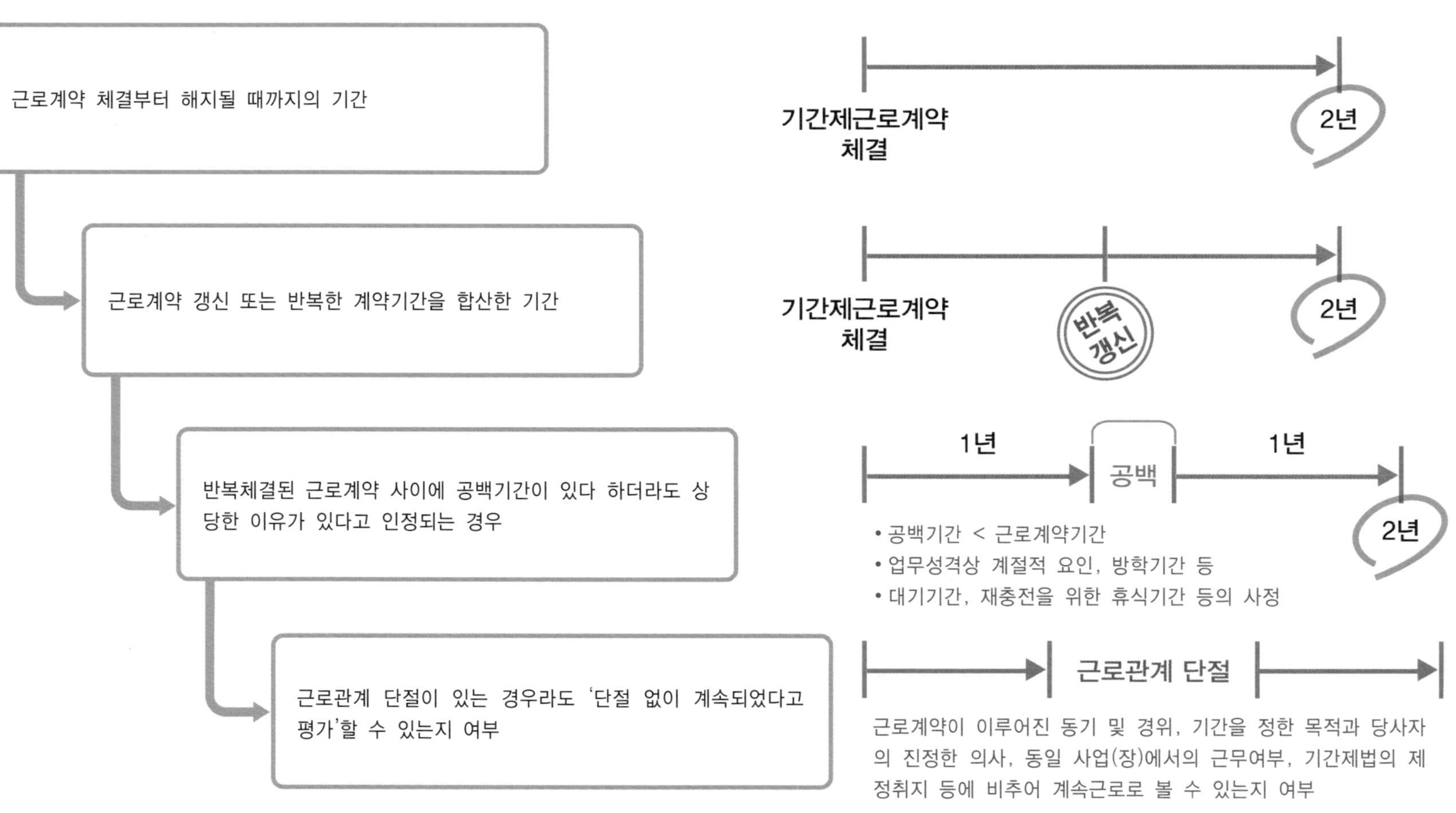

근로계약 체결부터 해지될 때까지의 기간
근로계약 갱신 또는 반복한 계약기간을 합산한 기간
반복체결된 근로계약 사이에 공백기간이 있다 하더라도 상당한 이유가 있다고 인정되는 경우
근로관계 단절이 있는 경우라도 '단절 없이 계속되었다고 평가'할 수 있는지 여부
기간제근로계약 체결
2년
기간제근로계약 체결
반복 갱신
2년
1년
공백
1년
2년
• 공백기간 < 근로계약기간
• 업무성격상 계절적 요인, 방학기간 등
• 대기기간, 재충전을 위한 휴식기간 등의 사정
근로관계 단절
근로계약이 이루어진 동기 및 경위, 기간을 정한 목적과 당사자의 진정한 의사, 동일 사업(장)에서의 근무여부, 기간제법의 제정취지 등에 비추어 계속근로로 볼 수 있는지 여부

(1) 계속근로기간이 2년을 초과한 경우

사용자가 사용기간제한 예외사유가 없거나 소멸되었음에도 2년을 초과하여 기간제근로자로 사용하면 기간의 정함이 없는 근로계약을 체결한 근로자, 즉 무기계약직 근로자로 전환됩니다.

(2) 계속근로기간의 판단기준

기간제근로자가 무기계약직으로 전환되기 위한 요건은 계속근로기간이 총 2년을 초과한 경우이므로, 계속근로기간을 어떻게 산정하는지가 중요합니다.

계속근로기간은 원칙적으로 근로계약 체결부터 해지될 때까지의 기간을 말하는데, 「기간제법」에서 근로계약을 반복갱신하면 그 기간을 합하여 2년을 초과하였는지를 살핍니다.

근로계약기간 간에 공백이 있는 경우에는, 공백기간의 길이와 공백기간을 전후한 총 사용기간 중 공백기간이 차지하는 비중, 공백기간이 발생한 경위, 공백기간을 전후한 업무내용과 근로조건의 유사성, 사용자가 공백기간 동안 해당 기간제근로자의 업무를 대체한 방식과 기간제근로자에 대해 취한 조치, 공백기간에 대한 당사자의 의도나 인식, 다른 기간제근로자들에 대한 근로계약 반복·갱신 관행 등을 종합하여 공백기간 전후의 근로관계가 단절 없이 계속되었다고 평가될 수 있는지 여부를 가린 다음, 공백기간 전후의 근로기간을 합산하여 기간제법 제4조의 계속근로한 총 기간을 산정할 수 있는지 판단하여야 합니다.[74)]

그 공백이 업무성격이나 계절적 요인, 방학기간 등 대기기간이나 재충전을 위한 휴식시간에 해당하는 사정이 있다면 공백기간 전후의 근로기간을 합산하여 계속근로한 총 기간으로 판단합니다.[75)]

기간제근로자로서 반복갱신하여 근로한 기간이 2년을 초과하면 무기계약직 근로자로 전환되는 것이므로, 공백이 아니라 근로계약이 '단절'로 볼 만한 사정이 있을 때에는 근로계약기간을 합산하지 않습니다. 따라서 기간제 근로 중간에 근로를 제공하지 않은 기간이 단순한 공백인지, 단절인지를 살피는 것은 중요합니다.

원칙

근로계약기간을 정한 경우에 있어서 근로계약 당사자 사이의 근로관계는 특별한 사정이 없는 한 그 기간이 만료함에 따라 사용자의 해고 등 별도의 조처를 기다릴 것 없이 당연종료(≠해고)

계약기간만료 ≠ 해고

계속근로 2년 이하

갱신거절=해고

사용자가 부당하게 근로계약의 갱신을 거절하는 것은 부당해고(무효)이고, 기간만료 후의 근로관계는 종전의 근로계약이 갱신된 것

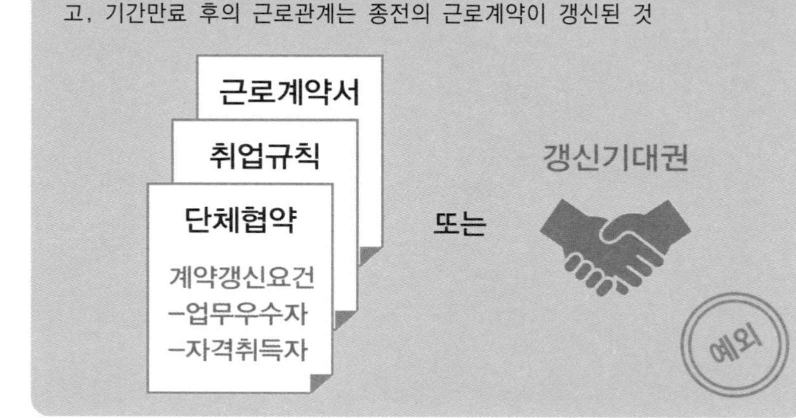

(1) 계약기간만료의 법적 효력

기간의 정함이 있는 근로계약에서 기간이 만료하면 당연종료됩니다. 이는 사용자의 일방적 의사에 의한 근로관계 종료인 '해고'가 아니라 당사자의 의사와 관계 없이 근로관계가 종료되는 것이 원칙입니다.

(2) 갱신기대권의 의미와 성립요건

그러나 '근로계약이 갱신된다'는 신뢰가 성립되어 있다면, 이 신뢰를 저버리는 행위는 해고가 될 수 있습니다. 이 신뢰를 '갱신기대권'이라고 합니다.

우선 근로계약, 취업규칙, 단체협약 등에서 기간만료에도 불구하고 일정한 요건이 충족되면 당해 근로계약이 갱신된다는 취지의 규정을 두고 있으면 '갱신기대권'이 인정됩니다.

명시적인 규정이 없다 하더라도, 근로계약의 내용과 근로계약이 이루어지게 된 동기 및 경위, 계약 갱신의 기준 등 갱신에 관한 요건이나 절차의 설정 여부 및 그 실태, 근로자가 수행하는 업무의 내용 등 당해 근로관계를 둘러싼 여러 사정을 종합하여 볼 때 근로계약 당사자 사이에 일정한 요건이 충족되면 근로계약이 갱신된다는 신뢰관계가 형성되어 있다면 '갱신기대권'이 인정됩니다.

(3) 갱신기대권이 있는 자에게 계약갱신을 거절하는 경우: 해고

법원은 갱신기대권이 있는 근로자에게 근로계약기간 만료를 이유로 근로관계종료를 통지하는 것은 '당연종료'가 아니라 '해고'라고 봅니다.

(4) 갱신기대권이 인정되는 사례

사용기간제한의 예외사유에 해당하지 않음에도 기간제근로자로 2년 이상 근로하면 「기간제법」에 따라 무기계약직 근로자로 전환됩니다. 따라서 갱신기대권은 기간제근로자로 근무한 기간이 2년 이내거나 사용기간제한의 예외사유에 해당되는 근로자에게 적용될 수 있는 법리입니다.

우리 법원은 1년의 기간제근로계약을 체결한 경우에도 갱신기대권을 인정하여 기간제근로계약 갱신거절을 부당해고[76]로 본 바 있고, 「기간제법」상 사용기간제한의 예외사유에 해당되는 근로자에게도 갱신기대권을 인정[77]한 바 있습니다.

"단시간근로자"라 함은 「근로기준법」 제2조의 단시간근로자를 말한다.

우선적용 후
보충적용

단시간근로자

1주 동안의 소정근로시간이 그 사업장에서 같은 종류의 업무에 종사하는 통상 근로자의 1주 동안의 소정근로시간에 비하여 짧은 근로자

초단시간근로자

4주 동안(4주 미만으로 근로하는 경우에는 그 기간)을 평균하여 1주 동안의 소정근로시간이 15시간 미만인 근로자

단시간근로자의 판단기준

- 동종 업무 여부: 당해 업무의 수행방법, 작업의 조건, 업무의 난이도 등을 종합적으로 고려하여 판단해야 하며, 특히 업무의 이질성으로 인해 근로조건이 현저하게 구별되어 규정되는지 여부
- 통상근로자 여부: 소정근로시간뿐만 아니라 당해 사업장의 고용형태(계약기간), 임금체계 등을 종합적으로 고려해 볼 때 통상적으로 근로할 것이 예정되어 있는 정규직근로자를 말하는 바, 취업규칙 등에 의해 채용 및 계약기간(정년 등)·임금·호봉·승진 등 중요한 근로조건 대부분이 직접 규율되고 있는 근로자

(1) 단시간근로자의 의미와 구분

단시간근로자는 근로시간이 짧은 근로자를 말하는데, 1주에 근로하는 시간이 상대적으로 짧은 시간 근로하는지, 절대적으로 적은 시간을 근로하는지 여부에 따라 적용되는 법 규정이 다릅니다.

1주 동안의 소정근로시간이 그 사업장에서 같은 종류의 업무에 종사하는 통상 근로자의 1주 동안의 소정근로시간에 비하여 짧은 근로자는 「근로기준법」이 전부 적용되는 대신 근로하기로 정한 근로시간에 비례하여 임금, 연차 등 근로조건이 결정됩니다.

이와 달리 4주 동안(4주 미만으로 근로하는 경우에는 그 기간)을 평균하여 1주 동안의 소정근로시간이 15시간 미만인 근로자, 소위 '초단시간근로자'라고 불리는 이들은 주휴수당, 연차유급휴가, 퇴직급여가 적용되지 않습니다.

(2) 단시간근로자의 판단기준

초단시간근로자는 소정근로시간이 4주 평균하여 1주에 15시간 미만인지 여부만 계산하면 됩니다.

초단시간근로가 아닌 단시간근로자는 ① 동종업무에 종사하는 근로자가 있는지, ② 비교대상인 통상근로자가 있는지를 살펴야 합니다.

동종업무의 경우 '당해 업무의 수행방법, 작업의 조건, 업무의 난이도 등을 종합적으로 고려하여 판단해야 하며, 특히 업무의 이질성으로 인해 근로조건이 현저하게 구별되어 규정되는지 여부'에 따라 판단합니다.

통상근로자는 단시간근로자의 반대되는 개념으로 소정근로시간뿐만 아니라 당해 사업장의 고용형태(계약기간), 임금체계 등을 종합적으로 고려해 볼 때 통상적으로 근로할 것이 예정되어 있는 정규직근로자를 말하는 바, 취업규칙 등에 의해 채용 및 계약기간(정년 등)·임금·호봉·승진 등 중요한 근로조건 대부분이 직접 규율되고 있는 근로자를 말합니다.[78)]

구분	통상근로자(비교대상)	단시간근로자	초단시간근로자
근로조건의 서면명시	• 근로시간 • 임금: 구성항목, 계산방법 및 지불방법 • 휴일: 주휴일 • 연차유급휴가	• 근로계약기간 • 근로시간 • 휴게시간 • 임금: 구성항목, 계산방법 및 지불방법 • 휴일: 주휴일 • 휴가: 연차유급휴가 • 취업장소 및 종사업무 • 근로일 및 근로일별 근로시간	• 근로계약기간 • 근로시간 • 휴게시간 • 임금: 구성항목, 계산방법 및 지불방법 • 휴일: ~~주휴일~~ • 휴가: ~~연차유급휴가~~ • 취업장소 및 종사업무 • 근로일 및 근로일별 근로시간
근로조건 결정	• 단시간근로자에 대해 합리적 이유 없이 차별하는 규정을 둘 수 없음.	• 통상근로자의 근로시간을 기준으로 산정한 비율로 결정 – 가족수당, 교통수당 등 근로의 질이나 양과 관련없는 수당은 전액지급이 원칙	• 통상근로자의 근로시간을 기준으로 산정한 비율로 결정 • 주휴일, 연차유급휴가 미적용
취업규칙	• 상시근로자 10인 이상 작성의무	• 단시간근로자에게 적용되는 취업규칙 별도 작성가능 – 불이익변경시 단시간근로자 과반수의 동의 필요	
임금의 계산	• 시간급, 일급, 주급, 월급 등으로 결정 가능	• 시간급(원칙) • 1일 소정근로시간 = 4주 동안 소정근로시간 ÷ 총 소정근로일수	
초과근로	• 1일 8시간 또는 1주 40시간 초과시 통상임금의 50% 이상 가산	• 1일 8시간 이하 또는 1주 40시간 이하인 경우에도 소정근로시간 초과시 통상임금의 50% 이상 가산 • 초과근로에 대해 근로계약서·취업규칙 등에 내용과 정도를 명시	

(1) 단시간근로자에 대한 「기간제법」 우선 적용

「기간제법」의 정식 명칭은 「기간제 및 단시간근로자 보호 등에 관한 법률」로서 기간의 정함이 있는 근로계약을 체결하였는지 여부와 관계없이 단시간근로자라면 「기간제법」을 우선 적용받습니다.

(2) 주 15시간 근로하는 단시간근로자의 근로조건

「기간제법」은 「근로기준법」보다 사용자로 하여금 근로계약서를 더 꼼꼼히 작성하도록 규정하고 있는데, 통상근로자의 근로계약서에 기재되어야 하는 사항 외에도 추가로 근로계약기간과 휴게시간, 휴일, 휴가, 취업장소 및 종사업무, 근로일 및 근로일별 근로시간이 근로계약서에 반드시 명시되어야 합니다.

단시간근로자의 근로조건은 소정근로시간을 기준으로 통상근로자에 비례하여 결정됩니다. 예를 들어 주 40시간 근로하는 통상근로자의 주휴일이 8시간이라면, 주 20시간 근로하는 단시간근로자의 주휴일은 4시간입니다. 다만, 가족수당이나 교통수당처럼 근로시간과 무관하게 부여되는 복리후생인 경우에는 단시간근로자에게도 전액 지급하여야 합니다.

통상근로자가 1일 단위로 연차유급휴가가 부여되는데 반해, 단시간근로자는 시간 단위로 연차유급휴가를 부여받습니다. 단시간근로자는 연차유급휴가를 시간단위로 부여받는 것뿐이지 1년 이상 근로시 15일에 상응하는 휴가는 물론 장기근속에 따른 가산휴가도 모두 적용됩니다.

$$\text{통상근로자의 연차유급휴가일수} \times \frac{\text{단시간근로자의 소정근로시간}}{\text{통상근로자의 소정근로시간}} \times 8\text{시간}$$

단시간근로자가 일을 하기로 약속한 소정근로시간을 초과하여 일을 하면 1일 8시간, 1주 40시간 이내인 경우에도 시간외근로수당을 받습니다.

(3) 초단시간근로자의 근로조건

초단시간근로자의 근로계약서를 작성할 때에는 통상근로자의 근로계약서에 기재되어야 하는 사항 외에도 추가로 근로계약기간과 휴게시간, 휴일, 휴가, 취업장소 및 종사업무, 근로일 및 근로일별 근로시간이 반드시 명시되어야 합니다.

초단시간근로자의 주휴일은 무급이고 연차유급휴가와 퇴직급여를 적용받지 못합니다.

하지만 소정근로시간을 초과하여 근로하면 통상임금의 50% 이상을 가산한 시간외수당을 지급받을 수 있습니다.

(4) 단시간근로자의 근로조건을 정한 취업규칙

상시 근로자 수가 10인 이상인 경우 취업규칙을 작성하여야 하는데, 단시간근로자의 근무특성을 고려하여 별도의 취업규칙을 작성하는 것도 가능합니다. 단시간근로자에게 적용되는 취업규칙을 따로 두는 경우에는, 단시간근로자의 과반수가 취업규칙변경의 동의주체가 됩니다.

"일용근로자"란 1개월 미만 동안 고용되는 자를 말한다.

일용근로자에 대한 정의 없음.
- 일용근로자의 평균임금, 근로자명부 및 임금대장의 작성예외 규정을 둠.

"기간제근로자"란 기간의 정함이 있는 근로자를 말한다.

고용보험법 외 일용근로자에 대한 정의는 없으나, 고용노동부는 일용직 근로자를 '1년 미만 단기계약근로자'로 보아 근로기준법 등을 적용하고 있습니다.

구분	(일반)근로자	일용근로자
근로계약 서면명시	• 근로시간 • 임금: 구성항목, 계산방법 및 지불방법 • 휴일 • 연차유급휴가	• 근로시간 • 휴게시간 • 임금: 구성항목, 계산방법 및 지불방법 • 휴일: ~~주휴일~~ • 휴가: ~~연차유급휴가~~ • 취업장소 및 종사업무
근로자 명부	• 작성의무	• 30일 미만인 일용근로자 제외
임금산정 및 지급	• 시간급, 일급, 주급, 월급 등으로 산정 가능 • 매월 1회 이상 일정한 날짜를 정하여 지급	• 시간급 또는 일급 단위로 임금산정 (원칙) • 매일, 근로계약서상 근무시간 종료 직후 지급
주휴일 및 연차휴가	• 1주 개근시 유급주휴일 • 계속근로연수 1년 이상시 및 1년 미만시 개근 1월시 연차유급휴가	• 일단위 근로계약 체결이므로 주휴일 및 연차유급휴가는 미발생(원칙) - 근로계약을 반복체결하여 근로기준법상 요건충족 시 유급주휴일 및 연차유급휴가 발생

(1) 일용직의 의미

일용직은 많이 사용되는 근로계약방식이나 「고용보험법」에서 '1개월 미만 동안 고용되는 자'라고 규정하고 있을 뿐 일용직에 대한 별도의 정의는 없습니다.

이에 고용노동부는 일용근로자를 '1년 미만 단기계약근로자'로 보아 「근로기준법」 등을 적용하고 있습니다.

(2) 일용직의 근로조건

「근로기준법」상 일용직에 관한 정의는 없지만, 일용근로자의 평균임금 산정방법이나 일용직근로자에 대해서 근로자명부 및 임금대장을 작성하지 않아도 되는 등 근로조건에 관해서 일부 규정을 두고 있습니다.

일용근로자는 1일 단위의 근로계약을 체결하는 것이므로 1주를 개근하여야 발생하는 주휴일, 최소 1개월 이상 개근하여야 발생하는 연차유급휴가, 계속근로기간이 1년 이상 시 발생하는 퇴직급여 등은 원칙적으로 적용될 여지가 없습니다.

그럼에도 불구하고 사용자가 주휴일, 연차유급휴가 등을 지급하지 않을 목적으로 일용직 근로계약을 반복갱신 체결한 사정 등이 있다면 주휴일, 연차유급휴가, 퇴직급여 등이 적용됩니다.

파견근로자

파견사업주가 고용한 근로자로서 근로자파견의 대상이 되는 사람

직접고용근로자

사용사업주가 직접 고용한 근로자(예: 정규직, 무기계약직 등)

예외적으로 허용되는 근로자파견

출산·질병·부상 등으로 결원이 생긴 경우
일시적·간헐적으로 인력을 확보하여야 할 필요가 있는 경우

절대금지업무

- 건설공사현장에서 이루어지는 업무
- 각종 법규에 의한 하역업무로서 직업안정법에 따라 근로자공급 사업허가를 받은 지역의 업무
- 선원법상 선원의 업무
- 산업안전보건법상 유해하거나 위험한 업무
- 진폐예방법상 분진작업을 하는 업무
- 산업안전보건법상 건강관리수첩의 교부대상업무
- 의료법상 의료인의 업무 및 간호조무사의 업무
- 의료기사법상 의료기사의 업무
- 여객자동차법상 여객자동차운송사업의 운전업무
- 화물자동차법상 화물자동차운송사업의 운전업무
- 공중위생 또는 공중도덕상 유해한 업무

출산·질병·부상 등 그 사유가 객관적으로 명백한 경우 해당 사유의 해소에 필요한 기간

예외

1회 최대 1년
연장 1년 이내
만 55세 이상 고령자
근로자파견 계약
합의시 1회 연장가능
총 2년
근로자파견대상업무 32종

(1) 근로자파견 등의 의미

일반적인 경우에는 사용자와 근로자가 근로계약을 체결하고, 사용자가 근로자에게 근로자가 수행할 업무에 관해 구체적인 지휘·감독명령을 합니다.

그런데 근로자파견은 근로자가 파견사업주와 근로계약을 하고, 사용사업주의 사업장에서 일을 하는 삼각관계입니다.

「파견법」에서 사용되는 용어는 다음과 같습니다.

- 근로자파견: 파견사업주가 근로자를 고용한 후 그 고용관계를 유지하면서 근로자파견계약의 내용에 따라 사용사업주의 지휘·명령을 받아 사용사업주를 위한 근로에 종사하게 하는 것
- 근로자파견사업: 근로자파견을 업(業)으로 하는 것
- 파견사업주: 근로자파견사업을 하는 자
- 사용사업주: 근로자파견계약에 따라 파견근로자를 사용하는 자
- 파견근로자: 파견사업주가 고용한 근로자로서 근로자파견의 대상이 되는 사람
- 근로자파견계약: 파견사업주와 사용사업주 간에 근로자파견을 약정하는 계약

(2) 적법한 근로자파견의 요건

「파견법」상 적법한 근로자파견이 되기 위해서는 까다로운 이하의 요건을 모두 충족하여야 합니다.

우선 근로자파견은 「파견법」상 32종의 근로자파견대상업무에 해당하는 경우만 가능한 것이 원칙입니다. 출산·질병·부상 등으로 결원이 생긴 경우, 일시적·간헐적으로 인력을 확보하여야 할 필요가 있는 경우에는 근로자파견대상업무가 아님에도 예외적으로 파견근로자를 사용할 수 있습니다. 그럼에도 불구하고 제조업의 직업생산공정업무, 건설공사현장에서 이루어지는 업무 등 절대금지업무는 어떠한 경우에서도 파견근로자를 사용할 수 없습니다.

또 파견사업주는 「파견법」상 근로자파견의 허가를 받아 파견근로자와 근로계약을 체결하여야 하고, 사용사업주도 근로자파견 허가를 받은 파견사업주에 한해 근로자파견계약을 체결할 수 있습니다.

파견사업주와 사용사업주 간에 근로자파견계약을 체결하면 사용사업주는 1회 최대 1년 동안 파견근로자를 사용할 수 있습니다. 파견근로자와 사용사업주 그리고 파견사업주가 합의하면 1년을 한도로 파견기간을 1회 연장할 수 있습니다.

기간제근로자의 근로계약기간은 계속근로기간이 기준이므로 근로관계가 단절되면 동일한 사용자와 다시 2년 이내에서 기간제근로계약을 체결할 수 있는 것과 달리 근로자파견계약은 「파견법」상 예외사유에 해당하지 않는다면 최대 2년까지만 해당 파견근로자를 사용할 수 있습니다.

(3) 파견근로자의 비교대상근로자

파견근로자의 반대되는 개념은 '사용사업주가 직접 고용한 근로자'로서 정규직근로자뿐만 아니라 무기계약근로자와 기간제근로자도 이에 포함됩니다.

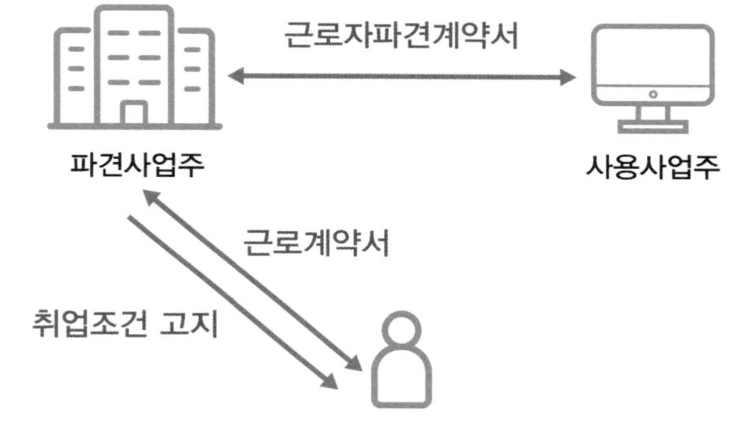

- 파견근로자의 수
- 파견근로자가 종사할 업무내용
- 파견 사유(해당시)
- 파견근로자가 파견되어 근로할 사업장의 명칭 및 소재지, 그 밖에 파견근로자의 근로 장소
- 파견근로자를 직접 지휘·명령할 사람에 관한 사항
- 근로자파견기간 및 파견근로 시작일에 관한 사항
- 업무 시작 및 업무 종료의 시각과 휴게시간에 관한 사항
- 휴일·휴가에 관한 사항
- 연장·야간·휴일근로 사항
- 안전 및 보건에 관한 사항
- 근로자파견의 대가
- (근로자파견계약서)파견사업관리책임자 및 사용사업관리책임자의 성명, 소속 및 지위
- (취업조건고지)사업장의 복리후생시설의 이용에 관한 사항

구분	파견사업주	사용사업주
근로기준법상 사용자책임	• 그 외 근로조건 대부분에 대해서 사용자책임부담 • 주휴일, 생리휴가, 출산전후휴가 등에 대해 임금부담	• 근로시간, 휴게, 휴일, 모성보호 등과 관련 사용자 책임부담 • 정당한 사유없이 근로자파견계약해지 또는 근로자파견대기 미지급시 연대책임 부담
	• 위법한 파견계약시 계약당사자 모두 벌칙적용	
산업안전보건법상 사용자책임	• 건강검진 실시한 경우 산업안전보건법상 '사용자'	• 원칙적 사용자책임부담 • 산업안전보건법상 건강검진 실시의무를 부담
	• 사업주의 의무, 작업장소의 변경, 작업의 전환 및 근로시간 단축 등에 대해서는 모두 사업주로 봄. • 위법한 파견계약시 계약당사자 모두 벌칙적용	

파견사업주와 사용사업주 모두 「근로기준법」상 사용자로 봅니다. 근로자 파견은 근로계약을 하는 사용자와 지휘감독을 하는 사용자가 다르다보니 실제 근로와 관련된 규정은 사용사업주가 부담하고 근로자의 신분 등과 관련된 규정은 파견사업주가 부담합니다.

(1) 사용사업주의 사용자 책임

파견근로자는 사용사업주의 사업장에서 사용사업주의 지휘감독 아래에서 근로를 하기 때문에 근로시간, 휴게, 휴일 그리고 여성근로자의 출산전후휴가, 수유시간 및 태아검진시간 등에 대해서는 사용사업주가 「근로기준법」상 사용자에 해당합니다.

안전한 근무환경과 관련된 사항에 대해서도 사용사업주가 「산업안전보건법」상 사용자로서 책임을 부담합니다. 다만, 「산업안전보건법」상 건강검진에 대해서는 파견사업주와 사용사업주가 모두 사업주입니다.

(2) 파견사업주의 사용자 책임

파견근로자가 근로계약을 한 자는 사용사업주가 아니라 파견사업주이므로 임금 등을 비롯한 근로계약에 관해서는 파견사업주가 「근로기준법」상 사용자입니다.

따라서 파견근로자가 임금 등을 지급받지 못했을 때에는 파견사업주가 임금체불에 대한 책임을 져야 하는데, 임금체불을 한 이유가 사용사업주로 인한 경우라면 사용사업주도 임금체불에 관해 연대하여 책임을 집니다.

(3) 위법한 근로자파견계약 시 사용자 책임

위법한 근로자파견계약을 체결하고 그 계약에 따라 파견근로자를 근로하게 하여 「근로기준법」 내지 「산업안전보건법」을 위반한 경우 파견사업주와 사용사업주 모두 「근로기준법」 또는 「산업안전보건법」상 사용자로 처벌을 받습니다.

12

차별시정 및 위장도급

신청자격

기간제
단시간
파견직
무기계약

1단계: 비교대상자의 존재 유무

비교대상	• 기간제근로자 vs. 무기계약근로자 • 단시간근로자 vs. 통상근로자 • 파견근로자 vs. 사용사업주의 근로자
사업 사업장	• 동일한 사업 또는 사업장에서 일하는 대상 근로자와의 비교
동종 유사업무	• 직종을 기준으로, 그 직종 내에서 직무나 작업내용이 같은 업무 • 다소 차이가 있어 서로 일치하지 않더라도 본질적 차이가 없어, 현저한 질적 차이를 인정할 사정이 없는 경우

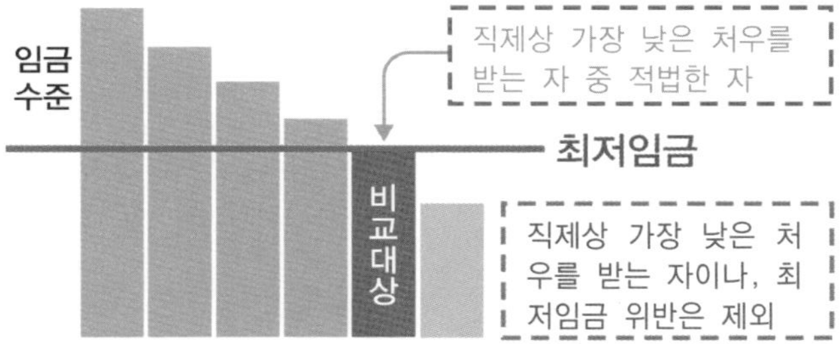

임금 수준

직제상 가장 낮은 처우를 받는 자 중 적법한 자

최저임금

비교대상

직제상 가장 낮은 처우를 받는 자이나, 최저임금 위반은 제외

2단계: 차별금지영역

- 「근로기준법」에 따른 임금(단, 임의적·은혜적으로 지급하는 금품은 불포함)
- 정기상여금, 명절상여금 등 정기적으로 지급되는 상여금
- 경영성과에 따른 성과금
- 그 밖에 근로조건 및 복리후생 등에 관한 사항

3단계: 합리적 이유 유무

인정	부정
• 취업기간 • 단기고용의 특성 • 채용조건·기준의 차이 • 업무 범위의 차이 • 업무 권한·책임의 차이 • 낮은 노동생산성 • 근로조건 결정요소 • 업무강도·위험의 차이	• 채용방법·절차의 차이 • 단체협약 적용여부
차별처우 해당 안됨	금지되는 차별처우

위반시 지난 3년간 일체의 차별시정명령

(1) 비정규직근로자의 근로조건 보호

비정규직근로자는 임금이 낮거나 위험한 근무환경에서 근무하는 등 근로조건이 열악한 경우가 많습니다. 이에 기간제근로자와 단시간근로자는 「기간제법」에 따라, 파견근로자는 「파견법」에 따라 합리적 이유없이 차별적 처우를 하지 못하도록 규정되어 있습니다.

정규직인 경우 취업규칙 등에서 직종 간 임금의 차이가 있도록 규정되어 있더라도 임금차액을 청구할 수 없는 것과 달리 기간제근로자, 단시간근로자 및 파견근로자에 대해 취업규칙 등에서 임금을 적게 지급하도록 규정하면 이는 위법한 조치가 될 가능성이 매우 높습니다.

「기간제법」 및 「파견법」에 따라 합리적 이유없는 차별적 처우로 판단되면, 향후 취업규칙 등을 이유로 임금 등에서 차별하지 못하는 것은 물론 과거 차별받았던 임금 등에 대해 소급하여 지급받을 수 있습니다.

(2) 차별적 처우 금지

차별적 처우금지가 성립하기 위해서는 우선 차별적 처우에 대해 시정을 청구할 수 있는 권한, 즉 신청자격이 있어야 합니다. 기간제근로자, 단시간근로자 및 파견근로자만 차별적 처우 시정 신청이 가능하고, 근로조건이 낮다고 하더라도 기간의 정함이 없는 근로계약을 체결한 무기계약직이나 정규직은 신청자격이 없습니다.

기간제근로자, 단시간근로자 및 파견근로자에 대한 차별적 처우가 성립하기 위해서는 근로조건을 비교할 수 있는 기준, 즉 비교대상근로자가 존재하여야 합니다. 비교대상근로자가 없다면 차별의 기준을 삼을 수 없으므로 차별적 처우가 성립하지 않습니다.

기간제근로자, 단시간근로자 및 파견근로자가 차별받는 대상이 임금, 상여금, 성과급, 그 밖에 근로조건 및 복리후생 등에 관한 규정이어야 합니다.

「기간제법」과 「파견법」이 차별 자체를 금지하는 것이 아니라 합리적 이유가 없는 차별을 금지하는 것이므로, 비교대상근로자와 차별을 함에 있어서 합리적 이유가 있는지를 살펴야 합니다.

정리하면 차별시정청구권이 있는 기간제근로자 등이 비교대상근로자를 기준으로 임금 등에 있어서 합리적 이유없이 불리하게 근로조건이 낮은 경우에 그 시정을 구할 수 있습니다.

사용자가 차별적 처우금지 규정을 위반하면 시정명령에 따라 차별적 행위를 중지하고 임금 등 근로조건을 개선하여야 하고, 지난 3년간의 차별에 대해 근로자들에게 금원 등을 지급하여야 합니다. 또 차별적 처우가 명백한 고의로 인정되거나 차별적 처우가 반복되는 경우에는 손해액을 기준으로 3배 이내의 범위에서 징벌적 손해배상을 하여야 합니다.

• 사용자는 기간제근로자임을 이유로 당해 사업 또는 사업장에서 동종 또는 유사한 업무에 종사하는 기간의 정함이 없는 근로계약을 체결한 근로자에 비하여 차별적 처우를 하여서는 아니 된다.

기간의 정함이 없는 근로계약을 체결한 '정규직 및 무기계약직'근로자는 신청권이 없음.

• 사용자는 단시간근로자임을 이유로 당해 사업 또는 사업장의 동종 또는 유사한 업무에 종사하는 통상근로자에 비하여 차별적 처우를 하여서는 아니 된다.

정규직인 경우에도 '단시간근로자'는 차별적 처우에 대해 시정을 청구할 수 있음.

• 파견사업주와 사용사업주는 파견근로자라는 이유로 사용사업주의 사업 내의 같은 종류의 업무 또는 유사한 업무를 수행하는 근로자에 비하여 파견근로자에게 차별적 처우를 하여서는 아니 된다.

'도급 및 용역근로자'는 파견근로자가 아니므로 신청권이 없음.

(1) 차별적 처우금지의 신청권자

기간제근로자를 이유로, 단시간근로자를 이유로, 파견근로자라는 이유로 사용자가 합리적 이유없이 임금 등에 있어 차별적 처우를 하지 못하는 것이므로 차별적 처우금지의 신청권은 기간제근로자, 단시간근로자, 파견근로자에게 있습니다.

(2) 무기계약직 근로자

기간의 정함이 없는 근로계약을 체결하였다는 점에서 정규직과 무기계약직은 법률적으로 같습니다. 그러나 회사 내 무기계약직과 계약직을 모두 두고 있는 경우 무기계약직 근로자의 임금 등 근로조건은 정규직근로자보다는 기간제근로자와 유사합니다.

이에 무기계약직 근로자도 「기간제법」에 따라 차별적 처우를 신청하고 싶지만, 무기계약직 근로자는 기간의 정함이 있는 근로계약을 체결한 자가 아니므로 신청권에 없습니다.

이러한 무기계약직 근로자의 열악한 근로조건을 고려하여 최근 법원[79]이 무기계약직에 대한 임금 차별이나 불합리한 차별 대우를 금지하는 판결을 한 바 있습니다. 이는 「기간제법」이 아닌 「근로기준법」상 균등처우원칙을 근거로 '동일노동 동일임금'의 가치를 내세운 판결입니다. 또 '기간제에서 무기계약직으로 전환된 근로자의 경우 무기계약직에 대한 별도 취업규칙이 없으면 정규직 취업규칙이 그대로 적용된다'는 판례[80]도 있어 무기계약직 근로자의 경우 「기간제법」상 차별적 처우금지신청권은 없으나 이들에 대한 합리적 이유없는 차별은 인정되기 어려울 것입니다.

(3) 정규직 혹은 무기계약직인 단시간근로자

단시간근로자는 통상근로자에 비하여 근로시간이 짧은 근로자를 말하는 것이므로, 단시간근로자가 정규직근로자 혹은 무기계약직 근로자인 경우에도 「기간제법」에 따라 차별적 처우를 신청할 수 있습니다.

(4) 도급근로자 혹은 용역근로자

파견근로자는 「파견법」에 따라 차별적 처우금지를 신청할 수 있는 신청권이 있으나, 도급근로자 혹은 용역근로자는 파견근로자가 아니므로 차별적 처우를 신청할 권한이 없습니다.

파견과 도급, 용역 등은 용어에 따라 구분할 것은 아니고, 계약의 법적 성질에 따라 구분합니다.

도급이란 '어떤 일을 완성할 것을 약정하고, 상대방이 그 일의 결과에 대하여 보수를 지급할 것을 약정함으로써 성립하는 계약'을 말하고, 용역은 일반적으로 물질적 재화의 형태를 취하지 아니하고 생산과 소비에 필요한 노무를 제공하는 일을 말하므로 법률적으로는 도급에 속합니다.

근로자파견은 '파견사업주가 근로자를 고용한 후 그 고용관계를 유지하면서 근로자파견계약의 내용에 따라 사용사업주의 지휘·명령을 받아 사용사업주를 위한 근로에 종사하게 하는 것'입니다.

원청의 사업장에서 하청업체근로자로 근무하는 근로자가 도급근로자 혹은 용역근로자라면 차별시정청구권이 없고, 계약은 도급인데 실질은 근로자파견이라면 「파견법」에 따라 차별시정청구권이 있습니다.

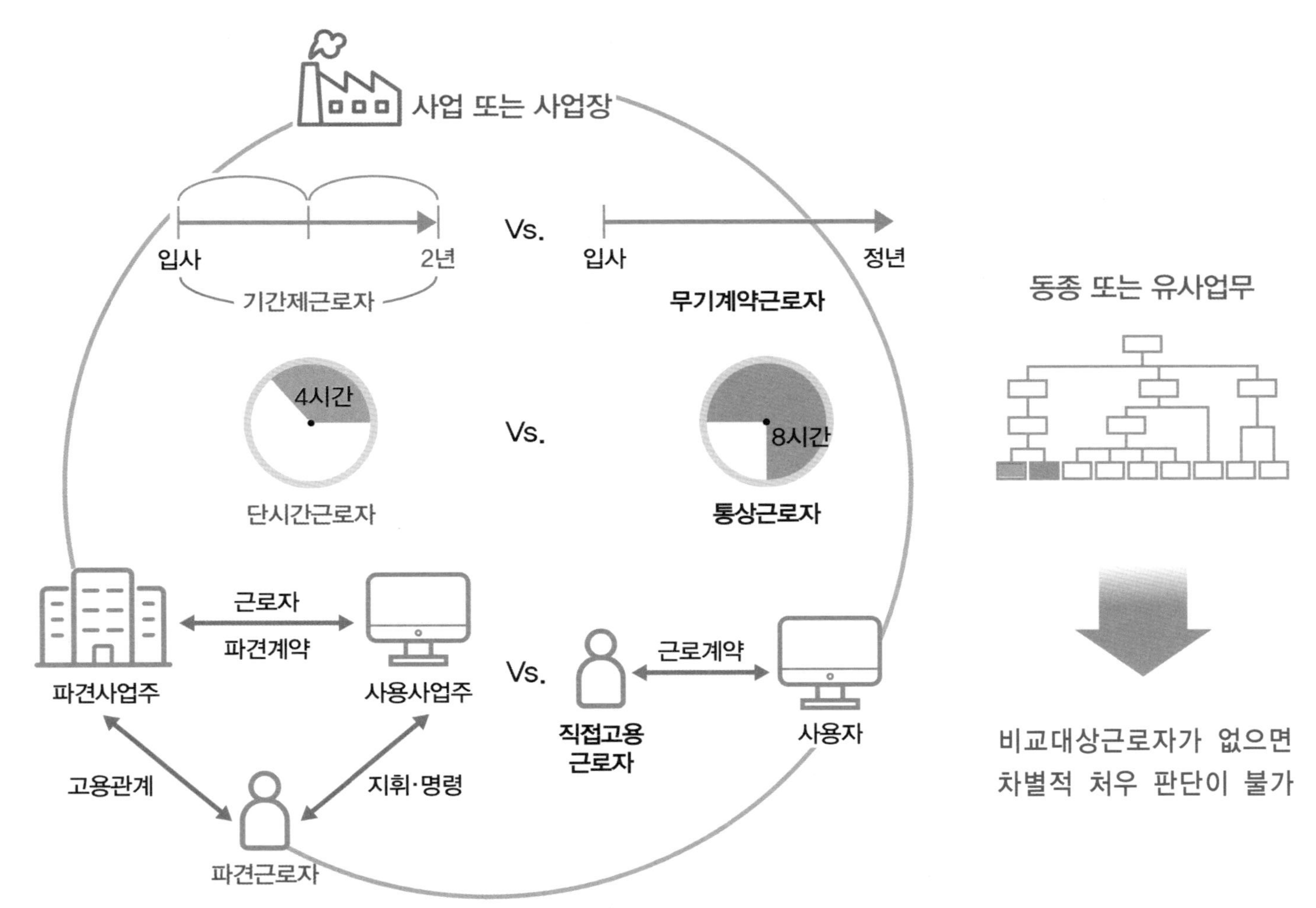
사업 또는 사업장
입사
2년
기간제근로자
Vs.
입사
정년
무기계약근로자
4시간
단시간근로자
Vs.
8시간
통상근로자
근로자
파견계약
파견사업주
사용사업주
고용관계
지휘·명령
파견근로자
Vs.
근로계약
직접고용
근로자
사용자
동종 또는 유사업무
비교대상근로자가 없으면
차별적 처우 판단이 불가

(1) 차별의 기준이 되는 비교대상근로자

차별인지 판단하기 위해서는 기준이 있어야 합니다. 비교대상근로자는 근무장소와 수행하는 업무 등을 고려하여 결정되는데 기간제근로자, 단시간근로자, 파견근로자의 비교대상은 각각 다릅니다.

(2) 각기 다른 비교대상

기간제근로자의 비교대상근로자는 기간의 정함이 없는 근로계약을 체결한 자, 단시간근로자의 비교대상근로자는 통상근로자, 파견근로자의 비교대상근로자는 사용사업주의 근로자입니다.

(3) 비교의 장소

기간제근로자 및 단시간근로자는 「기간제법」에 따라 '당해 사업 또는 사업장'이 비교의 장소가 되고, 파견근로자는 「파견법」에 따라 '사용사업주의 사업'이 비교의 장소가 됩니다.

(4) 동종 또는 유사업무

차별의 기준이 되는 비교대상근로자가 있는지 여부는 '동종 또는 유사업무'가 가장 중요한 기준이 됩니다.

여기서 동종업무란 직종을 기준으로 그 직종 내에서 직무나 작업내용이 같은 업무를 말하고, 유사업무란 다소 차이가 있어 서로 일치하지 않더라도 본질적 차이가 없어 현저한 질적 차이를 인정할 사정이 없는 경우를 말합니다.

동종 또는 유사업무는 실제 수행해 온 업무를 기준으로 판단하는데, 업무내용이 완전히 동일한 경우(동종업무)보다는 유사한 업무에 해당하는지 여부가 문제되는 경우가 많습니다. 유사업무인지 여부는 업무의 핵심요소를 기준으로 질적 차이가 있는지를 기준으로 판단합니다.[81)]

(5) 비교대상근로자가 없는 경우

기간제근로자, 단시간근로자 및 파견근로자에 대한 차별적 처우가 성립하기 위해서는 근로조건을 비교할 수 있는 기준, 즉 비교대상근로자가 존재하여야 합니다. 비교대상근로자가 없다면 차별의 기준을 삼을 수 없으므로 차별적 처우가 성립하지 않습니다.

임금 아닌 돈
경영성과금

임금,
정기상여금

임금 아닌
물품

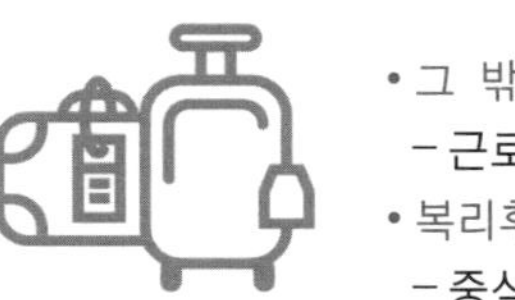

• 그 밖에 근로조건
 - 근로시간, 휴일, 휴가 등
• 복리후생 등에 관한 사항
 - 중식비, 통근비, 건강검진 등

기간제법

"차별적 처우"라 함은 다음 각 목의 사항에 있어서 합리적인 이유 없이 불리하게 처우하는 것을 말한다.

• 「근로기준법」 제2조 제1항 제5호에 따른 임금
• 정기상여금, 명절상여금 등 정기적으로 지급되는 상여금
• 경영성과에 따른 성과금
• 그 밖에 근로조건 및 복리후생 등에 관한 사항

비정규직근로자에게 발생하는 불이익 전반을 포함

이하의 차별금지영역에 해당하는 경우에만 차별의 시정을 요구할 수 있습니다.

- 「근로기준법」상 임금
- 정기상여금, 명절상여금 등 정기적으로 지급되는 상여금
- 경영성과에 따른 성과금
- 그 밖에 근로조건 및 복리후생 등에 관한 사항

차별금지영역은 임금뿐만 아니라 임금 아닌 경영성과급, 근로조건 및 복리후생 등을 모두 포함합니다.

"차별적 처우"라 함은 다음 각 목의 사항에 있어서 합리적인 이유 없이 불리하게 처우하는 것을 말한다.

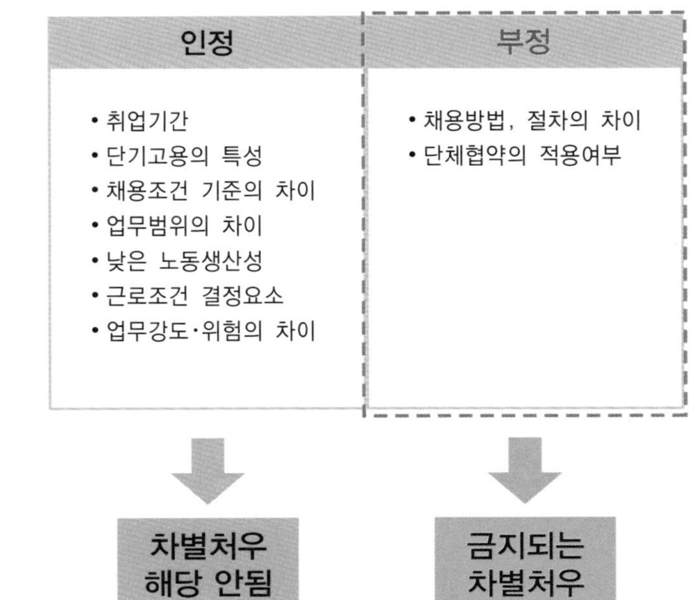

(1) 차별적 처우의 의미

차별적 처우란 합리적 이유 없이 불리하게 처우하는 것으로, 차별 자체를 금지하는 것은 아닙니다.

'합리적인 이유가 없는 경우'라 함은 '기간제근로자를 달리 처우할 필요성이 인정되지 아니하거나, 달리 처우할 필요성이 인정되는 경우에도 그 방법·정도 등이 적정하지 아니한 경우'를 의미합니다.

합리적인 이유가 있는지 여부는 개별 사안에서 문제가 된 불리한 처우의 내용 및 사용자가 불리한 처우의 사유로 삼은 사정을 기준으로 기간제근로자의 고용형태, 업무의 내용과 범위·권한·책임, 임금, 그 밖의 근로조건 등의 결정요소 등을 종합적으로 고려하여 판단합니다.

(2) 합리적 이유로 인정되는 경우

① 취업기간: 근속수당처럼 취업기간에 따라 임금, 그 밖의 근로조건을 비례적으로 적용한 결과 비교대상근로자에 비해 불리한 처우가 발생하는 경우 합리적 이유가 있는 것으로 봅니다.

② 단기고용의 특성: 단기고용이라는 특성에 따른 임금 및 근로조건 등에서의 차이는 합리적 이유가 있는 것으로 볼 수 있습니다.

③ 채용조건 기준의 차이: 채용 시 경력 및 자격증이 다른 경우는 합리적 이유가 있는 것으로 볼 수 있습니다.

④ 업무범위의 차이: 근로의 양·질을 정하는 업무범위의 차이가 있으면 합리적 이유가 인정됩니다.

⑤ 업무 권한·책임의 차이: 직책수당, 직급수당 등과 같이 업무 권한·책임에 따라 임금에 차이가 있는 것은 합리적 이유가 될 수 있습니다.

⑥ 낮은 노동생산성: 실제 업무수행 결과인 근로의 질과 양이 비교대상근로자에 비해 낮음을 이유로 임금체계에 따라 차등을 두었다면, 이는 합리적 이유가 될 수 있습니다.

⑦ 근로조건 결정요소: 직무, 능력, 기능, 기술, 자격, 경력, 학력, 근속연수, 책임 등의 차이로 인하여 불리한 임금을 받는 경우에는 합리적 이유로 인정됩니다.

⑧ 업무강도·위험의 차이: 주간근무와 야간근무처럼 업무강도가 다르거나 업무의 위험수준이 높은 경우 차별의 합리적 이유로 인정됩니다.

(3) 합리적 이유로 보기 어려운 경우

① 채용방법·절차의 차이: 공개채용 여부, 입사시험의 유무 등 채용의 방법이나 절차가 다르다는 점은 합리적 이유가 될 수 없습니다.

② 단체협약의 적용여부: 단체협약이 기간제근로자에게 적용되지 않는다는 사정은 합리적 이유로 인정되지 않습니다.

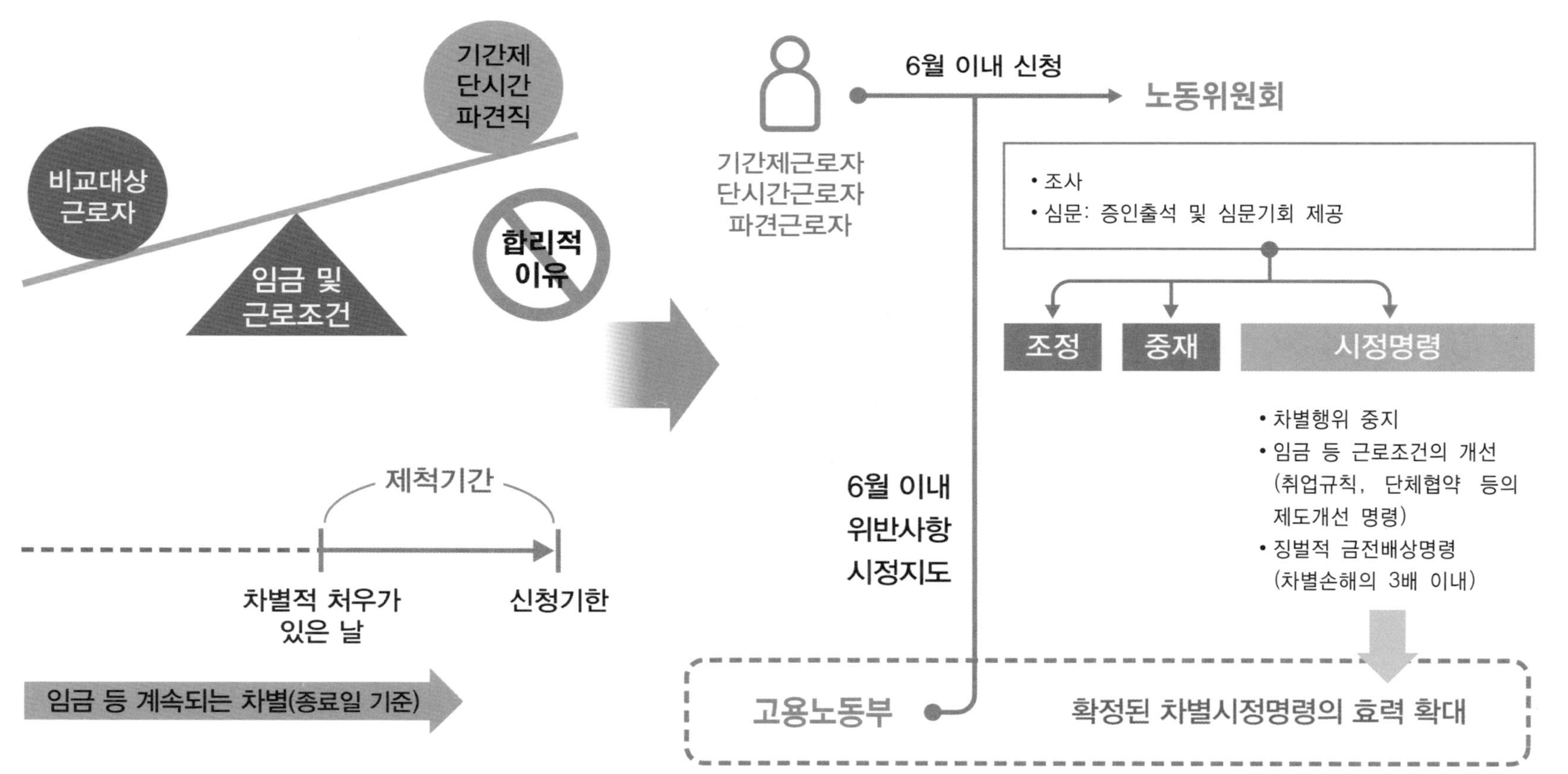
기간제
단시간
파견직
비교대상
근로자
임금 및
근로조건
합리적
이유
제척기간
차별적 처우가
있은 날
신청기한
임금 등 계속되는 차별(종료일 기준)
기간제근로자
단시간근로자
파견근로자
6월 이내 신청
노동위원회
• 조사
• 심문: 증인출석 및 심문기회 제공
조정
중재
시정명령
• 차별행위 중지
• 임금 등 근로조건의 개선
(취업규칙, 단체협약 등의
제도개선 명령)
• 징벌적 금전배상명령
(차별손해의 3배 이내)
6월 이내
위반사항
시정지도
고용노동부
확정된 차별시정명령의 효력 확대

(1) 차별적 구제 신청기한

「기간제법」 또는 「파견법」에 저촉되는 차별적 처우에 대해서는 차별적 처우가 있은 날로부터 6개월 이내에 노동위원회에 그 시정을 청구하여야 합니다.

신청기한인 6개월은 기간의 연장 또는 중단이 허용되지 않는 제척기간입니다.

임금 등의 경우에는 취업규칙이나 근로계약서에 의해 근로조건이 결정되므로 계속되는 차별에 속하는데, 계속되는 차별은 종료일을 기준으로 6개월 이내에 차별적 구제를 신청할 수 있습니다. 이때 임금채권의 소멸시효는 3년이고 예외사유가 없는 한 기간제근로자의 계속근로기간 2년, 파견근로자의 파견근로기간 2년이므로 거의 대부분의 차별에 대해 보상받을 수 있습니다.

(2) 고용노동부의 차별 관련 근로감독

차별시정권을 가진 근로자 외에도 고용노동부의 근로감독관이 사업장감독을 통해 차별적 처우가 있은 날로부터 6개월 이내의 위반사항에 대해 근로감독을 할 수 있습니다.

근로감독관은 합리적 이유없는 차별적 처우에 대해 사용자에게 시정지도를 할 수 있습니다.

(3) 노동위원회의 시정명령

기간제근로자 등의 차별시정신청 또는 근로감독관의 사업장지도점검 결과에 불복하는 경우 노동위원회는 「기간제법」 또는 「파견법」상 차별적 처우가 있는지를 판단합니다.

노동위원회에서 차별적 처우라고 인정되면, 사용자는 차별행위를 중지하여야 합니다.

또한 향후 차별적 처우가 반복되지 않도록 취업규칙, 단체협약 등을 변경하도록 명령할 수 있습니다.

사용자가 기간제근로자 등을 합리적 이유없이 차별하는 것이 명백한 고의로 인정되거나 차별적 처우가 반복되는 경우에는 손해액을 기준으로 3배를 넘지 아니하는 범위 내에서 배상을 명령할 수 있습니다.

"도급"은 당사자 일방이 어느 일을 완성할 것을 약정하고 상대방이 그 일의 결과에 대하여 보수를 지급할 것을 약정함으로써 그 효력이 생긴다.

파견법

"근로자파견"이란 파견사업주가 근로자를 고용한 후 그 고용관계를 유지하면서 근로자파견계약의 내용에 따라 사용사업주의 지휘·명령을 받아 사용사업주를 위한 근로에 종사하게 하는 것을 말한다.

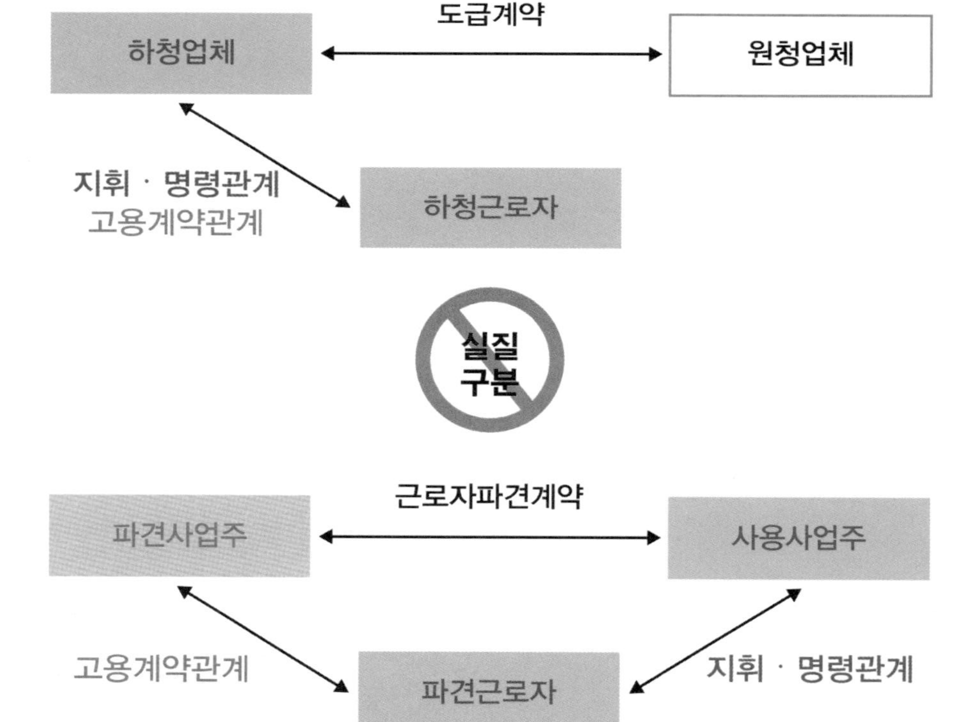

(1) 도급과 근로자파견에 대한 법률적 구분

도급이란 '어떤 일을 완성할 것을 약정하고, 상대방이 그 일의 결과에 대하여 보수를 지급할 것을 약정함으로써 성립하는 계약'을, 근로자파견은 '파견사업주가 근로자를 고용한 후 그 고용관계를 유지하면서 근로자파견 계약의 내용에 따라 사용사업주의 지휘·명령을 받아 사용사업주를 위한 근로에 종사하게 하는 것'으로 도급은 「민법」에 근거를 둔 개념이고, 근로자파견은 「파견법」에 따른 것입니다.

원청업체와 하청업체 간에 도급계약을 체결하는 것이므로, 원청업체와 하청근로자 간에는 어떠한 법률적 관계도 성립하지 않습니다.

이에 반해 근로자파견은 파견사업주와 사용사업주 간에 근로자파견계약을 체결함에 따라 파견근로자가 사용사업주의 사업장에서 실제 일을 하므로, 사용사업주와 파견근로자 간에 지휘·명령관계가 성립합니다.

(2) 도급과 근로자파견의 실질적 구분

도급과 근로자파견은 근거법률을 달리하는 등 법률적으로 명확히 구분되나, 실질에 있어서는 매우 구분하기가 어렵습니다.

원청업체가 업무의 일부만 하청업체에게 도급하는 경우 업무의 성격상 원청업체가 하청업체의 업무에 영향을 미칠 수 있고, 특히 하청근로자가 원청업체의 사업장에서 근로하는 경우라면 원청업체가 하청근로자에게 지휘·감독을 행사할 가능성이 높기 때문입니다.

그렇게 되면 도급계약을 체결하였음에도 사용사업주(원청업체)와 파견근로자(하청근로자) 간에 지휘·감독관계가 성립하는 근로자파견과 구분하기가 매우 어렵습니다.

(3) 실무에 있어 근로자파견의 판단기준

도급과 근로자파견은 법률적으로는 명확히 구분되나 실질적으로 구분이 어려운 바, 실무상 도급이 근로자파견인지를 판단하는 기준은 대법원의 판례[82]와 이에 따른 고용노동부의 지침[83]에 따릅니다.

법원은 ① 업무상 상당한 지휘·명령, ② 사용사업주등의 사업에의 실질적 편입, ③ 인사·노무 관련 결정 권한 행사, ④ 계약 목적의 확정 및 업무의 구별, 전문성·기술성, ⑤ 계약목적 달성을 위해 필요한 기업 조직·설비·보유 등 다섯 가지 판단 기준을 제시했습니다.

법원의 판단 기준에 따라 고용노동부는 '근로관계의 실질'에 따라 각 판단요소들을 종합적으로 고려합니다. 종전 고용노동부 지침이 ① 업무의 직접적인 지시여부에 중점을 두고 도급이 「파견법」상 근로자파견에 해당하는지를 판단했다면, 이제는 ② 사업장에의 실질적인 편입 특히, 혼재근무 여부 등을 근로자파견인지 여부를 판단하는 중요한 징표로 보는 것으로 변경된 것입니다.

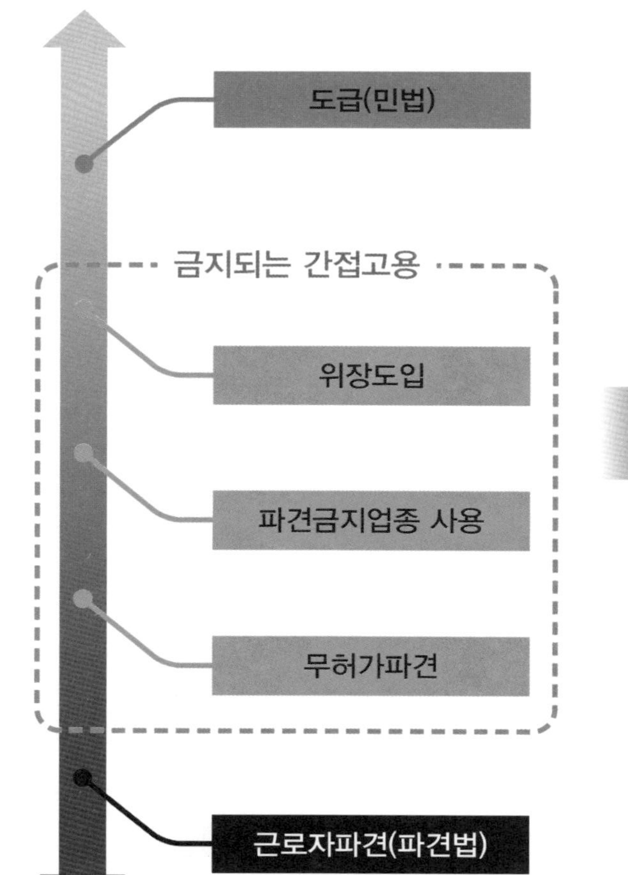

파견법위반에 따른 형사처벌

파견금지 업종 파견, 파견기간 위반, 무허가 파견 등 3년 이하 징역 또는 2천만 원 이하 벌금

직접 고용명령

계약의 실질이 파견 또는 근로계약이기 때문에 당해 근로자를 직접 고용하여야 하고, 시정명령 미이행 시 1인당 3천만 원 이하의 과태료

직접고용에 따른 사업주 책임

근로자를 직접고용하게 되면 사회보험법상 사업주로서의 책임, 임금, 퇴직금, 주휴수당 지급 책임 등 노동관계법령상 사용자로서 책임을 부담하여야 함.

차별시정 소급 이행

근로자가 위장도급 및 불법파견 기간 중 동종·유사업무에 종사하는 사용사업주의 근로자에 비하여 받아온 차별적 처우에 대해 시정명령 및 이에 대해 사업주는 소급 이행의무 부담(차별받은 금액의 3배 이내에서 징벌적 손해배상 가능)

(1) 위장도급으로 인한 불법파견

도급이 진정한 도급이 아니라 거짓도급, 즉 위장도급으로 판단된다 하더라도 곧바로 불법파견이 되는 것은 아닙니다.

도급이 위장도급이 되고 실질이 근로자파견에 해당하는 경우 「파견법」상 파견허가를 받지 않고 근로자를 파견하는 '무허가파견'이 되거나, 하청 근로자가 수행하는 업무가 파견금지업무에 해당하는 등의 사정 때문에 불법파견으로 귀결되는 경우가 많습니다.

(2) 위장도급 및 불법파견으로 인한 법적 위험성

근로자파견은 「파견법」상 32종의 근로자파견대상업무에 대해서 혹은 절대파견금지업종이 아닌 경우에 한해 파견사유가 있어야 적법하고, 파견기간도 원칙적으로 총 2년 이내의 범위에서, 파견허가를 득한 자만 근로자를 파견할 수 있는 등 「파견법」을 위반하면 파견사업주와 사용사업주 모두 3년 이하의 징역 또는 2천만 원 이하의 벌금에 처해지게 됩니다.

사용사업주가 「파견법」을 위반하여 파견근로자를 사용하게 되면, 해당 파견근로자를 직접 고용하여야 할 의무를 부담합니다.

사용사업주는 근로시간, 안정 등에 대해서만 파견근로자의 법률상 사용자이지만 직접고용하게 되면 「근로기준법」을 비롯한 노동관계법률상 사용자로서 모든 책임을 져야 합니다.

사용사업주의 직접고용한 근로자와 파견근로자 간에 합리적 이유없는 차별이 인정되면 사용사업주는 파견근로자의 차별적 처우에 대해 시정을 하여야 하고, 차별받은 금액의 3배 이내에서 징벌적 손해배상을 할 수도 있습니다.

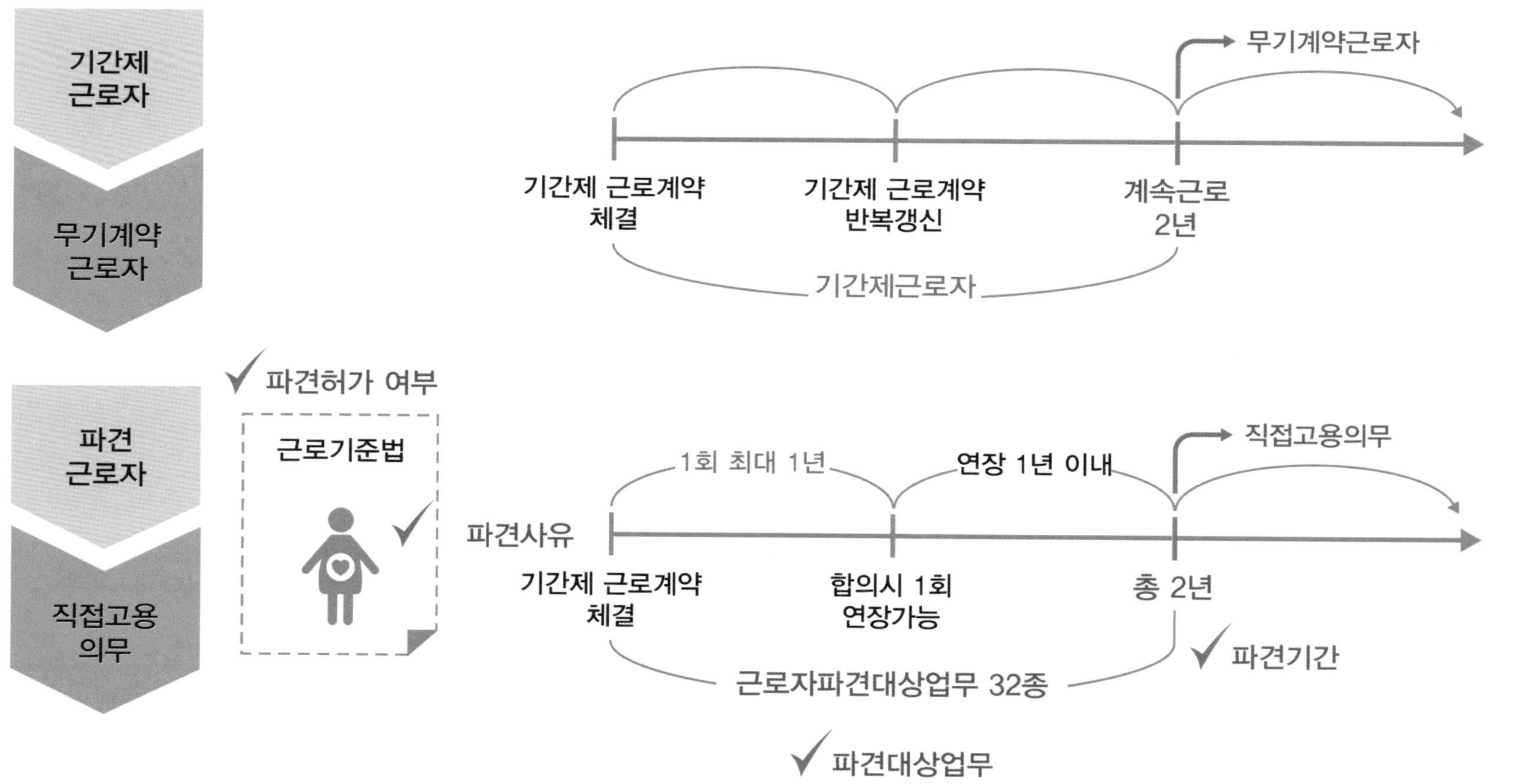
기간제
근로자
무기계약
근로자
기간제 근로계약
체결
기간제 근로계약
반복갱신
계속근로
2년
무기계약근로자
기간제근로자
파견허가 여부
근로기준법
파견
근로자
직접고용
의무
파견사유
1회 최대 1년
연장 1년 이내
직접고용의무
기간제 근로계약
체결
합의시 1회
연장가능
총 2년
파견기간
근로자파견대상업무 32종
파견대상업무

(1) 기간제근로자의 무기계약직으로 전환

사용자가 사용기간제한의 예외사유가 없음에도 기간제근로자를 계속하여 2년 이상 사용하면 계속근로기간이 2년을 도과한 시점부터 기간의 정함이 없는 근로계약을 체결한 자로 전환됩니다.

기간의 정함이 없는 근로계약을 체결한 자로 전환될 때 법률상 '간주'이므로 사용자가 비정규직 전환 심의 등을 거쳐야 무기계약직으로 전환되는 것이 아닙니다. 법원이나 노동위원회 등을 통해서 법적 효력을 확인만 받으면 계속근로기간이 2년을 도과한 시점을 기준으로 무기계약직으로 전환된 것으로 봅니다.

(2) 파견근로자에 대한 직접고용의무

적법한 파견이 되기 위해서는 ① 파견허가가 있고, ② 근로자파견대상업무이어야 하고, ③ 절대파견금지업종이 아니라면 파견사유가 적법하여야 하며, ④ 원칙적으로 파견기간이 2년 이내이어야 합니다.

위 요건을 하나라도 충족하지 못하면 사용사업주는 파견근로자에 대해서 직접고용의무를 부담하게 됩니다.

(3) 단시간근로자에 대한 직접고용의무 등이 없는 이유

기간제근로자, 단시간근로자, 파견근로자의 근로조건을 보호하기 위해 차별시정제도를 두고, 이들의 고용관계를 안정화시키기 위해 기간제근로자에서 무기계약직으로 전환하는 규정을, 파견근로자에 대한 직접고용하도록 하는 규정이 있습니다.

정규직 또는 무기계약직인 단시간근로자는 고용은 보장되어 있으므로 무기계약직 전환이나 직접고용의무 등은 적용되지 않습니다. 다만, 기간제근로자이면서 단시간근로자라면 「기간제법」을, 파견근로자이면서 단시간근로자라면 「파견법」을 적용받을 수 있습니다.

13

노사협의회, 근로감독 등

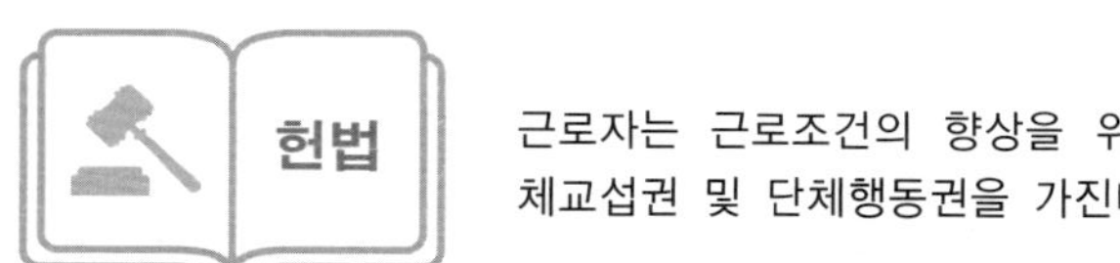

근로자는 근로조건의 향상을 위하여 자주적인 단결권·단체교섭권 및 단체행동권을 가진다.

이 법은 헌법에 의한 근로자의 단결권·단체교섭권 및 단체행동권을 보장하여 근로조건의 유지·개선과 근로자의 경제적·사회적 지위의 향상을 도모하고, 노동관계를 공정하게 조정하여 노동쟁의를 예방·해결함으로써 산업평화의 유지와 국민경제의 발전에 이바지함을 목적으로 한다.

이 법은 근로자와 사용자 쌍방이 참여와 협력을 통하여 노사 공동의 이익을 증진함으로써 산업 평화를 도모하고 국민경제 발전에 이바지함을 목적으로 한다.

노동조합

근로자가 주체가 되어 자주적으로 단결하여 근로조건의 유지·개선 기타 근로자의 경제적·사회적 지위의 향상을 도모함을 목적으로 조직하는 단체 또는 그 연합단체

☞ 근로자의 자유에 의해 설립·가입 보장

노사협의회

근로자와 사용자가 참여와 협력을 통하여 근로자의 복지증진과 기업의 건전한 발전을 도모하기 위하여 구성하는 협의기구

☞ 상시근로자 30인 이상 사업장 설치의무

이름이 비슷해서인지 노동조합과 노사협의회를 같은 것으로 생각하거나 비슷한 것으로 생각하는 경우가 많습니다. 유사한 점도 있지만 노동조합과 노사협의회는 근거법률도 다르고, 설립 목적이나 회사 내에서 활동하는 기능도 다릅니다.

(1) 「노동조합법」상 노동조합

노동3권은 헌법상 기본권으로서 실제로 노동3권을 행사함에 있어 보호하기 위해 제정된 법률이 「노동조합법」이고, 「노동조합법」에 따라 조직된 단체가 노동조합입니다.

노동조합은 근로조건의 유지개선과 근로자의 경제적·사회적 지위 향상을 목적으로 하는데, 한정된 재화 속에서 경영진의 이익분배와 근로자의 근로조건 향상은 이해관계가 충돌하는 경우가 많습니다. 이 때문에 「노동조합법」은 노사관계에서 발생하는 갈등을 공정하게 조정하고 이로 인한 노동쟁의가 발생하지 않도록 예방하거나 이미 발생된 노동쟁의를 해결하기 위한 규정으로 구성되어 있습니다.

노동조합은 근로자의 자유에 따라 설립할 수 있고, 근로자 개인의 의사에 따라 노동조합에 가입할 수 있는 자유가 있습니다. 즉, 설립이나 가입이 근로자 개인의 자유에 따른 것이므로, 회사 내에 노동조합이 없거나 조합원이 없더라도 위법이 아니고, 회사 내에 둘 이상의 노동조합이 있더라도 문제되지 않습니다.

(2) 「근로자참여법」 노사협의회

「근로자참여법」의 정식명칭은 「근로자참여 및 협력증진에 관한 법률」로서 법률의 명칭에서 알 수 있듯이 근로자와 사용자 쌍방이 참여와 협력을 통해 노사 공동의 이익을 증진하는 것이 목적이므로, 갈등을 전제로 이를 해결하기 위한 「노동조합법」과는 법률의 목적 및 성격이 확연히 다릅니다.

노동조합의 가입 및 설립이 오롯이 근로자의 자유에 따른 것과 달리, 노사협의회는 상시근로자 수가 30명 이상인 회사라면 「근로자참여법」에 따라 반드시 설치하여야 합니다.

노사협의회란 '근로자와 사용자가 참여와 협력을 통하여 근로자의 복지증진과 기업의 건전한 발전을 도모하기 위하여 구성하는 협의기구'로 노사문제의 해결보다는 정기적인 회의 등을 통해 노사 간의 소통창구 역할이 더 큽니다.

노사협의회 의결사항

- 근로자의 교육훈련 및 능력개발 기본 계획의 수립
- 복지시설의 설치와 관리
- 사내근로복지기금의 설치
- 고충처리위원회에서 의결되지 아니한 사항
- 각종 노사공동위원회의 설치

노사협의회 보고사항

- 경영계획 전반 및 실적에 관한 사항
- 분기별 생산계획과 실적에 관한 사항
- 인력계획에 관한 사항
- 기업의 경제적·재정적 상황

☞ 노동조합의 단체교섭대상에서 제외

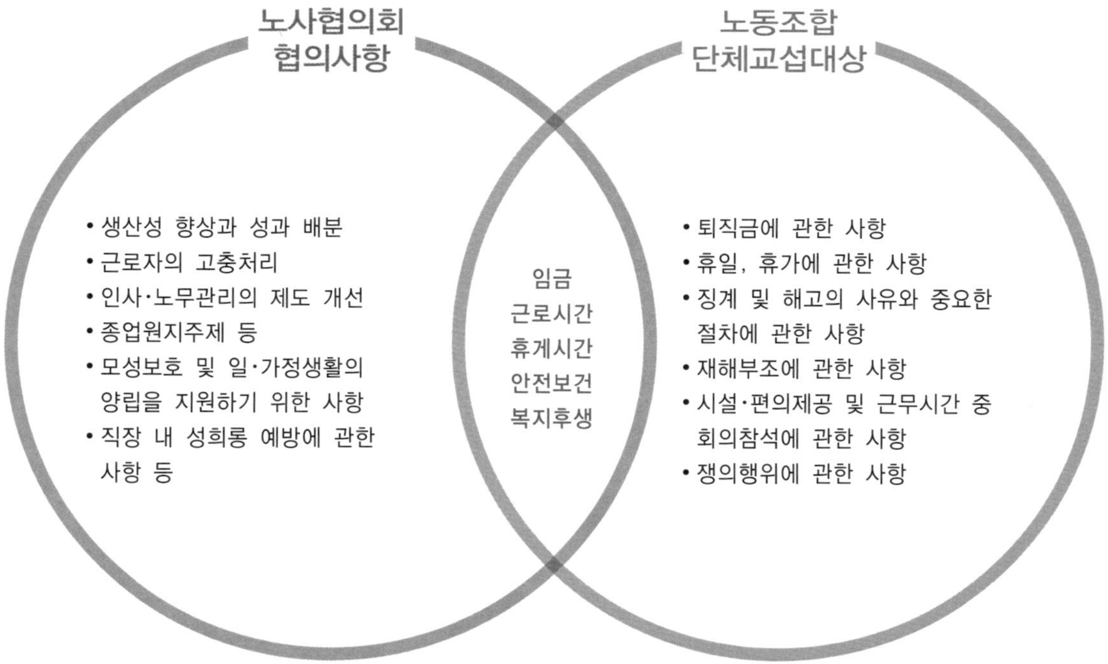

노사협의회 협의사항

- 생산성 향상과 성과 배분
- 근로자의 고충처리
- 인사·노무관리의 제도 개선
- 종업원지주제 등
- 모성보호 및 일·가정생활의 양립을 지원하기 위한 사항
- 직장 내 성희롱 예방에 관한 사항 등

공통

임금
근로시간
휴게시간
안전보건
복지후생

노동조합 단체교섭대상

- 퇴직금에 관한 사항
- 휴일, 휴가에 관한 사항
- 징계 및 해고의 사유와 중요한 절차에 관한 사항
- 재해부조에 관한 사항
- 시설·편의제공 및 근무시간 중 회의참석에 관한 사항
- 쟁의행위에 관한 사항

(1) 노동조합과 노사협의회의 유사성

노동조합과 노사협의회는 근로자가 참여한 단체가 공통적인 근로조건에 관해 사용자의 의사결정과정에 참여할 수 있다는 점이 유사합니다.

(2) 노사협의회의 협의사항

노동조합이 단체교섭을 요구하면 사용자는 이에 반드시 응하여야 하므로, 교섭대상인지 여부는 매우 중요합니다. 원칙적으로 노동조합이 사용자에게 교섭을 요구할 수 있는 대상은 근로조건에 관한 사항입니다.

노동조합의 교섭대상 중 임금, 근로시간, 휴게시간, 안전보건, 복리후생은 노사협의회의 협의사항이기도 합니다. 노사협의회는 3개월에 1회 이상 회의를 하도록 되어 있는데, 회의의 협의사항과 의결사항, 보고사항이 구분되어 있습니다.

당사자 간에 의견이 합치되어야 하는 합의와 달리 협의는 서로 협력하여 의견을 논하는 것이므로 「근로자참여법」상 협의사항이 아닌 교섭대상인 경우에도 노사협의회에서 협의할 수 있습니다.

- 퇴직금에 관한 사항
- 휴일, 휴가에 관한 사항
- 징계 및 해고의 사유와 중요한 절차에 관한 사항
- 재해부조에 관한 사항
- 시설·편의제공 및 근무시간 중 회의참석에 관한 사항
- 쟁의행위에 관한 사항

(3) 노사협의회의 의결사항

노사협의회가 의논하여 결정할 수 있는 의결사항은 다음과 같습니다.

- 근로자의 교육훈련 및 능력개발 기본계획의 수립
- 복지시설의 설치와 관리
- 사내근로복지기금의 설치
- 고충처리위원회에서 의결되지 아니한 사항
- 각종 노사공동위원회의 설치

(4) 노사협의회의 보고사항

사용자가 노사협의회 정기회의에서 보고하거나 설명할 의무가 있는 것은 다음과 같습니다.

- 경영계획 전반 및 실적에 관한 사항
- 분기별 생산계획과 실적에 관한 사항
- 인력계획에 관한 사항
- 기업의 경제적·재정적 상황

노사협의회 보고사항과 교섭대상이 아닌 노사협의회의 협의사항에 대해 노동조합이 교섭대상으로 삼을 수 있으나, 사용자가 교섭에 응하지 않더라도 「노동조합법」에 저촉되지 않습니다.

- 생산성 향상과 성과 배분
- 근로자의 고충처리
- 인사·노무관리의 제도 개선
- 종업원지주제 등
- 모성보호 및 일·가정생활의 양립을 지원하기 위한 사항
- 직장 내 성희롱 예방에 관한 사항 등

구분	노조위원장	근로자대표	근로자위원
관련 법령	노동조합법	근로기준법	근로자참여법
의미	노동조합 규약에 따라 선출된 노동조합의 대표자	• 그 사업 또는 사업장에 근로자의 과반수로 조직된 노동조합이 있는 경우에는 그 노동조합 • 근로자의 과반수로 조직된 노동조합이 없는 경우에는 근로자의 과반수를 대표하는 자	• 근로자가 선출 • 근로자의 과반수로 조직된 노동조합이 있는 경우에는 노동조합의 대표자와 그 노동조합이 위촉하는 자
권한	단체협약 체결권한	• 경영상해고시 협의 • 근로시간 관련 합의: 탄력근무제·선택근무제, 보상휴가제, 유급휴일·휴가의 대체, 근로시간 특례, 여성근로자의 야간·휴일근로 제한 등 – 과반수노동조합이 아닌 근로자대표는 취업규칙불이익 변경에 대한 동의권 없음.	• 협의·의결·보고사항 등에 관한 각 권한 • 의결 및 보고사항에 관한 자료요구권한 • (선임시)고충처리위원 역할

과반수노조가 없는 사업장의 근로자위원의 선출과정

근로자위원 입후보자 모집

• 사업·사업장 내 '근로자'
  – '사용자'의 지위를 겸하는 근로자는 제외
• 10명 이상 추천을 받은 자

직접 · 비밀 · 무기명 투표

• 근로자의 직접·비밀·무기명 투표
  – 단, 위원선거인에 대해 직접·비밀·무기명 투표 가능
• 사용자의 부당간섭금지

당선자 확정

• 다득표자 순으로 확정
  – 의결정족수를 요하는 것은 아님.

(1) 「노동조합법」에 근거를 둔 노조위원장

노조위원장은 노동조합의 대표자로서 노동조합의 규약에 따라 선출된 자입니다. 규약에 따른 구체적인 선출방법 등은 다를 수 있지만, 원칙적으로 「노동조합법」에 따라 조합원의 직접, 비밀, 무기명 투표를 통해 노조위원장을 선출하여야 합니다. 노조위원장은 사용자와 교섭할 권한과 단체협약을 체결할 권한을 갖습니다.

(2) 「근로기준법」상 근로자대표

「근로기준법」상 근로자대표와 「근로자참여법」상 근로자위원을 혼동하는 경우가 많은데, 「근로기준법」상 근로자대표는 해당 사업 또는 사업장에 과반수로 조직된 노동조합이 없는 경우에만 근로자대표가 필요한데 반해 「근로자참여법」상 근로자위원은 해당 사업 또는 사업장에 과반수로 조직된 노동조합의 유무와 관계없이 노사협의회가 설치된 사업장에는 반드시 근로자위원이 있어야 합니다.

사업 또는 사업장에 과반수로 조직된 노동조합이 있는 경우에는 그 노동조합이 ① 경영상 이유에 의한 해고나 연소자·임신 중인 여성근로자 및 산후 1년 미만인 여성근로자의 야간·휴일근로에 대한 협의의 주체가 되고 ② 3개월 이내 탄력적 근로시간제, 선택적 근로시간제, 보상휴가제, 유급휴일·휴가의 대체, 근로시간 및 휴게시간 특례 도입을 위한 서면합의를, ③ 취업규칙 변경 시 의견청취 내지 동의의 권한을 갖습니다.

회사 내에 노동조합이 없거나 노동조합이 과반수 노조가 아닌 경우에 근로자의 과반수를 대표하는 자, 즉 근로자대표가 「근로기준법」상 협의, 합의, 의견청취 및 동의를 할 권한을 갖게 됩니다.

노조위원장과 근로자위원 선출에 관해 근거법령에 규정된 것과 달리 근로자대표를 선출하는 방법 등에 법적 제한이 없는 것이 특징입니다.

(3) 「근로자참여법」상 근로자위원

노사협의회는 사용자위원과 근로자위원이 같은 수의 위원으로 구성하되, 위원은 각 3명 이상 10명 이하가 되어야 합니다. 노사협의회의 근로자위원은 3개월마다 1회 이상 열리는 정기회의에 참석하여 협의·의결사항에 대해 논의하고 사용자의 보고사항을 청취하며, 사용자에게 의결 및 보고사항에 관해 자료를 요구하는 등의 권한을 갖고 고충처리위원회 위원을 겸하는 경우 근로자의 고충사항에 대해 처리하여야 합니다.

사업 또는 사업장에 과반수로 조직된 노동조합이 있는 경우에는 노동조합에서 근로자위원을 위촉하고, 회사 내에 노동조합이 없거나 노동조합이 과반수 노조가 아닌 경우에는 「근로자참여법」에 정해진 바에 따라 근로자위원을 선출하여야 합니다.

(4) 과반수노조가 없는 사업장에서 근로자위원의 선출과정

과반수노조가 없는 사업 또는 사업장의 근로자위원은 근로자 10명 이상의 추천을 받은 자가 입후보하여 근로자의 직접, 비밀, 무기명 투표를 통해 근로자위원을 선출하여야 합니다.

간접선거가 절대 금지되는 노조위원장 선출과 달리 근로자의 직접, 비밀, 무기명 투표를 통해 위원선거인을 선출하고 위원선거인 과반수의 직접, 비밀, 무기명 투표를 통해 근로자위원을 선출할 수 있습니다.

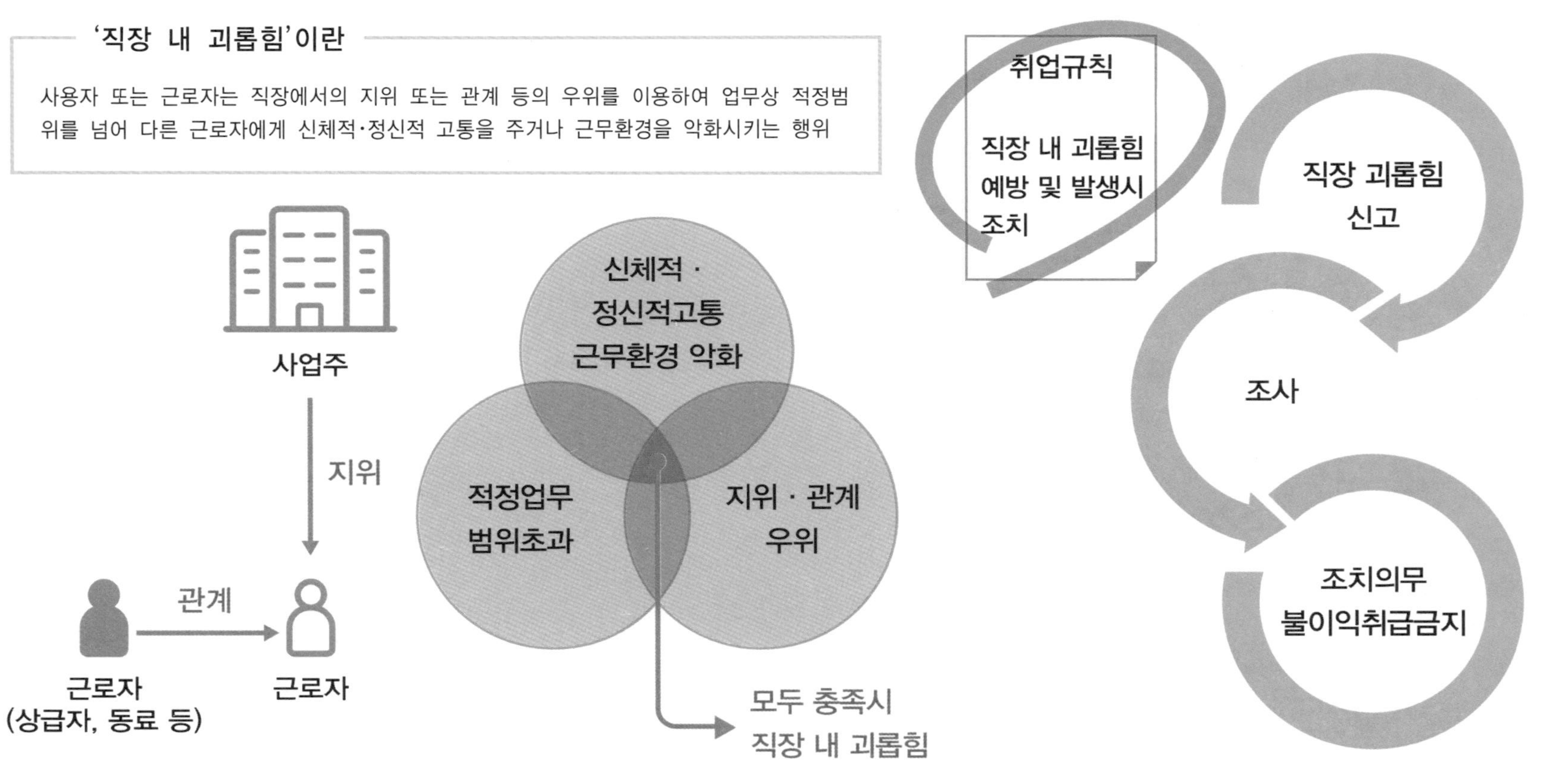
'직장 내 괴롭힘'이란
사용자 또는 근로자는 직장에서의 지위 또는 관계 등의 우위를 이용하여 업무상 적정범위를 넘어 다른 근로자에게 신체적·정신적 고통을 주거나 근무환경을 악화시키는 행위
사업주
지위
관계
근로자
(상급자, 동료 등)
근로자
신체적 ·
정신적고통
근무환경 악화
적정업무
범위초과
지위 · 관계
우위
모두 충족시
직장 내 괴롭힘
취업규칙
직장 내 괴롭힘
예방 및 발생시
조치
직장 괴롭힘
신고
조사
조치의무
불이익취급금지

(1) 직장 내 괴롭힘의 의미

2019. 1. 15.부터 직장 내 괴롭힘이 금지되고 있습니다. 직장 내 괴롭힘이란 '직장에서의 지위 또는 관계 등의 우위를 이용하여 업무상 적정범위를 넘어 다른 근로자에게 신체적·정신적 고통을 주거나 근무환경을 악화시키는 행위'를 말하는데, 괴롭히는 자가 사용자뿐만 아니라 직장상사나 동료근로자처럼 근로자도 포함됩니다.

「근로기준법」이 금지하는 직장 내 괴롭힘이 성립하기 위해서는 이하의 3가지 요건을 모두 갖추어야 합니다.

① 가해자가 '직장에서의 지위 또는 관계 등의 우위를 이용'하여 괴롭히는 경우입니다. 이는 개인 대 집단, 나이·학벌·성별·출신·지역 등과 같은 인적 속성, 근속연수·전문지식 등 업무역량, 노조·직장협의회 등 근로자 조직의 구성원 여부, 감사·인사부서 등 업무의 직장 내 영향력, 정규직 여부 등에 있어 상대방이 저항 또는 거절하기 어려울 개연성이 높은 상태로 인정되는 경우를 말합니다.

② '업무상 적정범위를 넘는 행위'는 업무상 필요성이 인정되지 않거나 업무상 필요성은 있더라도 그 행태 양태가 사회통념상 비추어볼 때 상당하지 않다고 인정되는 행위를 말합니다. 개인적인 심부름을 반복해서 시키거나 근로계약상 명시한 업무 외 무관한 일을 지시하는 경우, 집단따돌림이나 업무수행과정에서 의도적으로 무시하거나 배제하는 것이 이에 해당합니다.

③ '피해근로자가 신체적 또는 정신적 고통을 받았다'면 가해자의 의도와 무관하게 괴롭힘에 해당되고, 면벽근무 지시하는 등 피해근로자가 능력을 발휘하기 어렵게 만드는 것이 '근무환경 악화'로 볼 수 있습니다.

(2) 직장 내 괴롭힘 발생 사용자의 조처의무

누구든지 직장 내 괴롭힘에 대해 그 사실을 사용자에게 신고할 수 있는바, 사용자는 신고를 접수하거나 직장 내 괴롭힘 사실을 알게 된 경우에는 그 사실 확인을 위한 조사를 하여야 합니다. 이때 직장 내 괴롭힘 발생 사실을 신고한 자에 대해 해고나 그 밖에 불리한 처우를 하는 것은 금지됩니다.

조사과정에서 피해근로자 또는 피해받았다고 주장하는 근로자(이하 '피해근로자등'이라 한다)를 보호하기 위해 근무장소의 변경, 유급휴가 명령 등 적절한 조처를 하여야 하고, 피해근로자등의 의사에 반하는 조치를 하는 것은 금지됩니다.

조사결과 직장 내 괴롭힘이 확인되면 피해근로자가 요청하는 바에 따라 근무장소 변경, 배치전환, 유급휴가 명령 등 적절한 조처를 하여야 하고, 직장 내 괴롭힘을 한 행위자에 대해 징계, 근무장소의 변경 등을 하여야 합니다. 사용자는 직장 내 괴롭힘을 한 행위자에 대한 징계를 함에 있어 피해근로자의 의견을 들어야 합니다.

직장 내 괴롭힘 예방과 발생시 조치에 대해서는 상시근로자 10인 이상의 사업장이라면 취업규칙에 이를 반드시 규정하여야 합니다.

고객응대근로자: 주로 고객을 직접 대면하거나 정보통신망을 통하여 상대하면서 상품을 판매하거나 서비스를 제공하는 업무에 종사하는 근로자

- 폭언등을 하지 아니하도록 요청하는 문구 게시 또는 음성 안내
- 고객과의 문제 상황 발생 시 대처방법 등을 포함하는 고객응대업무 매뉴얼 마련
- 고객응대업무 매뉴얼의 내용 및 건강장해 예방 관련 교육 실시
- 그 밖에 고객응대근로자의 건강장해 예방을 위하여 필요한 조치

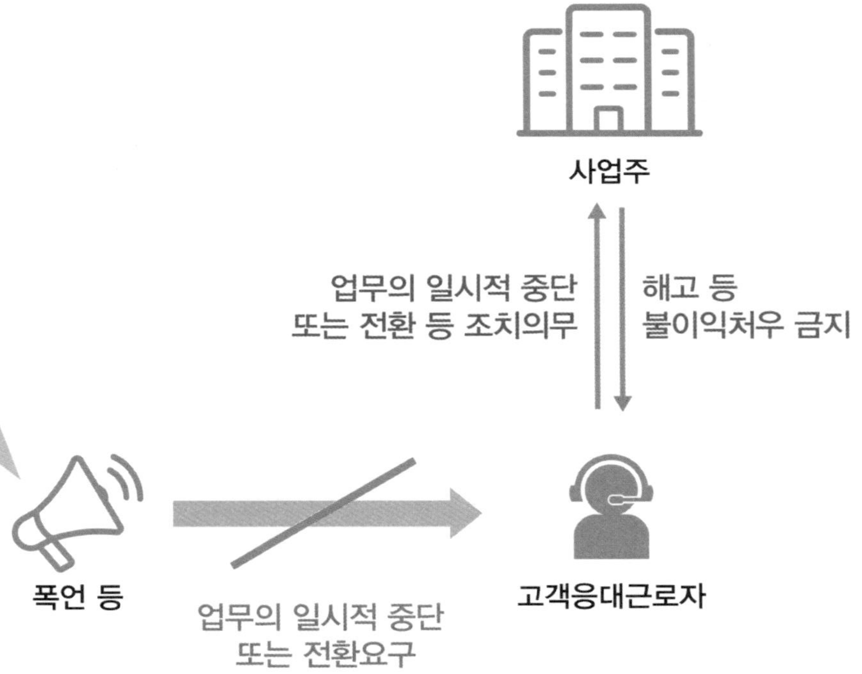

사업주

업무의 일시적 중단 또는 전환 등 조치의무

해고 등 불이익처우 금지

폭언 등

업무의 일시적 중단 또는 전환요구

고객응대근로자

(1) 고객으로부터 근로자 보호

「근로기준법」상 직장 내 괴롭힘 금지는 사용자와 근로자에 의한 괴롭힘에 대해 보호받을 수 있는데 반해, 고객에 의한 괴롭힘은 보호받을 수 없습니다.

이에 「산업안전보건법」에서는 주로 고객을 직접 대면하거나 「정보통신망 이용촉진 및 정보보호 등에 관한 법률」에 따른 정보통신망을 통하여 상대하면서 상품을 판매하거나 서비스를 제공하는 업무에 종사하는 근로자를 '고객응대근로자'로 보아 사업주가 고객응대근로자를 보호하기 위한 조처를 하도록 규정하고 있습니다.

(2) 사업주의 고객응대근로자에 대한 보호조치

사업주는 고객응대근로자에 대하여 고객의 폭언, 폭행, 그 밖에 적정 범위를 벗어난 신체적·정신적 고통을 유발하는 행위(이하 "폭언등"이라 한다)로 인한 건강장해를 예방하기 위한 필요조치를 하여야 합니다.

우선 고객이 폭언등을 하지 않도록 다음과 같은 예방조치를 하여야 합니다.

- 폭언등을 하지 아니하도록 요청하는 문구 게시 또는 음성 안내
- 고객과의 문제 상황 발생 시 대처방법 등을 포함하는 고객응대업무 매뉴얼 마련
- 고객응대업무 매뉴얼의 내용 및 건강장해 예방 관련 교육 실시
- 그 밖에 고객응대근로자의 건강장해 예방을 위하여 필요한 조치

고객의 폭언등으로 고객응대근로자에게 건강장해가 발생하거나 발생할 현저한 우려가 있는 경우에는 업무의 일시적 중단 또는 전환 등을 하여야 합니다.

고객응대근로자 역시 사업주에게 업무의 일시적 중단 또는 전환 등을 요청할 수 있고, 사업주는 이를 이유로 고객응대근로자를 해고하거나 그 밖에 불리한 처우를 하여서는 안됩니다.

직장 내 성희롱이란

사업주·상급자 또는 근로자가 직장 내의 지위를 이용하거나 업무와 관련하여 다른 근로자에게 성적 언동 등으로 성적 굴욕감 또는 혐오감을 느끼게 하거나 성적 언동 또는 그 밖의 요구 등에 따르지 아니하였다는 이유로 근로조건 및 고용에서 불이익을 주는 것

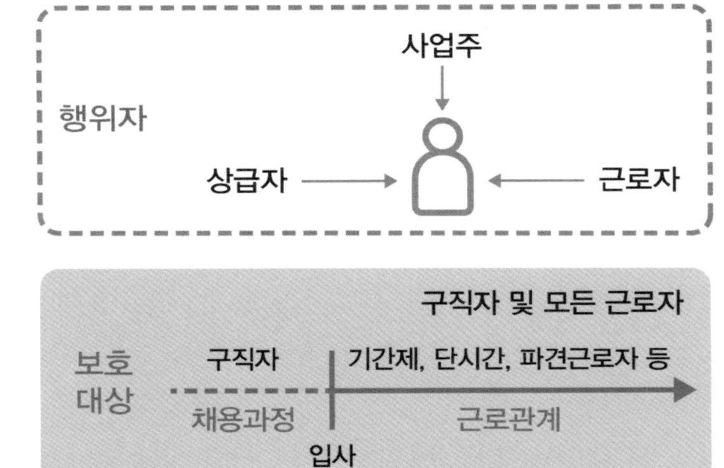

직장 내 성희롱 예방교육의 실시

직장 내 성희롱 관련 고충처리기관의 운영

(1) 직장 내 성희롱의 의미

직장 내 성희롱이란 '사업주·상급자 또는 근로자가 직장 내의 지위를 이용하거나 업무와 관련하여 다른 근로자에게 성적 언동 등으로 성적 굴욕감 또는 혐오감을 느끼게 하거나 성적 언동 또는 그 밖의 요구 등에 따르지 아니하였다는 이유로 근로조건 및 고용에서 불이익을 주는 것'을 말합니다.

성희롱을 한 자가 사업주, 상급자, 근로자인 경우 직장 내 성희롱에 해당되고, 고객이 성희롱을 한 경우 고객을 징계할 수는 없으므로 직장 내 성희롱으로 보지 않습니다.

성희롱에는 육체적 행위, 시각적 행위, 청각적 행위는 물론 기타 사회통념상 성적 굴욕감을 유발하는 것으로 인정되는 언어나 행동도 모두 포함됩니다.

직장 내 성희롱으로서 금지되는 행위인지는 직장 내에서의 지위를 이용하거나 업무와의 관련성이 있는지, 피해근로자가 원치 않는 행위를 하였는지, 성적 언동 또는 그 밖에 요구가 있었는지 등을 고려하되 행위자의 성희롱을 할 의도로 한 행위인지는 살피지 않습니다.

직장 내 성희롱으로부터 보호받는 자는 기간제근로자, 단시간근로자, 파견근로자 등 모든 근로자는 물론 채용과정에 응시한 구직자도 포함됩니다.

(2) 직장 내 성희롱의 예방

사업주는 직장 내 성희롱을 예방하기 위하여 연 1회 이상 예방교육을 실시하여야 하는데, 근로자뿐만 아니라 사용자와 사업주까지 모두 직장 내 성희롱예방교육을 이수하여야 합니다. 교육자료만 배포하는 것은 허용되지 않고 수강자가 교육내용을 숙지할 수 있도록 직장 내 성희롱 예방교육을 운영하여야 하고, 교육 후에는 교육내용을 게시하고 쉽게 열람할 수 있도록 조처를 취하여야 합니다.

또한 직장 내 성희롱과 관련된 고충처리기관을 운영하여야 합니다. 특히 상시근로자 30인 이상의 사업장에서는 반드시 고충처리기관을 운영하여야 하는데, 「근로자참여법」상 노사협의회의 고충처리위원이 이 역할을 수행할 수 있습니다.

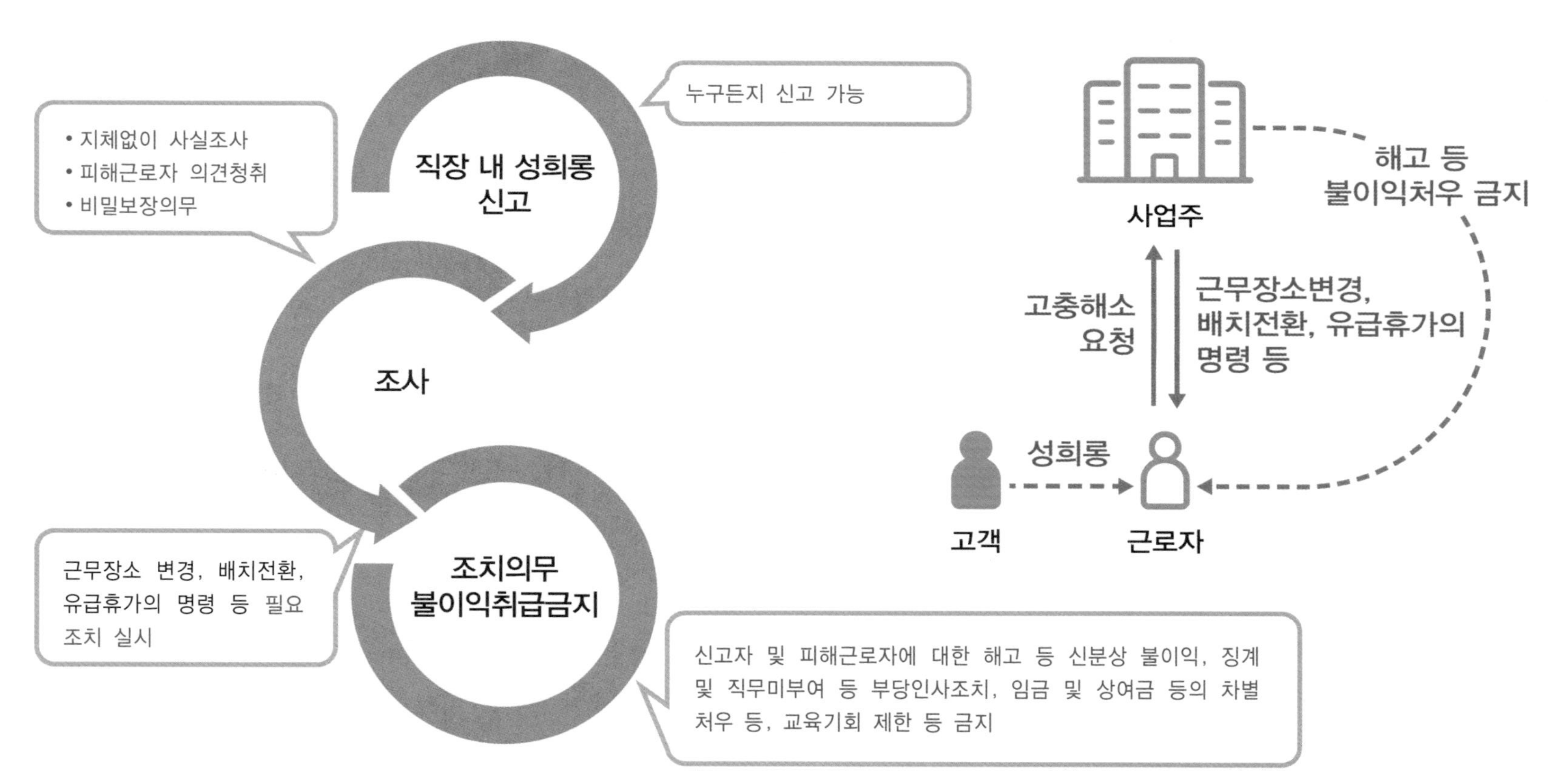
직장 내 성희롱
신고
누구든지 신고 가능
• 지체없이 사실조사
• 피해근로자 의견청취
• 비밀보장의무
조사
조치의무
불이익취급금지
근무장소 변경, 배치전환, 유급휴가의 명령 등 필요 조치 실시
신고자 및 피해근로자에 대한 해고 등 신분상 불이익, 징계 및 직무미부여 등 부당인사조치, 임금 및 상여금 등의 차별 처우 등, 교육기회 제한 등 금지
사업주
해고 등
불이익처우 금지
고충해소
요청
근무장소변경,
배치전환, 유급휴가의
명령 등
성희롱
고객
근로자

(1) 직장 내 성희롱 발생시 사업주의 대처

누구든지 직장 내 성희롱에 대해 그 사실을 사업주에게 신고할 수 있는 바, 사업주는 신고를 받거나 직장 내 성희롱 사실을 알게 된 경우에는 그 사실 확인을 위한 조사를 하여야 합니다.

직장 내 성희롱과 관련해 피해를 입은 근로자 또는 피해를 입었다고 주장하는 근로자(이하 '피해근로자등'이라 한다)가 조사과정에서 성적 수치심을 느끼지 않도록 유의하여야 합니다. 사업주에게 보고하거나 관계 기관의 요청에 따라 필요한 정보를 제공하는 경우를 제외하고는 직장 내 성희롱 발생 사실을 조사한 사람, 조사 내용을 보고 받은 사람 또는 그 밖에 조사 과정에 참여한 사람은 해당 조사 과정에서 알게 된 비밀을 피해근로자등의 의사에 반하여 다른 사람에게 누설하여서는 안됩니다.

피해근로자등을 보호하기 위해 근무장소의 변경, 유급휴가 명령 등 적절한 조처를 하여야 하고, 피해근로자등의 의사에 반하는 조치를 하는 것은 금지됩니다.

조사결과 직장 내 성희롱이 확인되면 피해근로자가 요청하는 바에 따라 근무장소 변경, 배치전환, 유급휴가 명령 등 적절한 조처를 하여야 하고, 직장 내 성희롱을 한 행위자에 대해 징계, 근무장소의 변경 등을 하여야 합니다. 사업주는 직장 내 성희롱을 한 행위자에 대한 징계를 함에 있어 피해근로자의 의견을 들어야 합니다.

직장 내 성희롱 발생 사실을 신고한 근로자나 피해근로자 등에게 다음 중 어느 하나에 해당하는 불리한 처우를 하여서는 아니됩니다.

- 파면, 해임, 해고, 그 밖에 신분상실에 해당하는 불이익 조치
- 징계, 정직, 감봉, 강등, 승진 제한 등 부당한 인사조치
- 직무 미부여, 직무 재배치, 그 밖에 본인의 의사에 반하는 인사조치
- 성과평가 또는 동료평가 등에서 차별이나 그에 따른 임금 또는 상여금 등의 차별 지급
- 직업능력개발 및 향상을 위한 교육훈련 기회의 제한
- 집단 따돌림, 폭행 또는 폭언 등 정신적·신체적 손상을 가져오는 행위를 하거나 그 행위의 발생을 방치하는 행위
- 그 밖에 신고를 한 근로자 및 피해근로자등의 의사에 반하는 불리한 처우

(2) 고객 등에 의한 성희롱 발생시 사업주의 대처

고객은 사업주의 근로자가 아니므로 징계할 수 없습니다. 따라서 고객 등 업무와 밀접한 관련이 있는 자가 업무수행 과정에서 성적인 언동 등을 하여 근로자에게 성적 굴욕감 또는 혐오감을 느끼게 하여 근로자가 이로 인한 고충 해소를 요청할 경우 사업주는 근무 장소 변경, 배치전환, 유급휴가의 명령 등을 하여야 합니다.

근로자가 이로 인한 피해를 주장하거나 고객 등으로부터 성적 요구 등에 불응한 것을 이유로 해고나 그 밖에 불이익한 조치를 하여서는 안됩니다.

고용노동부

근로감독관: 사법경찰관

- 현장조사·자료제출요구·심문·검진
- 보고·출석요구
- 사법권한

위법사항 지적시

- 사법처리가능
- 사업장 관계자 조사
  →입건(범죄인지보고: 내부결재)
  →피의자신문(사업주 또는 사업주를 위하여 행위하는 자)
  →사건 송치(검찰)

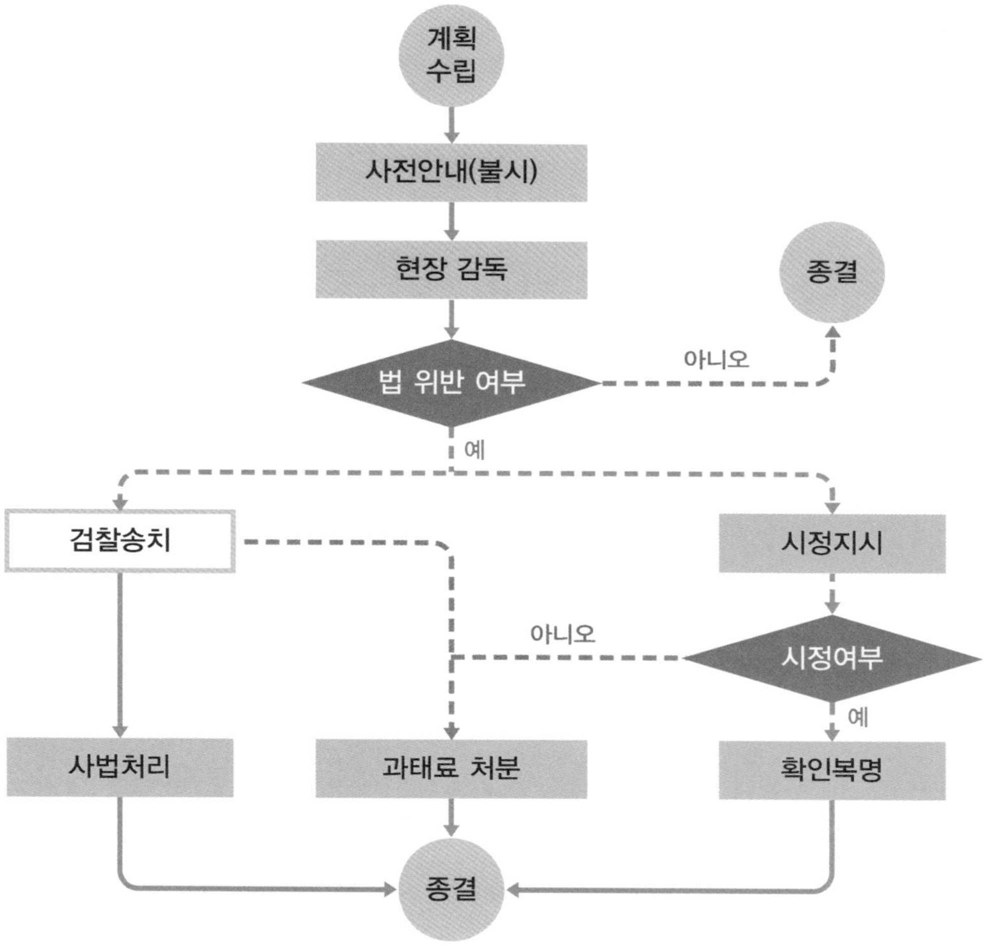

계획 수립
사전안내(불시)
현장 감독
법 위반 여부
아니오
종결
예
검찰송치
시정지시
아니오
시정여부
예
사법처리
과태료 처분
확인복명
종결

(1) 노동법 위반에 대한 수사권을 가진 근로감독관

법을 위반하면 경찰이 법 위반 사실에 대해 조사를 하고 검찰이 기소하여 법원의 판단을 받게 됩니다. 노동법을 위반한 경우에도 수사를 하여 검찰이 기소를 하고 법원의 판단을 받게 되는데, 노동법의 위반사실을 조사하는 자가 경찰이 아니라 고용노동부 소속 근로감독관이라는 점이 다릅니다.

근로감독관은 노동관계 법령 위반의 죄에 대해서 사법경찰권의 직무를 수행하는데, 경찰과 마찬가지로 현장조사, 자료제출요구, 심문, 검진, 보고 및 출석요구를 할 수 있는 등 사법경찰관으로서 권한을 모두 갖습니다.

(2) 사업장 근로감독

근로감독관이 노동법 위반에 대해 검사와 함께 수사만 하는 것이 아니라, 사업장의 노동법 위반에 대한 근로감독을 할 수 있습니다.

사업장 근로감독이란 '근로감독관이 근로조건의 기준을 확보하기 위하여 사업장, 기숙사 그 밖의 부속건물에 임검하여 노동관계법령 위반 여부를 점검하고 법 위반사항을 시정하도록 하거나 행정처분 또는 사법처리하는 일련의 과정'을 말합니다. 즉, 노동법 위반에 대해 무조건 처벌하는 것이 아니라 회사 내부적으로 위법사항을 고쳐 재발을 방지하도록 도움을 줄 수 있고, 이에 불응할 경우 과태료를 부과하거나 검찰에 사건을 송치시켜 법의 심판을 받게 할 수 있습니다.

(3) 사업장 근로감독의 진행절차

사업장 근로감독에는 사업장근로감독시행계획을 세워 직접 현장을 감독하는 정기감독, 사업장근로감독시행계획이 확정된 이후에 노동관계법령 위반 가능성이 있는 등의 이유로 실시하는 수시감독, 노동관계법령 위반으로 인한 노사분규, 다수 민원발생 등의 사정이 있는 경우에 실시하는 특별감독이 있습니다.

근로감독의 종류나 민원의 종류 등에 따라 사업장감독의 범위가 다소 달라질 수 있으나, 일반적으로 현장감독을 통해 법 위반 사실이 없으면 감독이 종료됩니다. 법 위반 사실에 대해 시정지시를 하고 이에 불응하거나 시정이 이루어지지 않은 경우 과태료 부과와 같은 행정처분을 하거나 검찰에 송치하여 사법처리를 합니다.

법 위반 사실이 확인될 경우 시정지시를 할지, 과태료처분을 할지, 사법처리를 할지는 근로감독관의 자의적 판단에 의한 것이 아니라 「근로감독관 집무규정」에 따라 위법사실의 심각성, 위해성 등을 고려하여 결정됩니다.

14

업무상 재해

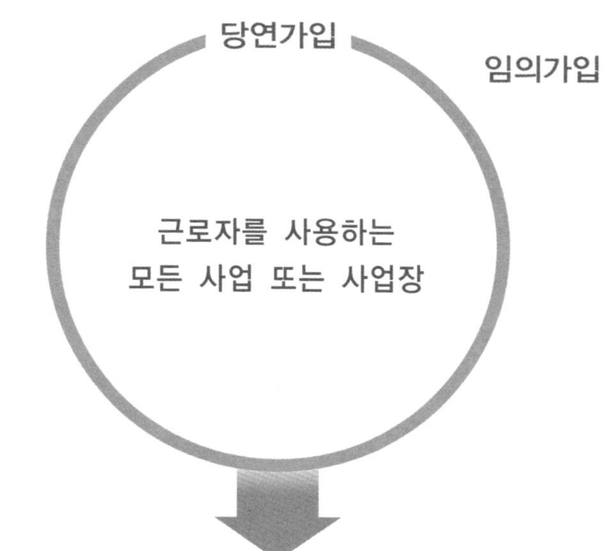

임의가입
- 중소기업사업주
- 특수형태근로종사자
- 현장실습생
- 자활급여수급자
- 해외파견자

당연가입사업의 경우 산재가입여부와 무관하게 근로자는 산재보상을 받을 수 있다.

'근로자'임에도 산재보험에서 제외되는 경우

- 공무원, 군인, 선원, 어선원, 사립학교교직원: 별도의 법률로 정함.
- 가구내 고용활동, 가사사용인
- 농업, 임업(벌목업 제외), 어업 및 수렵업 중 법인이 아닌 자의 사업으로서 상시근로자 수가 5명 미만인 사업

(1) 「산재보험법」의 적용범위

「산재보험법」은 근로자를 사용하는 모든 사업 또는 사업장(이하 '사업'이라 한다)에 적용되는 것이 원칙입니다.

(2) 당연가입

모든 사업에 적용되나 사업의 위험률, 규모 및 장소 등을 고려해 일부 사업에는 적용되지 않습니다.

공무원, 군인, 선원, 사립학교 교직원처럼 다른 법률에 의해 재해보상을 받는 경우에는 「산재보험법」 대신 「공무원 재해보상법」, 「군인연금법」, 「선원법」, 「어선원 및 어선 재해보상보험법」, 「사립학교교직원 연금법」 등이 적용됩니다.

동거하는 친족만을 사용하는 가구 내 고용활동은 「근로기준법」이 적용되지 않으므로 「산재보험법」도 적용되지 않습니다.

농업, 임업(벌목업 제외), 어업 및 수렵업 중 법인이 아닌 자의 사업으로서 상시근로자 수가 5명 미만인 사업은 다른 재해보상제도가 적용되지 않음에도 「산재보험법」이 적용되지 않은 법의 사각지대입니다.

(3) 임의가입

당연가입사업이 아니더라도 근로복지공단의 승인을 받으면 보험에 가입하거나 해지할 수 있습니다.

이러한 임의가입 대상은 근로자가 아니나 작업환경이 열악하여 이를 보호할 필요성이 있는 50인 미만의 근로자를 사용하는 중소기업사업주, 특수형태근로종사자, 현장실습생, 자활급여수급자가 있고, 근로자이지만 근무장소가 국내가 아닌 해외파견자가 있습니다.

- 특수형태근로종사자: 계약의 형식에 관계없이 근로자와 유사하게 노무를 제공함에도 근로기준법 등이 적용되지 아니하여 업무상의 재해로부터 보호할 필요가 있는 자로서 ① 주로 하나의 사업에 그 운영에 필요한 노무를 상시적으로 제공하고 보수를 받아 생활하고, ② 노무를 제공함에 있어서 타인을 사용하지 않는 자
- 현장실습생: 산재보험법이 적용되는 사업에서 현장 실습을 하고 있는 학생 및 직업훈련생
- 자활급여수급자: 자활급여수급자 중 고용노동부 장관이 정하여 고시하는 사업에 종사하는 자
- 해외파견자: 보험가입자(사업주)가 대한민국 밖의 지역(고용노동부령으로 정하는 지역은 제외)에서 하는 사업에 근로시키기 위하여 파견하는 자

(4) 산재보험에 미가입 중 발생한 산재

당연가입 사업장에서 보험가입자인 사용자가 산재보험을 미가입한 상황에서 발생한 산재라 하더라도 근로자는 산재보상을 받을 수 있습니다. 다만, 사업주는 산재보험 미가입에 따른 이전 3년 간의 산재보험료 및 연체가산금을 납부하여야 하고 보상금액의 50%를 급여징수금으로 납부하여야 합니다.

당연가입사업장의 보험가입의 선택권이 없는 것과 달리 임의가입의 경우에는 가입여부를 선택할 수 있습니다. 따라서 임의가입사업에서 산재에 가입하지 않은 기간이나 보험료체납기간 중 발생한 산재에 대해서는 보험급여를 받을 수 없습니다.

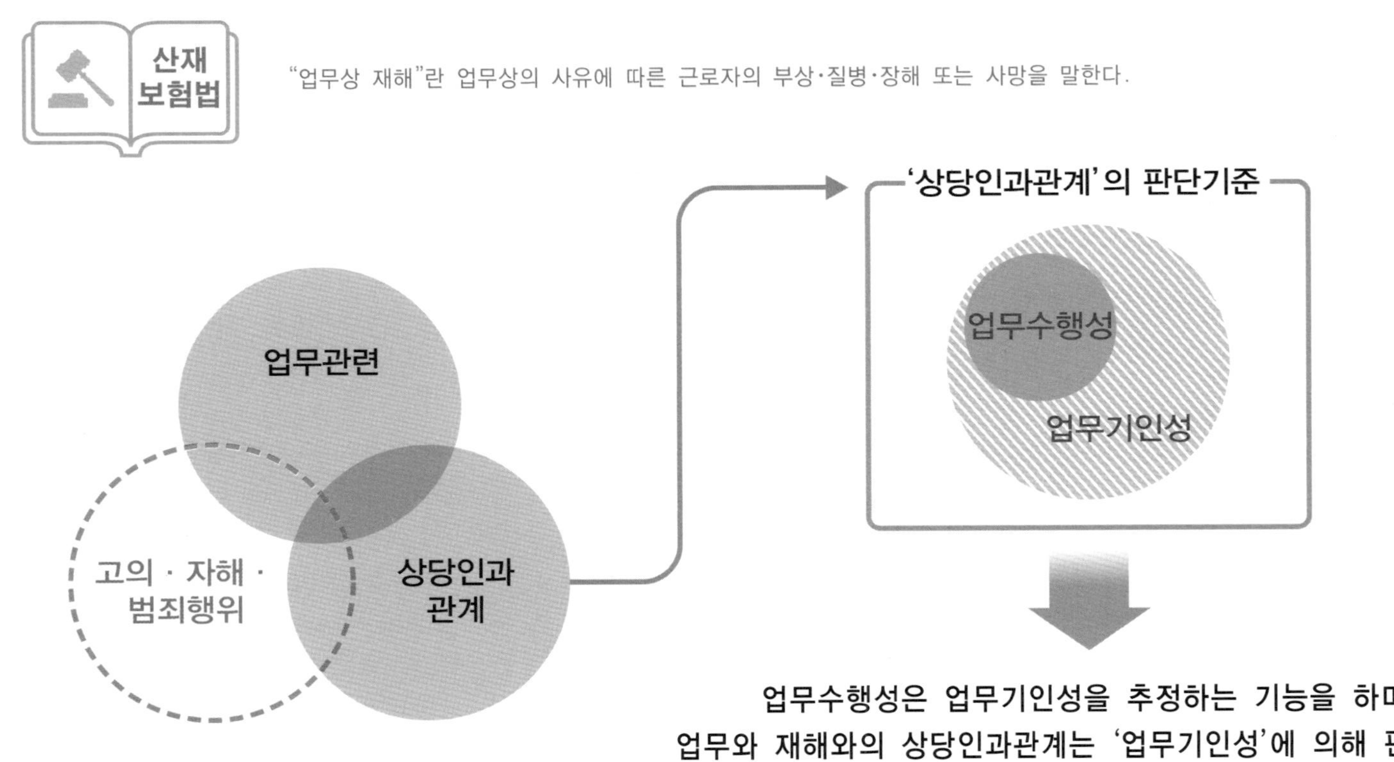
산재
보험법
"업무상 재해"란 업무상의 사유에 따른 근로자의 부상·질병·장해 또는 사망을 말한다.
업무관련
상당인과
관계
고의 · 자해 ·
범죄행위
'상당인과관계'의 판단기준
업무수행성
업무기인성
업무수행성은 업무기인성을 추정하는 기능을 하며,
업무와 재해와의 상당인과관계는 '업무기인성'에 의해 판단한다.

(1) '업무상 재해'의 의미

업무상 재해란 '업무상의 사유에 따른 근로자의 부상·질병·장해 또는 사망'을 말합니다.

여기서 '장해'란 '부상 또는 질병이 치유되었으나 정신적 또는 육체적 훼손으로 인하여 노동능력이 상실되거나 감소된 상태'를 말하는데, 신체 기관이 본래의 제 기능을 하지 못하거나 정신 능력에 결함이 있는 상태를 뜻하는 '장애'와는 다른 개념입니다.

(2) 업무상 재해의 판단기준

업무상 재해가 되기 위해서는 업무상 사유가 있어야 하는데, 업무상 사유가 인정되기 위해서는 업무와 재해 간에 상당인과관계가 있어야 합니다. 그러나 근로자의 고의·자해행위나 범죄행위 또는 그것이 원인이 되어 발생한 부상·질병·장해 또는 사망은 제외됩니다.

업무는 근로계약에 따른 업무뿐만 아니라 부속업무, 교육, 대기, 행사, 출장, 거래처대접 등 업무와 직·간접적으로 관련이 있는 주변업무도 포함됩니다. 휴게시간처럼 명백히 근로시간이 아니더라도 사업주의 지배·관리가 인정되면 업무상 사유로 봅니다.84)

업무상 사유가 인정되기 위해서는 '업무와 재해 사이에 상당인과관계'가 있어야 합니다. '상당인과관계'란 일반적인 경험과 지식에 비추어 그러한 사고가 있으면 그러한 재해가 발생할 것이라고 인정되는 범위에서 인과관계를 인정해야 한다는 것을 말합니다.85)

이러한 인과관계는 업무수행성과 업무기인성을 기초로 판단하는데, 업무수행성이란 '사용자의 지배 또는 관리 하에 이루어지는 해당 근로자의 업무수행 및 그에 수반되는 통상적인 활동과정에서 재해의 원인이 발생한 것'이고 업무기인성이란 '재해가 업무로 인하여 발생하였다고 인정되는 관계'를 말합니다.

업무를 수행하는 와중에 발생한 사고는 업무기인성이 있다고 보아 상당인과관계가 인정됩니다. 업무수행 중은 아니었으나 업무기인성이 있다면 업무상사유로 볼 수 있습니다.

이러한 상당인과관계는 이를 주장하는 측, 대체로 근로자가 입증하여야 합니다. 인과관계는 반드시 의학적·자연과학적으로 명백히 입증되어야 하는 것은 아니며 규범적 관점에서 살핍니다. 근로자의 취업 당시 건강상태, 작업장에 발병물질이 있는지와 그 근무기간, 다른 근로자에 대한 이환 여부 등을 종합적으로 고려하여 상당인과관계가 있다고 추단되면 그 입증이 있는 것으로 봅니다.86)

고혈압 등 가족력이 없고 술, 담배 안 하고 주 3회 이상 숨이 차는 격렬한 운동을 하는 사람이 몇이나 될까요? 이러한 건강한 생활습관이 없다고 하더라도 업무로 인해 재해를 입으면 이에 대해 보상을 하는 것이 타당합니다. 때문에 업무와 재해 사이에 상당인과관계는 보통평균인이 아니라 해당근로자의 건강과 신체조건을 기준으로 판단합니다.

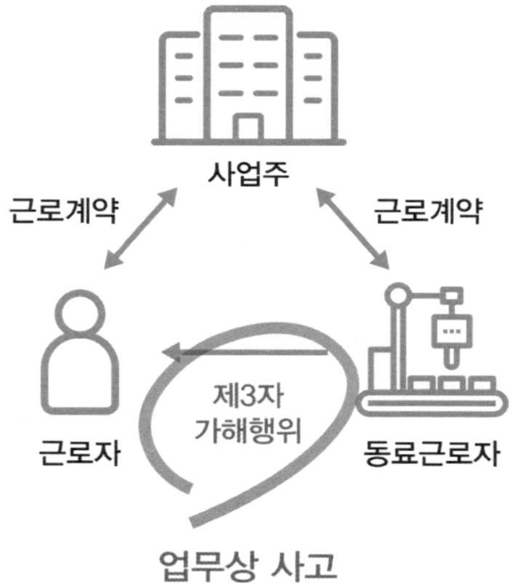

사업주
근로계약
근로계약
근로자
제3자 가해행위
동료근로자
업무상 사고

구분	인정	불인정
업무수행 중 사고	• 근로계약에 따른 업무수행 행위 • 업무수행 과정에서 하는 용변 등 생리적 필요 행위 • 업무를 준비하거나 마무리하는 행위, 그 밖에 업무에 따르는 필요적 부수행위 • 사업주가 주관하거나 사업주의 지시에 따라 참여한 행사나 행사준비 중에 발생한 사고 • 천재지변·화재 등 사업장 내에 발생한 돌발적인 사고에 따른 긴급피난·구조행위 등 사회통념상 예견되는 행위	• 임의대리근무, 음주행위와 같은 업무이탈 행위 • 자해행위, 회사설비 임의사용 • 사용자의 지시가 없는 임의근무 • 본인의 개인업무 또는 타인의 개인업무를 돕는 행위 • 업무중간에 개인목적을 위한 행위 ☞ 업무관련성이 없는 경우
사업장 밖 업무수행	• **사업주의 지시를 받아** 사업장 밖에서 업무를 수행하던 중에 발생한 사고 – 예: 회식자리에서 발생한 사고	• 사업주의 구체적인 지시를 위반한 행위, 근로자의 사적 행위 또는 정상적인 출장 경로를 벗어났을 때 발생한 사고
시설물 등 결함	• **사업주가 제공한** 시설물, 장비 또는 차량 등의 결함이나 **사업주의 관리 소홀**로 발생한 사고	• **사업주의 구체적인 지시를 위반하여** 이용한 행위로 발생한 사고 • 그 시설물등의 관리 또는 이용권이 **근로자의 전속적 권한에 속하는 경우**에 그 관리 또는 이용 중에 발생한 사고

(1) 업무상 사고의 종류

업무상 재해는 크게 업무상 사고와 업무상 질병 그리고 출퇴근재해로 구분하는데, 다음에 해당하는 경우 업무상 사고로 봅니다.

- 근로자가 근로계약에 따른 업무나 그에 따르는 행위를 하던 중 발생한 사고
- 사업주가 제공한 시설물 등을 이용하던 중 그 시설물 등의 결함이나 관리소홀로 발생한 사고
- 사업주가 주관하거나 사업주의 지시에 따라 참여한 행사나 행사준비 중에 발생한 사고
- 휴게시간 중 사업주의 지배관리하에 있다고 볼 수 있는 행위로 발생한 사고
- 그 밖에 업무와 관련하여 발생한 사고

(2) 업무수행 중 발생한 사고의 판단기준

업무수행 중 발생한 사고는 업무수행성이 있어 업무기인성이 추정되므로 업무상 사고로 인정하는 경우가 많습니다.

그러나 근로시간 중이라도 임의로 대리근무를 하거나 음주행위와 같은 업무이탈행위 중 발생한 사고와 같이 업무관련성이 없는 경우는 업무상 사고로 보지 않습니다.87)

(3) 사업장 밖에서 업무수행 중 발생한 사고의 판단기준

사업장 내에서 발생한 사고인지, 사업장 밖에서 사고인지 여부가 업무상 사고를 판단하는 기준은 아니지만, 장소의 특성상 업무를 수행하지 않거나 업무로 인해 발생한 사고가 아닐 가능성이 있으므로 이에 대해 따로 규정을 두고 있습니다.

- 사업주의 지시를 받아 사업장 밖에서 업무를 수행하던 중에 발생한 사고
- 업무의 성질상 업무수행 장소가 정해져 있지 않은 근로자가 최초로 업무수행 장소에 도착하여 업무를 시작한 때부터 최후로 업무를 완수한 후 퇴근하기 전까지 업무와 관련하여 발생한 사고

사업주의 구체적인 지시를 위반한 행위, 근로자의 사적 행위 또는 정상적인 출장 경로를 벗어났을 때 발생한 사고는 업무상 사고로 보지 않습니다.

(4) 시설물 등의 결함으로 발생한 사고의 판단기준

사업주가 제공한 시설물, 장비 또는 차량 등의 결함이나 사업주의 관리소홀로 발생한 사고는 업무상 사고입니다. 그러나 사업주의 구체적인 지시를 위반하여 이용한 행위로 발생한 사고와 그 시설물 등의 관리 또는 이용권이 근로자의 전속적 권한에 속하는 경우에 그 관리 또는 이용 중에 발생한 사고는 업무상 사고로 보지 않습니다.

(5) 제3자의 가해행위로 인한 사고의 판단기준

제3자의 행위로 근로자에게 사고가 발생한 경우에 그 근로자가 담당한 업무가 사회통념상 제3자의 가해행위를 유발할 수 있는 성질의 업무라고 인정되면 업무상 사고로 봅니다. 특히 동료근로자의 업무수행 중 부주의로 인한 재해는 고의가 없는 한 업무상 사고로 봅니다.88)

산재 보험법

업무상 질병

- 업무수행 과정에서 물리적 인자, 화학물질, 분진, 병원체, 신체에 부담을 주는 업무 등 근로자의 건강에 장해를 일으킬 수 있는 요인을 취급하거나 그에 노출되어 발생한 질병
- 업무상 부상이 원인이 되어 발생한 질병
- 그 밖에 업무와 관련하여 발생한 질병

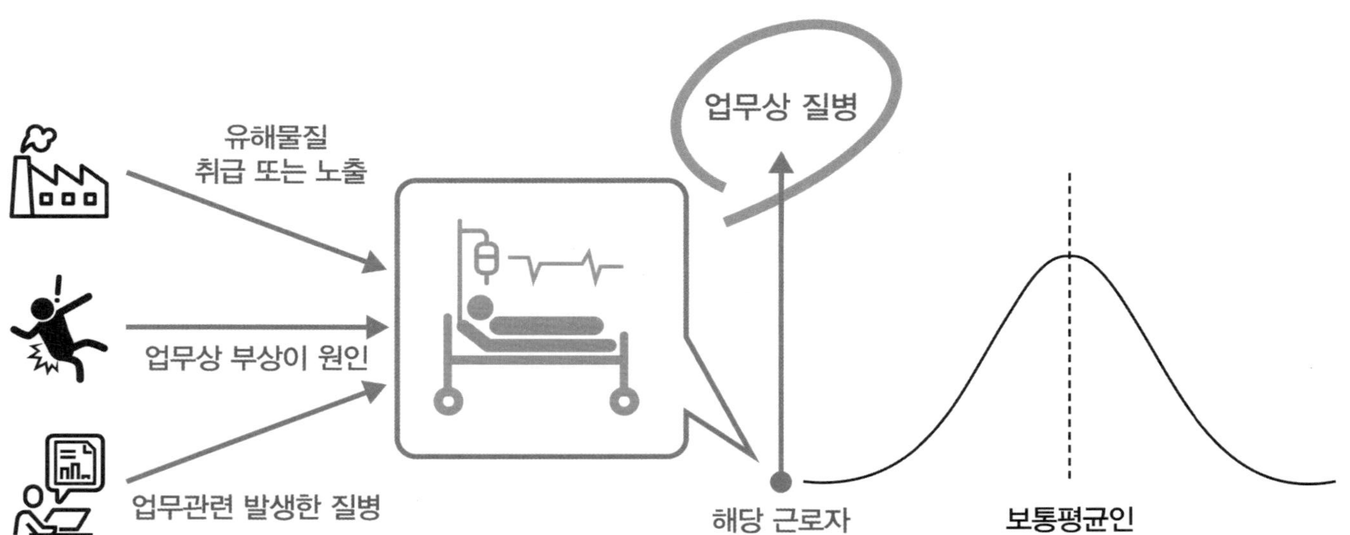

(1) '업무상 질병'의 의미

다음에 해당하는 경우 업무상 질병으로 봅니다.

- 업무수행 과정에서 물리적 인자(因子), 화학물질, 분진, 병원체, 신체에 부담을 주는 업무 등 근로자의 건강에 장해를 일으킬 수 있는 요인을 취급하거나 그에 노출되어 발생한 질병
- 업무상 부상이 원인이 되어 발생한 질병
- 「근로기준법」 제76조의2에 따른 직장 내 괴롭힘, 고객의 폭언 등으로 인한 업무상 정신적 스트레스가 원인이 되어 발생한 질병
- 그 밖에 업무와 관련하여 발생한 질병

(2) 유해·위험요인에 의한 업무상 질병

이하의 요건을 모두 충족하면 유해·위험요인에 의한 업무상 질병으로 봅니다.

- 근로자가 업무수행 과정에서 유해·위험요인을 취급하거나 유해·위험요인에 노출된 경력이 있을 것
- 유해·위험요인을 취급하거나 유해·위험요인에 노출되는 업무시간, 그 업무에 종사한 기간 및 업무 환경 등에 비추어 볼 때 근로자의 질병을 유발할 수 있다고 인정될 것
- 근로자가 유해·위험요인에 노출되거나 유해·위험요인을 취급한 것이 원인이 되어 그 질병이 발생하였다고 의학적으로 인정될 것

임신 중인 근로자가 유산, 사산 또는 조산한 경우 태아는 근로자가 아니지만, 위의 요건을 모두 충족한 경우에 한해 「산재보험법」상 업무상 질병으로 보아 보험급여를 지급합니다.

(3) 업무상 부상을 입은 근로자에게 발생한 업무상 질병

업무상 부상을 입은 근로자에게 발생한 질병의 경우 업무상 부상과 질병 사이의 인과관계가 의학적으로 인정되고, 기초질환 또는 기존 질병이 자연발생적으로 나타난 증상이 아닌 경우에는 업무상 질병으로 봅니다.

근로자가 상병을 악화시키는 행위를 하면 상당인과관계가 부정되어 업무상 질병으로 인정되지 않을 수 있습니다.

(4) 업무상 질병의 판단기준

업무상 사고는 업무수행성이 분명한 경우가 많아 업무상 재해 여부를 판단하기가 쉬운 편이나, 업무상 질병의 경우 잠복기가 길거나 오랜 시간 유해물질에 노출되어야 발병하는 등 상당인과관계가 있는지 정확히 파악하기 어렵습니다.

업무상 질병에서 상당인과관계는 의학적으로 인과관계가 입증되어야 합니다. 여기서 의학적으로 인과관계가 입증된다는 것이 반드시 의학적·자연과학적으로 명백히 입증해야 한다는 것이 아니고, 제반 사정을 고려할 때 업무와 질병 사이에 상당인과관계가 있다고 추단되는 경우도 포함합니다. 따라서 업무와 재해 사이의 인과관계의 상당인과관계는 보통평균인이 아니라 해당 근로자의 건강과 신체조건을 기준으로 해서 판단합니다.[89)]

- 사업주가 제공한 교통수단이나 그에 준하는 교통수단을 이용하는 등 사업주의 지배관리하에서 출퇴근하는 중 발생한 사고

- 그 밖에 통상적인 경로와 방법으로 출퇴근하는 중 발생한 사고
  - 단, 수요응답형 여객자동차운송사업, 개인택시운송사업, 퀵서비스업자는 적용제외

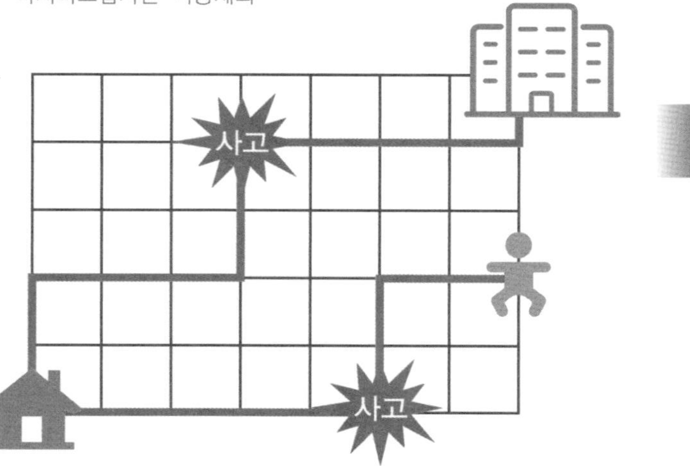

- (원칙)통상적인 출퇴근 경로에서 일탈·중단 중 발생한 사고는 업무상 재해로 인정되지 아니함.
- 단, 일탈 또는 중단이 일상생활에 필요한 행위인 경우 출퇴근 재해로 봄,
  - 일상생활에 필요한 용품을 구입하는 행위
  - 교육이나 훈련 등을 받는 행위
  - 선거권이나 국민투표권의 행사
  - 근로자가 사실상 보호하고 있는 아동 또는 장애인을 보육기관 또는 교육기관에 데려다주거나 해당 기관으로부터 데려오는 행위
  - 의료기관 또는 보건소에서 질병의 치료나 예방을 목적으로 진료를 받는 행위
  - 근로자의 돌봄이 필요한 가족 중 의료기관 등에서 요양 중인 가족을 돌보는 행위

(1) 출퇴근재해의 의미

'출퇴근'이란 취업과 관련하여 주거와 취업장소 사이의 이동 또는 한 취업장소에서 다른 취업장소로의 이동을 말하므로 '출퇴근 재해'는 취업과 관련하여 이동 중 경로상에서 발생한 사고를 말합니다.

종전의 「산재보험법」은 '사업주 지배관리하의 출퇴근 재해'만을 출퇴근 재해로 인정하였으나, 2018. 1. 1.부터 '통상의 출퇴근 재해'도 출퇴근재해로 인정하여 근로자를 보호하는 범위가 넓어졌습니다.

(2) 출퇴근재해의 구분

출퇴근재해는 사업주가 제공하는 교통수단 등을 이용하는 도중에 발생한 사고와 통상적인 경로와 방법으로 출퇴근하는 중에 발생한 사고로 구분할 수 있습니다.

사업주 지배관리 하의 출퇴근 재해는 교통수단을 사업주가 출퇴근용으로 제공하였거나 그에 준하는 경우이고, 교통수단의 관리 또는 이용권이 근로자 측의 전속적 권한에 속하지 아니하여야 합니다.

통상의 출퇴근 재해는 다음의 요건을 모두 갖추어야 합니다.

✔자택 등 「주거」와 회사, 공장 등의 「취업장소」를 시점 또는 종점으로 하는 이동하는 행위일 것

✔출퇴근 행위가 업무에 종사하기 위해 또는 업무를 마친 후에 이루어질 것(취업과 관련성)

✔출퇴근 행위가 사회통념상 「통상적인 경로 및 방법」에 따라 이루어질 것(「일탈 또는 중단」이 없을 것)

여기서 '통상적인 경로'란 주거와 취업장소 또는 취업장소와 취업장소 사이를 일반인이라면 사회통념상 이용할 수 있다고 인정되는 경로로서 ① 최단거리 또는 최단시간이 소요되는 경로 또는 ② 최단거리 또는 최단시간의 경로는 아니지만 일반적으로 그 경로를 선택할 수 있다고 인정되는 경로, ③ 공사, 시위·집회 등으로 인한 도로 사정에 따라 우회하는 경로, ④ 직장동료 등과의 카풀 등은 모두 포함됩니다.

통상적인 방법은 ① 철도, 버스 등의 대중교통수단, ② 승용차, 오토바이, 자전거 등, ③ 도보, ④ 그 밖에 교통수단(전동휠, 인라인스케이트 등) 등 사회통념상 인정되는 합리적 방법으로 이용하는 것을 말합니다.

(3) 통상의 출퇴근재해에서 「산재보험법」상 일탈·중단의 예외

통상의 출퇴근에서 경로를 일탈하거나 중단하여 출퇴근재해로 인정받을 수 없는 것이 원칙입니다. 출퇴근 경로의 '일탈'은 출퇴근 도상에서 통상적인 경로를 벗어나는 행위를 하는 것을 말하며, '중단'은 출퇴근 경로 상에서 출퇴근과 관계 없는 행위를 하는 것을 말합니다.

다만, 일상생활에 필요한 용품을 구입하는 행위 등과 같이 「산재보험법」에서 예외적으로 허용하는 행위를 위해 출퇴근 경로를 일탈하거나 중단하는 경우에는 여전히 출퇴근 재해로 인정받을 수 있습니다.

(4) 출퇴근재해 적용 제외직종

출퇴근 경로와 방법이 일정하지 아니한 수요응답형운송사업주, 개인택시운송사업주, 퀵서비스 배달원에 대해서는 출퇴근재해를 적용하지 않습니다.

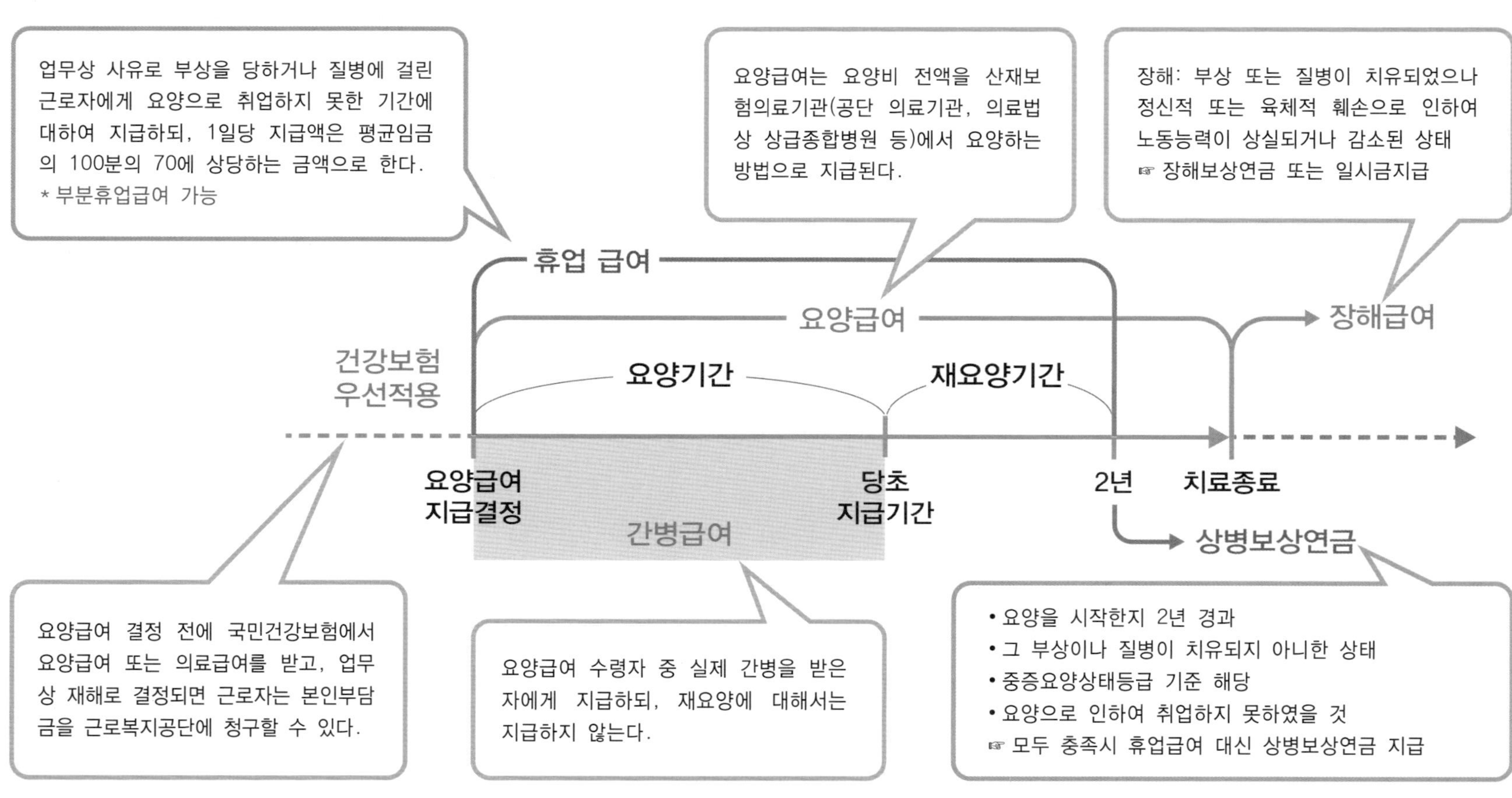
업무상 사유로 부상을 당하거나 질병에 걸린 근로자에게 요양으로 취업하지 못한 기간에 대하여 지급하되, 1일당 지급액은 평균임금의 100분의 70에 상당하는 금액으로 한다.
* 부분휴업급여 가능
요양급여는 요양비 전액을 산재보험의료기관(공단 의료기관, 의료법상 상급종합병원 등)에서 요양하는 방법으로 지급된다.
장해: 부상 또는 질병이 치유되었으나 정신적 또는 육체적 훼손으로 인하여 노동능력이 상실되거나 감소된 상태
☞ 장해보상연금 또는 일시금지급
휴업 급여
요양급여
장해급여
건강보험
우선적용
요양기간
재요양기간
요양급여
지급결정
간병급여
당초
지급기간
2년
치료종료
상병보상연금
요양급여 결정 전에 국민건강보험에서 요양급여 또는 의료급여를 받고, 업무상 재해로 결정되면 근로자는 본인부담금을 근로복지공단에 청구할 수 있다.
요양급여 수령자 중 실제 간병을 받은 자에게 지급하되, 재요양에 대해서는 지급하지 않는다.
• 요양을 시작한지 2년 경과
• 그 부상이나 질병이 치유되지 아니한 상태
• 중증요양상태등급 기준 해당
• 요양으로 인하여 취업하지 못하였을 것
☞ 모두 충족시 휴업급여 대신 상병보상연금 지급

(1) 재해자에 대한 보험급여

업무상 재해로 부상 또는 질병으로 근로자가 지급받을 수 있는 보험급여의 종류로는 요양급여, 휴업급여, 장해급여, 간병급여, 상병보상연금, 직업재활급여 등이 있습니다.

(2) 요양급여

요양급여는 병원비 및 약제비 전액입니다. 요양급여 결정 전에 국민건강보험에서 요양급여 또는 의료급여를 받고 업무상 재해로 결정되면 근로자는 본인부담금을 근로복지공단에 청구할 수 있습니다.

요양급여를 받은 자의 업무상 부상 또는 질병이 재발하거나, 치유 당시보다 상태가 악화되어 이를 치유하기 위한 적극적인 치료가 필요하다는 의학적 소견이 있으면 재요양을 받을 수 있습니다.

(3) 휴업급여

휴업급여는 「산재보험법」의 특징적인 보험급여로서 근로를 하지 못한 기간에 대하여 임금의 일부를 보전해주는 보상급여입니다.

휴업급여의 1일당 지급액은 평균임금의 100분의 70에 상당하는 금액인데, 재해근로자가 요양기간 중 일정기간 또는 단시간 취업을 하는 경우에는 (평균임금-취업기간 또는 근로시간 상당액)×90%를 부분휴업급여로 받을 수 있습니다.

(4) 장해급여와 직업재활급여

장해란 부상 또는 질병이 치유되었으나 정신적 또는 육체적 훼손으로 인하여 노동능력이 상실되거나 감소된 상태로, 치유된 이후 근로자에게 장해가 남아있으면 장해등급에 따라 장해보상연금 또는 장해보상일시금으로 지급합니다.

장해급여자가 취업을 위하여 직업훈련을 받는 경우 그 교육비와 직업훈련수당을 받을 수 있습니다. 복귀한 장해급여자에 대해 사업주가 고용을 유지하거나 직장적응훈련 또는 재활운동을 실시하면 그 비용을 근로복지공단이 지원할 수 있습니다.

(5) 간병급여

간병급여는 치료 후 의학적으로 상시 또는 수시로 간병이 필요하여 실제로 간병을 받은 자에게 실제로 간병받은 날에 대해 지급하는 보험급여입니다. 단, 재요양기간에 대해서는 지급하지 않습니다.

(6) 상병보상연금

요양급여를 받는 근로자가 요양을 시작한 지 2년이 지난 날 이후에도 다음의 요건에 모두 해당하는 상태가 계속되면 휴업급여 대신 상병보상연금을 그 근로자에게 지급합니다.

- ✔그 부상이나 질병이 치유되지 아니한 상태일 것
- ✔그 부상이나 질병에 따른 중증요양상태의 정도가 대통령령으로 정하는 중증요양상태등급 기준에 해당할 것
- ✔요양으로 인하여 취업하지 못하였을 것

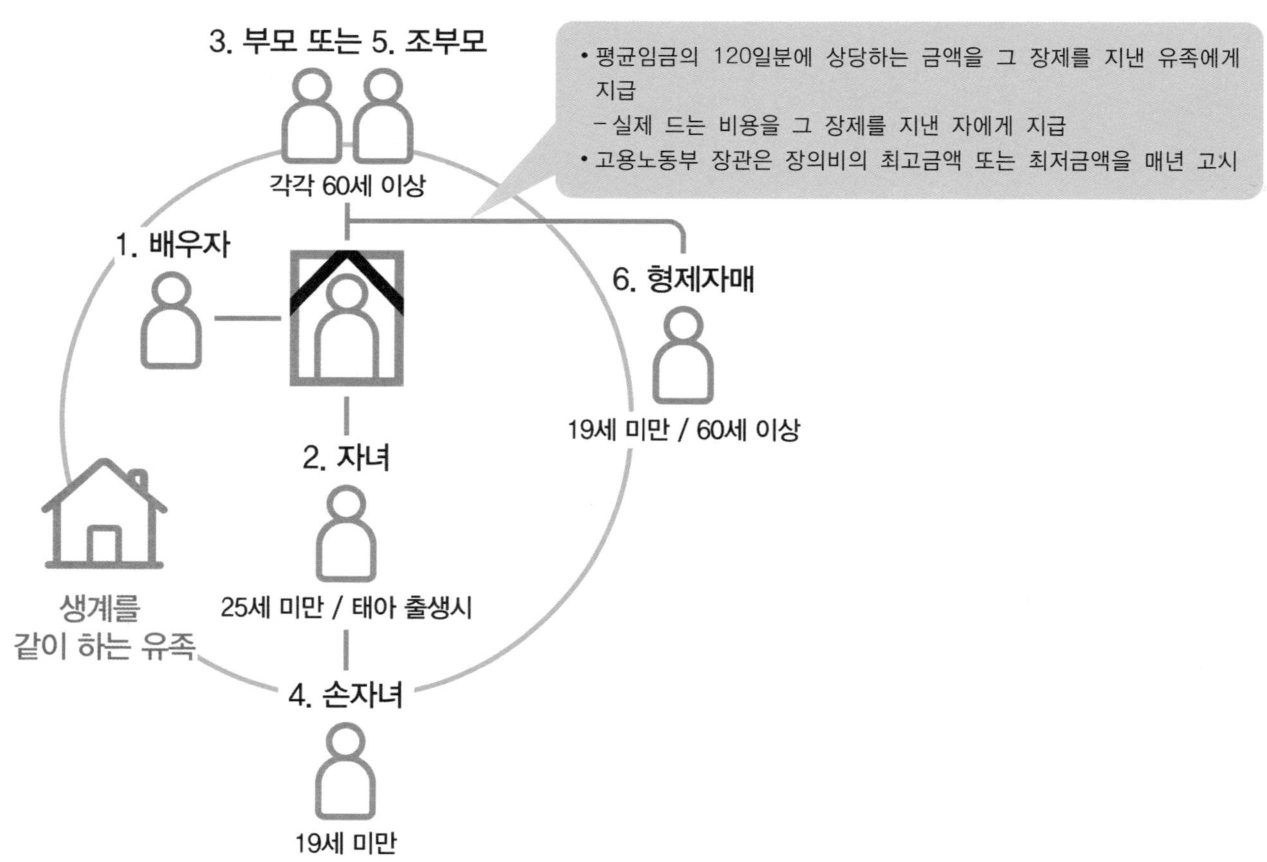

- 평균임금의 120일분에 상당하는 금액을 그 장제를 지낸 유족에게 지급
  - 실제 드는 비용을 그 장제를 지낸 자에게 지급
- 고용노동부 장관은 장의비의 최고금액 또는 최저금액을 매년 고시

(1) 사망자에 대한 보험급여

업무상 재해로 근로자가 사망하면 유족들은 유족급여, 장의비를 받을 수 있습니다.

(2) 유족급여

근로자가 업무상 사유로 사망하면 유족에게 유족급여가 지급됩니다. 유족급여는 유족보상연금이나 유족보상일시금을 지급하되, 유족보상일시금은 근로자가 사망할 당시 유족보상연금을 받을 수 있는 자격이 있는 자가 없는 경우에 지급합니다.

유족보상연금을 받을 수 있는 수급자격자는 배우자(사실혼 포함)와 근로자가 사망할 당시 그 근로자와 생계를 같이 하고 있던 유족입니다.

1. 부모 또는 조부모로서 각각 60세 이상인 자
2. 자녀(망할 당시 태아였던 자녀가 출생시부터)로서 25세 미만인 자
3. 손자녀로서 19세 미만인 자
4. 형제자매로서 19세 미만이거나 60세 이상인 자
5. 위에 해당하지 아니하는 자녀·부모·손자녀·조부모 또는 형제자매로서 장애인

유족보상연금수급자격자 중 유족보상연금을 받을 권리의 순위는 배우자, 자녀, 부모, 손자녀, 조부모 및 형제자매의 순입니다.

수급자격자에게 일정한 조건이 발생하면 그 자격을 잃는데, 연금지급을 정지하고 같은 순위자가 있으면 같은 순위자에게, 같은 순위자가 없으면 다음 순위자에게 유족보상연금을 지급합니다.

유족급여는 연금으로 지급하는 것이 원칙이나 다음의 사유가 발생하면 일시금으로 지급합니다.

- 장해보상연금수급권이 소멸하는 경우
- 유족보상연금수급자격이 없는 경우
- 유족보상연금수급자격을 잃어서 일시금을 받게 되는 경우

(3) 장의비

평균임금의 120일분에 상당하는 금액을 그 장제를 지낸 유족에게 장의비로 지급합니다.

다만, 장제를 지낼 유족이 없거나 그 밖에 부득이한 사유로 유족이 아닌 자가 장제를 지낸 경우에는 평균임금의 120일분에 상당하는 금액의 범위에서 실제 드는 비용을 그 장제를 지낸 자에게 지급할 수 있습니다.

장의비는 매년 고용노동부장관이 고시하는 최고금액과 최저금액의 범위 내에서 지급합니다.

(4) 재해근로자 사망 시

업무상 부상 또는 질병으로 인정되어 재해보상을 받더라도 재해근로자 사망에 따른 보상급여는 사망 전 치료를 받은 상병과 업무상의 재해와 상당인과관계가 있는지 여부를 판단한 후 지급됩니다.

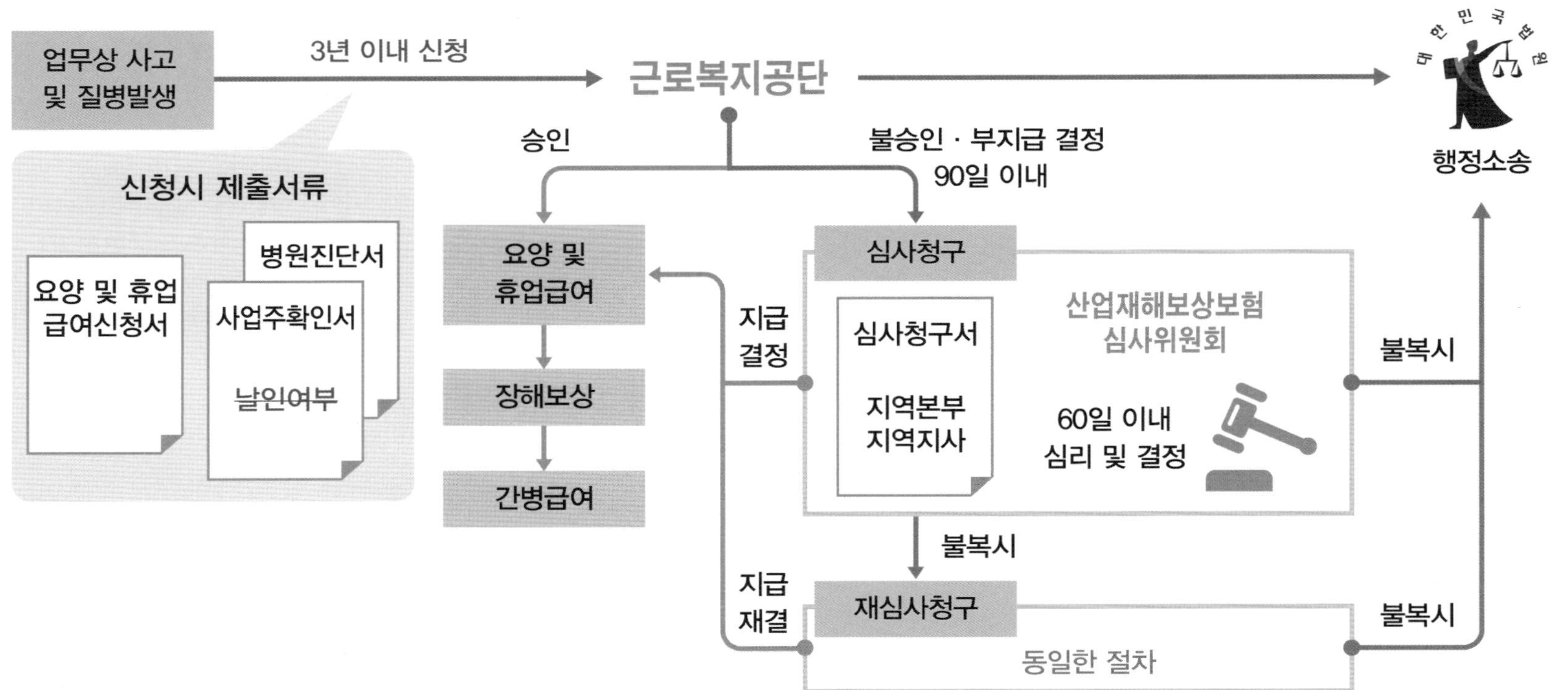

* 업무상 사유로 사망시 승인여부에 따른 유족급여 및 장의비 지급, 산재보상절차는 동일

(1) 수급권의 보호

근로자의 보험급여를 받을 권리는 퇴직하여도 소멸되지 않으며, 양도 또는 압류하거나 담보로 제공할 수 없습니다.

업무상 재해가 발생하면 회사가 대신 근로복지공단에 보험급여를 신청하는 경우가 있는데, 보험급여 신청은 대리할 수 있지만 보험급여는 근로자가 지급받는 것이 원칙입니다. 사용자나 하수급인이 근로자에게 보험급여에 상당하는 금품을 먼저 지급하고 이를 근로복지공단에 청구하는 것(대위)은 가능합니다.

업무상 사고가 발생하거나 업무상 질병이 발병하고 3년 이내에 근로복지공단에 보험급여를 청구하여야 하고, 이 기간이 지나면 소멸시효의 완성으로 보상을 받을 수 없습니다.

사용자는 재해보상이 끝나지 않거나 재해보상청구권이 시효로 소멸되기 전에는 산업재해에 관한 중요서류를 폐기하면 안됩니다.

또 보험급여로 지급된 금품에 대해서는 국가나 지자체의 공과금이 부과되지 않습니다.

(2) 산재보상절차

업무상 사고가 발생한지 또는 업무상 질병이 발병한지 3년 이내에 근로복지공단에 요양 및 휴업급여 등 보험급여를 신청합니다. 이때 보험급여신청서, 사업주확인서, 병원진단서 등을 첨부하여야 합니다. 사업주확인서의 경우 사업주가 날인하였는지 여부에 따라 보험급여 지급여부가 결정되는 것은 아니며, 사업주확인서의 내용이 사실인지 등에 관한 조사 또한 별도로 진행됩니다.

보험급여 신청에 대해 근로복지공단이 승인여부를 결정하게 되는데, 승인을 받으면 지급경정일로부터 14일 이내 보험급여가 지급됩니다. 근로복지공단이 보험급여에 대해 승인을 하지 않거나 지급을 거부하는 결정을 하면 근로자는 90일 이내에 심사청구를 하여야 합니다. 90일이 지나면 업무상 재해라 하더라도 보험급여를 지급받을 수 없습니다.

근로복지공단의 불승인 및 부지급 결정에 대해 심사청구서를 해당 지역본부 또는 지역지사로 보내면 근로복지공단이 아닌 산업재해보상보험심사위원회에서 60일 이내에 이를 심리하여 결정하게 됩니다.

산업재해보상보험심리위원회가 지급결정을 하면 근로복지공단으로부터 보험급여를 지급받을 수 있고 부지급결정을 하면 재심사청구를 할 수 있습니다. 산업재해보상보험심리위원회와 재심사위원회의 심리절차와 방법 등은 동일합니다. 재심사위원회에서도 부지급결정을 하면 이에 불복하여 재결에 관한 취소를 요구하는 행정소송을 할 수 있습니다.

근로복지공단의 보험급여 불승인 및 부지급결정에 대해 심시청구-재심사청구-취소소송 등을 거쳐도 되고, 곧바로 취소소송을 하여도 되고, 심사청구만 하고 그 결정을 받은 후에 취소소송을 제기하는 것도 가능합니다.[90)]

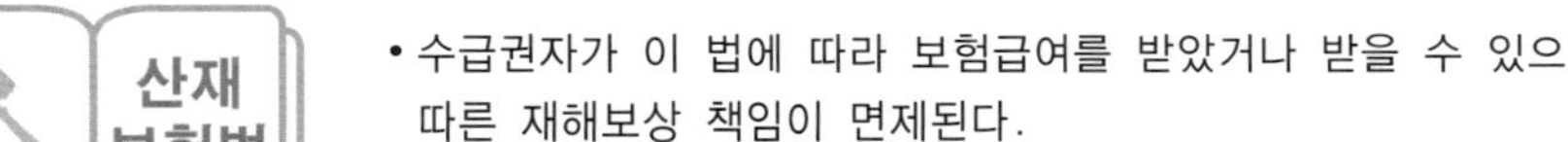

- 수급권자가 이 법에 따라 보험급여를 받았거나 받을 수 있으면 보험가입자는 동일한 사유에 대하여 「근로기준법」에 따른 재해보상 책임이 면제된다.
- 수급권자가 동일한 사유에 대하여 이 법에 따른 보험급여를 받으면 보험가입자는 그 금액의 한도 안에서 「민법」이나 그 밖의 법령에 따른 손해배상의 책임이 면제된다. 이 경우 장해보상연금 또는 유족보상연금을 받고 있는 자는 장해보상일시금 또는 유족보상일시금을 받은 것으로 본다.

보상을 받게 될 자가 동일한 사유에 대하여 「민법」이나 그 밖의 법령에 따라 이 법의 재해보상에 상당한 금품을 받으면 그 가액의 한도에서 사용자는 보상의 책임을 면한다.

구분	근로기준법	산재보험법
요양기간	3일 이내	3일 초과
비용부담 주체 등	• 사용자가 비용부담 • 부담내역: 요양보상, 휴업보상 – 장해보상, 유족보상 및 장의비는 산재가 우선적용됨.	• 근로복지공단에서 비용부담 • 부담내역: 요양급여, 휴업급여, 장해급여, 간병급여, 유족급여, 상병보상연금, 장의비 및 직업재활급여
보상급여 산정방법	• 요양비: 요양비 전액 • (휴업보상)평균임금의 100분의 60	• 요양급여: 요양비 전액 • (휴업급여)평균임금의 100분의 70

(1) 「산재보험법」상 보험급여와 다른 보상이나 배상과의 관계

「산재보험법」은 업무상 재해에 대해 근로자의 잘못이 있는지를 묻지 않고, 수년간의 소송에 걸쳐 지급되는 손해배상 등과 달리 보험급여도 신속하게 지급됩니다. 그래서 근로자가 「산재보험법」을 우선 적용하여 보험급여를 지급받는 경우가 많습니다.

이에 동일한 사유에 대해 「산재보험법」상 근로자에게 보험급여를 지급하면 회사(보험가입자)는 「근로기준법」에 따른 재해보상 책임이, 「민법」이나 그 밖의 법령에 따른 손해배상의 책임이 면제됩니다.

(2) 「근로기준법」상 재해보상과 「산재보험법」의 보험급여 차이

「근로기준법」에서도 요양보상, 휴업보상, 장의비 등 재해보상에 관한 규정을 두고 있습니다. 명칭은 「산재보험법」과 다소 다르지만 업무상 재해에 대한 판단기준은 원칙적으로 같습니다.

업무상 재해로 인한 병원비 및 약제비는 요양비 전액으로 양 법이 모두 같지만, 업무상 재해로 근로를 제공하지 못한 기간에 대해 지급하는 금품인 「근로기준법」상 휴업보상은 평균임금의 100분의 60, 「산재보험법」상 휴업급여는 평균임금의 100분의 70으로 「산재보험법」이 더 유리합니다.

「산재보험법」이 보장범위가 더 넓지만, 「산재보험법」은 요양에 필요한 기간이 3일을 초과하는 경우에 적용되므로 3일 미만인 경우에는 「근로기준법」이 적용됩니다.

구분	위반사항	1차	2차	3차
일반 재해	미보고	700만 원	1,000만 원	1,500만 원
	거짓보고	(위반횟수 관계없이) 1,500만 원		
중대 재해	미보고·거짓보고	(위반횟수 관계없이) 3,000만 원		

근로자재해보장책임보험

- 근로자가 재해를 당하여 사업주에게 손해배상을 청구할 경우를 대비해서 가입하는 보험
  - ✓ 사업주가 근재보험에 가입
  - ✓ 산재보상종결된 후 2년 이내 청구
  - ✓ 사업주의 안전배려의무 위반
- 보장범위: 위자료, 휴업손해액, 상실수익액, 성형비용, 업무상재해로 인정되지 않아 청구하지 못하는 진료비 등

(1) 공상처리의 위험성

공상처리란 회사에서 「산재보험법」상 보험급여를 청구하는 것을 회피할 목적으로 「산재보험법」상 보험급여를 청구하지 않는 것을 조건으로 합의서(이하 '부제소합의'라 함)를 작성하는 대신 재해근로자에게 치료비 및 합의금 명목으로 일정금원을 지급하는 것을 말합니다.

사업주가 산재보험 대신 공상처리하는 이유는 산업재해가 발생하면 「산업안전보건법」상의 처벌, 작업환경개선 문제, 산재보험료의 상승 등을 우려하거나 3일 이내의 휴업을 요하는 경미한 재해라고 임의적으로 판단하기 때문입니다.

공상처리 시 작성하는 부제소합의는 법적 구속력이 없고 추후 산재은폐로 판단될 수 있습니다. 산업재해 발생 사실을 은폐한 자 또는 그 사실을 은폐하도록 교사하거나 공모하면 1년 이하의 징역 또는 1천만 원 이하의 벌금에 처해집니다.

「산재보험법」상 보험급여를 청구하는 것과 별개로 산업재해 발생시 고용노동부에 산업재해조사표를 제출하여야 하는데, 공상처리시 이를 누락하는 경우가 많아 추후 적발시 과태료가 부과됩니다.

또한 사업장에서 발생한 모든 산업재해에 대해 기록·보존하여야 하는바, 공상처리 시 이 또한 위반할 가능성이 높습니다.

따라서 회사는 산재여부를 임의로 판단하지 말고 「산업안전보건법」에 따라 고용노동부에 산업재해조사표를 제출하고, 이 사본을 3년간 보존하는 것이 바람직합니다.

(2) 산재보험과 근로자재해보장책임보험

근로자재해보장책임보험(이하 '근재보험'이라 함)은 '근로자가 재해를 당하여 사업주에게 손해배상을 청구할 경우를 대비해서 가입하는 보험'으로 '사용자 배상책임보험'이라고 부르기도 합니다.

「산재보험법」은 정률지급방식으로 정해진 항목에 정해진 금액만큼만 지급하므로 업무상 재해로 인하여 실제 손해액의 전부를 보상받지 못합니다. 따라서 근재보험을 가입하면 「산재보험법」상 보험급여를 초과하는 손해액에 대해 배상받을 수 있게 됩니다.

근재보험을 지급받기 위해서는 이하의 3가지 요건을 모두 갖추어야 합니다.

✔사업주가 근재보험에 가입
✔산재보상종결된 후 2년 이내 청구
✔사업주의 안전배려의무 위반

근재보험에서 보장하는 범위는 위자료, 휴업손해액, 상실수익액, 성형비용, 업무상 재해로 인정되지 않아 청구하지 못한 진료비 등입니다.

「산재보험법」은 업무상 재해에 대해 근로자의 잘못이 있는지를 묻지 않는 데 반해, 근재보험은 근로자의 과실이 있는 경우 과실을 공제하고 지급합니다.

15

개정 「산업안전보건법」

	근로기준법상 '근로자'	특수형태근로종사자
판단기준	• 사용자와 사용종속관계가 있는지 • 임금이 근로의 대가인지	• 주로 하나의 사업에 그 운영에 필요한 노무를 상시적으로 제공하고 보수를 받아 생활할 것 • 노무를 제공함에 있어서 타인을 사용하지 아니할 것
법적보호	• 근로기준법 • 임금채권보장법 • 퇴직급여법 • 고용평등법 • 기간제법 • 파견법 • 노동조합법 • 근로자참여법 • 산업안전보건법 • 산재보험법 • 고용보험법 • 최저임금법 등	✔산업안전보건법 • 산재보험법

"노무를 제공하는 자"

특수형태근로종사자

계약의 형식에 관계없이 근로자와 유사하게 노무를 제공함에도 「근로기준법」 등이 적용되지 않아 업무상 재해로부터 보호할 필요가 있는 자

예: 보험설계사, 우체국보험모집인, 건설기계운전자, 학습지교사, 택배기사, 퀵서비스기사, 대출모집인, 대리운전기사 등

노동조합법 '근로자'

골프장 캐디

대한민국법원

근로기준법 '근로자'

배달종사자: 물건의 수거·배달 등을 하는 자

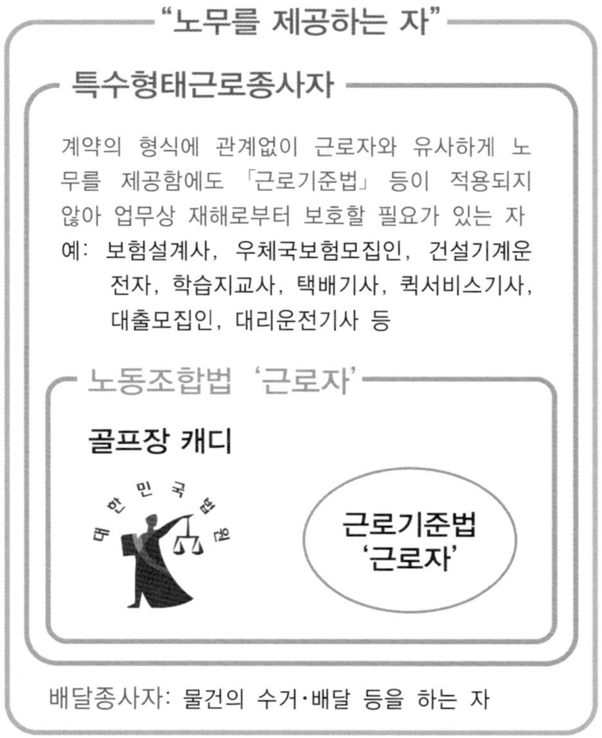

(1) 「산재보험법」과 「산업안전보건법」의 구분

「산재보상법」이 이미 발생한 산재에 대해 근로자에게 치료비와 근로하지 못한 기간에 대한 보상급여를 지급함으로써 근로자의 생활을 보호하는 것이 주된 목적이라면, 「산업안전보건법」은 산업재해를 예방하기 위해 안전한 작업환경을 구축하는 데에 중점을 둡니다.

(2) 「산업안전보건법」의 보호를 받는 자의 확대

노동법은 근로자만 적용받을 수 있는 것이 원칙입니다. 그래서 특수형태근로종사자는 노동법을 적용받지 못하고 예외적으로 「산재보험법」을 적용받을 수 있었습니다.

2020. 1. 16.부터 특수형태근로종사자는 「산업안전보건법」도 적용받을 수 있게 되었습니다. 뿐만 아니라 특수형태근로종사자가 아닌 물건의 수거·배달 등을 하는 '배달종사자'도 「산업안전보건법」을 적용받게 됩니다. 「산업안전보건법」에서 보호하는 자를 종전의 '근로자'에서 '노무를 제공하는 자'로 범위를 확대하였기 때문입니다.

여기서 '특수형태근로종사자'는 '계약의 형식에 관계없이 근로자와 유사하게 노무를 제공함에도 「근로기준법」 등이 적용되지 아니하여 업무상의 재해로부터 보호할 필요가 있는 자'를 말하는데, 「산재보상법」이나 「산업안전보건법」의 보호를 받기 위해서는 ① 주로 하나의 사업에 그 운영에 필요한 노무를 상시적으로 제공하고 보수를 받아 생활하고, ② 노무를 제공함에 있어서 타인을 사용하지 아니하여야 합니다.

배달종사자는 「근로기준법」상 근로자도 아니고 특수형태근로종사자도 아니면서 '「자동차관리법」에 따른 이륜자동차로 물건을 수거·배달 등을 하는 자'를 말합니다.

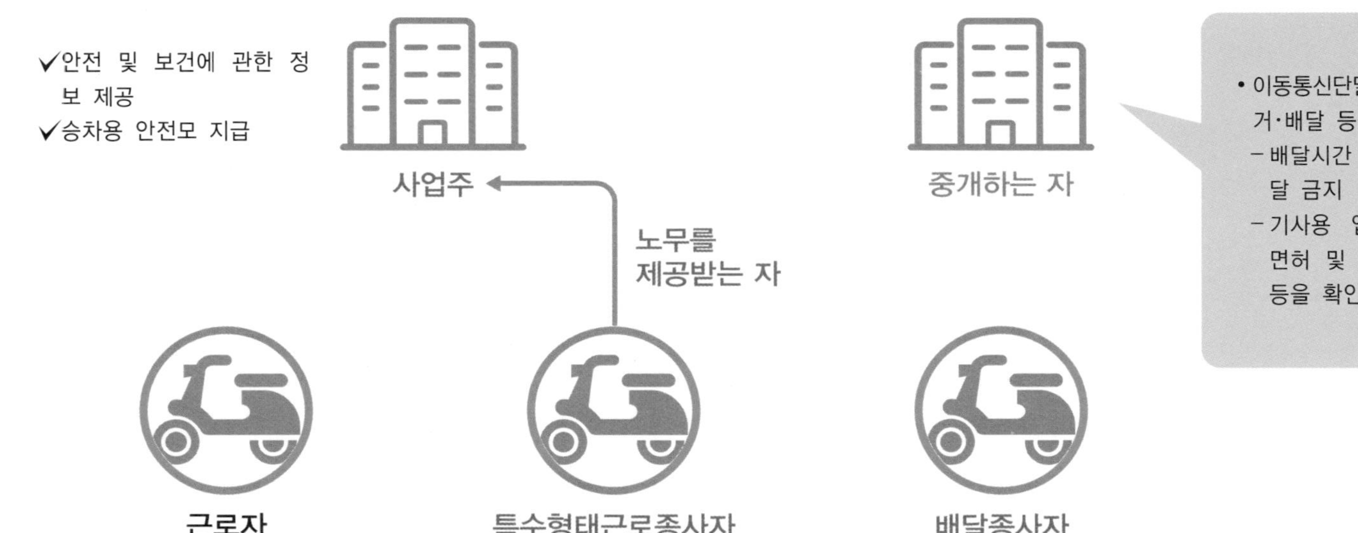
✓안전 및 보건에 관한 정보 제공
✓승차용 안전모 지급
사업주
노무를 제공받는 자
중개하는 자
• 이동통신단말장치로 물건의 수거·배달 등을 중개하는 자
- 배달시간 제한 등 과속 배달 금지
- 기사용 앱 등록시 승차용 면허 및 안전모 소지 여부 등을 확인 후 등록해야 함.
근로자
특수형태근로종사자
배달종사자
계약의 형식에 관계없이 근로자와 유사하게 노무를 제공함에도 「근로기준법」 등이 적용되지 않아 업무상 재해로부터 보호할 필요가 있는 자
예: 보험설계사, 우체국보험모집인, 건설기계운전자, 학습지교사, 택배기사, 퀵서비스기사, 대출모집인, 대리운전기사 등
물건의 수거·배달 등을 하는 자
예: 어플을 이용하는 음식점 배달대행원 등

(1) 노무를 제공하는 자에 대한 안전 및 보건에 관한 정보 제공

「산업안전보건법」의 적용범위가 종전의 '근로자'에서 '노무를 제공하는 자'로 법의 적용범위가 확대되어 이들에 대한 안전 및 보건에 관한 정보를 제공하여야 하는 자들의 범위도 「근로기준법」상 사업주, 특수형태근로종사자로부터 노무를 제공받는 자, 물건의 수거·배달 등을 중개하는 자로 확대됩니다.

사업주 등은 특수형태근로종사자와 배달종사자 등에게 직종별 별도의 교육시간을 갖거나 안전 및 보건에 관한 정보를 주지시켜야 하고, 특수형태근로종사자와 배달종사자 역시 사업주 등이 실시하는 안전교육을 반드시 이수하여야 합니다.

(2) 승차용 안전모 지급 등

이륜자동차를 이용해 배달을 하는데 「근로기준법」상 근로자이거나 특수형태근로종사자라면 사업주 등이 승차용 안전모를 지급하여야 하는데, 어플을 통해 이륜자동차를 이용해 배달을 하면 승차용 안전모를 지급하여야 하는 상대방이 없습니다.

이러한 문제점을 해결하기 위해 개정된 「산업안전보건법」에서는 이동통신단말장치로 물건의 수거·배달 등을 중개하는 자(이하 '중개하는 자'라 한다)가 배달종사자에 대하여 사업주처럼 안전 및 보건에 관한 의무를 부담하도록 규정하고 있습니다.

중개하는 자는 배달시간 제한 등 과속 배달을 유도하여서는 안 되고, 배달종사자가 기사용 앱에 등록할 때 승차용 면허가 있는지, 안전모를 소지하였는지 등을 확인 후에 노무를 제공할 수 있도록 확인하는 절차를 마련하여야 합니다.

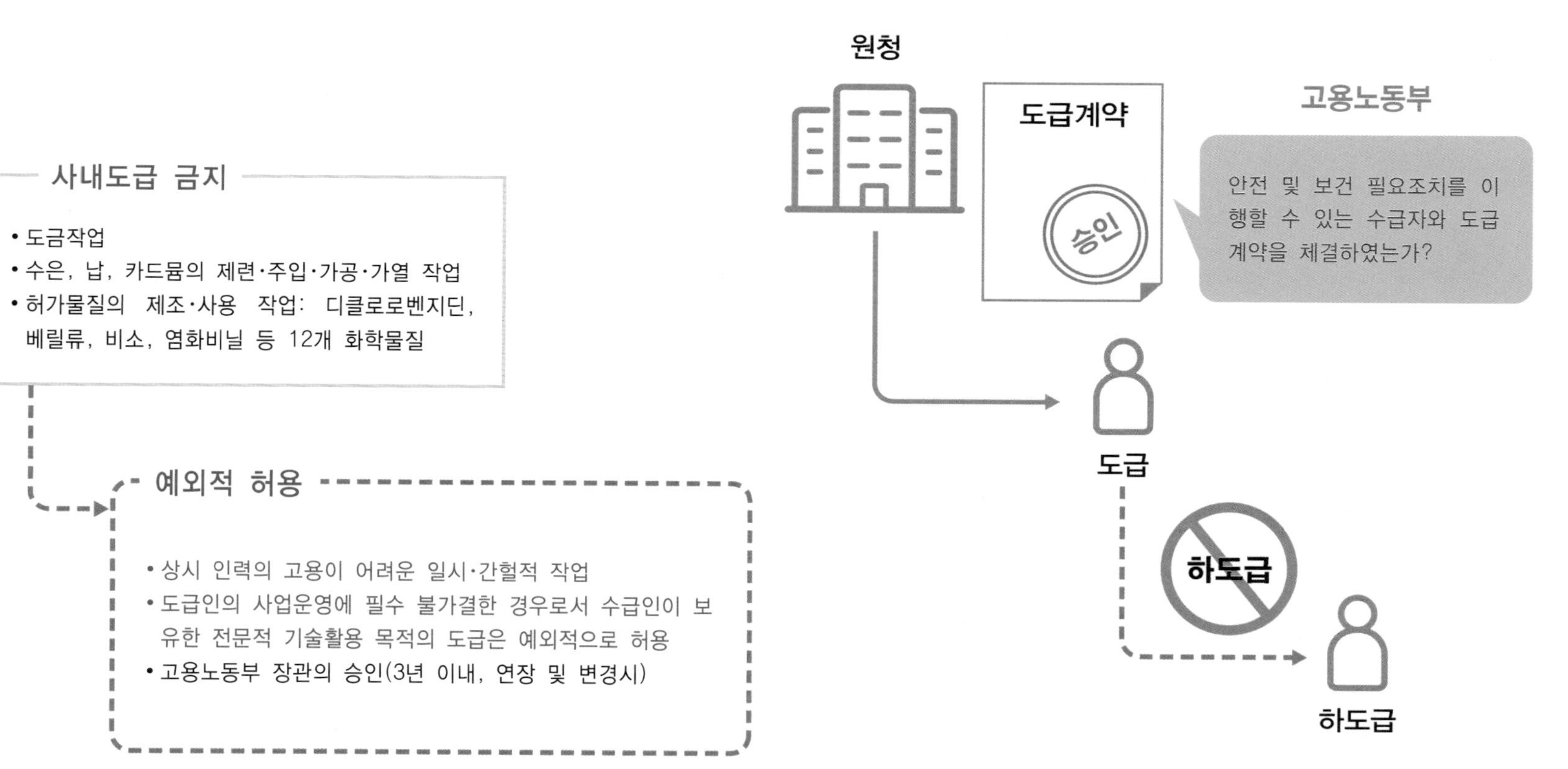
사내도급 금지
• 도금작업
• 수은, 납, 카드뮴의 제련·주입·가공·가열 작업
• 허가물질의 제조·사용 작업: 디클로로벤지딘, 베릴륨, 비소, 염화비닐 등 12개 화학물질
예외적 허용
• 상시 인력의 고용이 어려운 일시·간헐적 작업
• 도급인의 사업운영에 필수 불가결한 경우로서 수급인이 보유한 전문적 기술활용 목적의 도급은 예외적으로 허용
• 고용노동부 장관의 승인(3년 이내, 연장 및 변경시)
원청
도급계약
승인
고용노동부
안전 및 보건 필요조치를 이행할 수 있는 수급자와 도급 계약을 체결하였는가?
도급
하도급
하도급

(1) 유해한 작업의 도급금지

종전에도 유해하거나 위험한 작업만을 분리하여 도급하는 것은 법적 제한이 있었으나 고용노동부 장관의 인가를 받으면 유해하거나 위험한 작업도 도급을 할 수 있었습니다.

이에 유해 위험성이 매우 높은 도금작업, 수은·납·카드뮴의 제련·주입·가공·가열 작업, 디클로로벤지딘, 베릴륨, 비소, 염화비닐 등 12개 화학물질인 허가물질 제조 사용 작업에 대하여 원칙적으로 사내 도급이 금지됩니다.

다만, 상시 인력의 고용이 어려운 일시·간헐적 작업과 도급인의 사업운영에 필수 불가결한 경우로서 수급인이 보유한 전문적 기술활용 목적의 도급은 예외적으로 가능합니다. 이 경우에도 3년 이내의 범위에서 고용노동부 장관의 승인을 받은 경우에만 가능하고, 승인기간을 연장하거나 변경 시에는 고용노동부 장관의 승인을 받아야 합니다. 일반적으로 '인가'보다 '승인'의 법적 요건이 더 까다로운 편입니다.

(2) 도급 승인의 기준 강화

고용노동부 장관이 도급을 승인함에 있어 안전 및 보건조치를 완료하였는지 뿐만 아니라 승인 이후에 지속적인 이행체계를 갖추었는지를 확인하도록 개정됩니다. 여기서 지속적인 이행체계라 함은 「산업안전보건법」에 따른 협의체 구성, 도급인의 순회점검, 교육, 합동점검체계, 안전보건 정보 제공 등을 갖추었는지를 포함하는 것입니다.

또한 고용노동부 장관의 승인을 받은 도급에 대해서 하도급을 하지 못합니다.

(3) 적격수급인 선정 의무

안전 및 보건에 관한 전문이력 등의 확보가 어려운 영세업체가 낮은 금액으로 도급계약을 체결할 위험이 있으므로, 원청업체가 안전 및 보건에 관하여 필요한 조치를 이행할 수 있는 능력이 충분한 업체와 도급계약을 체결하도록 하는 의무가 신설되었습니다.

2021. 1. 1.
시행예정

안전보건
계획

CEO

승인

이사회

최고경영자의 안전 및 보건에 관한 직접적인 의무 강조

같은 장소

안전 및 보건조치 의무를 부담하는,
안전보건총괄책임자를 지정하여야 하는 도급인 확대

도급인

안전보건
정보제공

불법
파견

수급인

도급인 고유의 책임
별도 규정

- 안전·보건협의체 구성 및 운영
- 작업장 점검
- 수급인 근로자의 안전·보건 교육을 위한 장소 및 자료의 제공 등 지원
- 화재·폭발, 지진 등에 대비한 경보체계 운영과 대피방법 등 훈련
- 휴게시설, 그 밖에 시설 설치 등을 위한 장소의 제공 또는 도급인이 설치한 시설 이용에 관한 협조

(1) 대표이사의 안전·보건계획 수립의무

기업의 안전 및 보건 중심의 경영시스템은 해당 기업의 대표이사 등 최고경영자의 안전보건에 관한 인식과 안전보건경영정책에 좌우됩니다. 이에 2021. 1. 1.부터 일정 규모 이상인 주식회사의 경우 대표이사가 매년 회사의 안전 및 보건에 관한 계획을 수립하여 이사회에 보고하고 승인을 받아야 합니다.

(2) 안전 및 보건조치의무 및 안전보건총괄책임자를 지정하여야 하는 도급인의 확대

종전에는 안전 및 보건조치의무를 부담하는 도급인의 범위를 판단함에 있어 사업의 전부 또는 일부 도급인지, 도급인 근로자와 수급인 근로자가 같은 장소에서 작업했는지, 22개 위험발생 장소인지 등이 기준이어서 사안마다 법 적용을 놓고 논란이 발생하였습니다.

이에 개정법에서는 법의 개념 등을 명확히 하고 안전보건총괄책임자를 지정하여야 하는 도급인의 범위를 확대하였습니다.

(3) 도급에 따른 도급인 고유의 책임 규정

수급인과 공동책임을 부담하는 안전조치 및 보건조치 의무와 구분하여 이하와 같이 도급에 따른 도급인 고유의 책임이 별도로 규정됩니다.

- 안전·보건협의체 구성 및 운영
- 작업장 점검
- 수급인 근로자의 안전·보건 교육을 위한 장소 및 자료의 제공 등 지원
- 화재·폭발, 지진 등에 대비한 경보체계 운영과 대피방법 등 훈련
- 휴게시설, 그 밖에 시설 설치 등을 위한 장소의 제공 또는 도급인이 설치한 시설 이용에 관한 협조

(4) 도급인의 안전 및 보건에 관한 정보 제공 및 이로 인한 불법파견 위험 제거

수급인의 근로자가 도급인이 제공한 정보에 따라 필요한 조치를 받고 작업을 수행하는지 확인할 필요가 있으므로 안전 및 보건에 관한 정보를 제공하도록 하고, 이와 관련하여 근로자의 작업행동에 관한 직접적인 조치가 불법파견의 판단기준이 되지 않도록 규정이 명확해졌습니다.

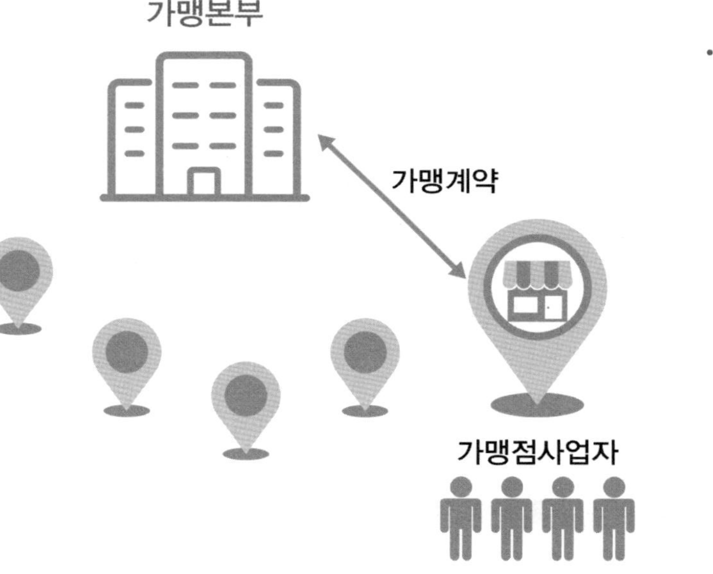

- 가맹본부의 산업재해 예방조치 의무
  - 가맹점의 안전 및 보건 프로그램 마련 시행
  - 가맹본부가 공급 설치하는 설비 기계 상품 등에 대한 안전 및 보건 정보 제공안전·보건협의체 구성 및 운영

프랜차이즈 가맹점 및 종사자의 상당수가 5인 미만 소규모 사업장이라 현실적으로 산업재해를 예방하기 어렵습니다. 가맹점의 서비스 또는 생산 방식이 가맹본부의 정형화된 매뉴얼에 따라 이루어지므로, 이제는 작업 시 발생하는 위험에 대해 가맹본부가 산업재해 예방조치를 하여야 합니다.

일정 규모 이상의 가맹본부는 가맹점의 안전 및 보건 프로그램을 마련하여 시행하여야 하고, 가맹본부가 공급·설치하는 설비·기계·상품 등에 대한 안전 및 보건 정보를 제공하여야 합니다.

근로자

- 근로자의 작업중지 가능

사업주

- 중대재해 발생시 작업중지 등 조치의무
- 작업중지를 이유로 한 근로자에게 불이익 처우 금지

고용노동부

- 고용노동부 장관의 작업중지 명령
- 작업중지명령 해제절차
- 고용노동부 장관의 원인조사
- 중대재해 원인조사 방해금지

☞ 사업주가 작업중지 명령 위반시 5년 이하의 징역 또는 5,000만 원 이하 벌금

(1) 작업중지에 관한 사업주의 책임 확대

산업재해가 발생할 급박한 위험이 있는 경우 근로자가 작업을 중지하고 긴급대피하는 규정이 있음에도 불구하고 근로자가 작업중지에 관한 규정을 알지 못하거나, 작업중지로 인해 불이익을 받을 것이 우려되는 등 작업중지의 실효성이 문제되어 왔습니다.

이에 산업재해가 발생할 급박한 위험이 있을 때 사업주가 즉시 근로자의 작업을 중지시키고 근로자를 작업장소에서 대피시키는 등 안전 및 보건에 관한 필요조치를 하도록 개정됩니다. 또 사업주는 근로자가 산업재해 위험에 대해 작업중지를 한 것으로 불이익처우를 할 수 없습니다.

(2) 중대재해 발생 시 고용노동부 장관의 조치

중대재해 발생 시 고용노동부 장관이 작업중지 명령을 할 수 있는 요건 및 대상 등이 명확해집니다.

중대재해 발생 시 작업중지 해체에 관한 전문가 등으로 구성된 심의위원회를 거쳐 사업주의 신청에 의해 작업중지 명령이 해제됩니다.

이와 별도로 중대재해 원인을 조사하는데 있어 현장이 훼손되지 않도록 위반 시 제재가 강화됩니다.

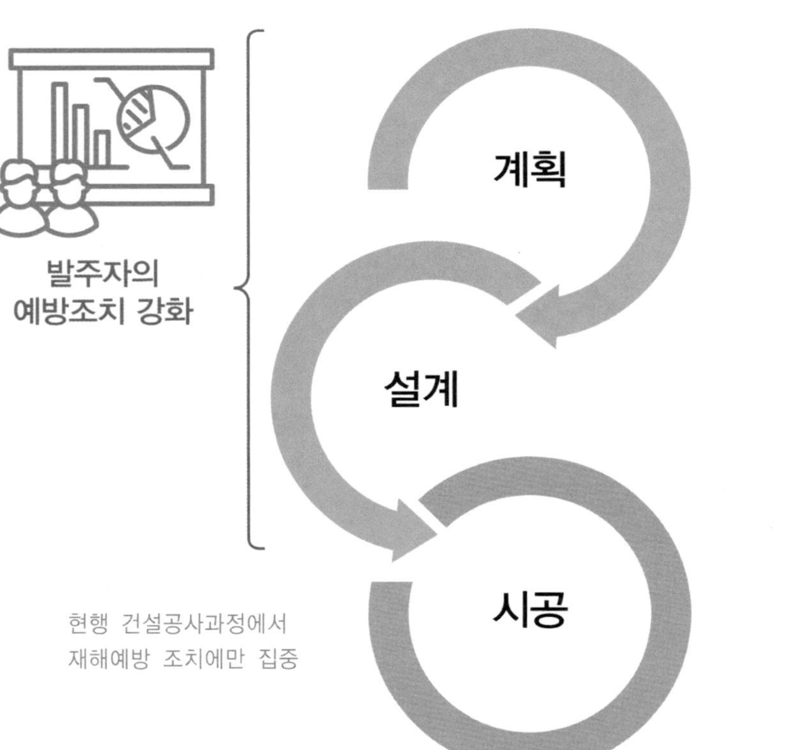

기계·기구 등에 대한 건설공사도급인의 안전조치

타워크레인 등 대통령령으로 정하는 기계·기구 또는 설비의 사용 또는 설치·해체작업에 대한 직접 계약관계 여부에 관계없이 자신의 사업장에서 해당 기계·기구 또는 설비 등이 설치·작동하고 있는 경우 또는 이를 설치·해체·조립하는 등의 작업이 이루어지고 있는 경우에 유해·위험 방지를 위하여 필요한 조치를 하여야 함.

타워크레인 설치·해체 등록제

사업주는 고용노동부 장관에게 등록한 자로 하여금 유해·위험기계·기구의 설치 해체 작업을 하도록 의무화

(1) 건설공사 발주자의 산업재해 예방조치

건설공사는 통상적으로 계획·설계·시공 등 건설공사 모든 단계에서 발주자, 건설공사 도급인(시공자), 설계자 및 건설사업관리기술자(감리자)가 참여하는데 그중 발주자가 공사기간, 공사금액 등을 결정하는데 매우 큰 영향을 미칩니다.

그런데 종전 「산업안전보건법」은 건설공사과정에서의 재해예방 조치에 대해서만 집중되어 있었으나, 앞으로는 건설공사의 계획·설계단계부터 안전 및 보건 조치가 이행될 수 있도록 발주자의 역할이 강조됩니다.

- 계획: 건설공사시 중점 유해·위험과 이를 감소시키기 위한 방안을 담은 '기본안전보건대장' 작성
- 설계: 기본안전보건대장을 설계자에게 제공하고, 유해·위험요인의 감소대책을 담은 설계도면, 공사시방서 등의 설계도서(설계안전보건대장)를 설계자에게 작성토록 하고 설계자의 최종 설계도서납품 시 이를 확인하도록 함.
- 시공: 설계안전보건대장을 건설공사 도급인에게 제공, 이를 반영하여 안전작업 계획을 담은 '공사안전보건대장'을 작성, 이행여부 확인

(2) 타워크레인 등 기계·기구 등에 대한 안전조치 강화

건설공사에서 타워크레인 임대업체, 설치·해체 업체는 영세소규모 사업주가 대부분으로 작업 시 안전관리에 취약합니다. 이에 계약에 관계없이 건설현장 등 사업장에서 안전을 총괄·관리하는 건설공사 도급인(원청)이 사업장에서 사용되는 타워크레인 등의 설치부터 해체에 이르기까지 모든 과정에 대하여 안전 및 보건 조치에 대한 책임을 부담합니다.

또 타워크레인 설치·해체에 대하여 등록제가 도입됩니다.

2021. 1. 16. 시행예정

	개정 전(현행)	개정 후	비고
MSDS 작성대상	• 유해·위험한 화학물질 및 이를 함유한 제제 • 약칭 – 대상화학물질	• 유해·위험한 화학물질 또는 혼합물 • 약칭 – 물질안전보건자료대상물질	
MSDS 작성주체	• 대상화학물질 양도·제공자	• 물질안전보건자료 대상물질제조·수입자	• MSDS 작성자와 제공자가 달라짐에 따라 별도의 항으로 구분 관리함.
MSDS 기재항목	• 대상화학물질의 명칭	• 제품명	• 작성대상은 동일하나, 이를 명확히 함. (예시) 구성성분인 "에틸알코올"이 아닌 제품명인 "크리네타놀"을 기재
	• 모든 구성성분의 명칭·함유량	• 구성성분 중 유해·위험한 화학물질의 명칭·함유량	• 유해·위험성 물질만을 기재 (예시) "에틸알코올 92%"
MSDS 제출	• 미규정	• 고용노동부 장관에게 제출	• 정부는 MSDS를 제출받아 관리

(1) 물질안전보건자료의 작성 및 제출

유해성·위험성 분류기준에 해당하는 화학물질의 명칭, 구성성분의 명칭 및 함유량, 취급 주의사항, 유해성·위험성 등 16가지 항목을 기재한 자료를 물질안전보건자료(이하 "MSDS")라고 합니다.

법의 미비로 인해 MSDS에 속하는 화학물질을 제조·수입하는 자는 MSDS 작성의무가 없고, MSDS에 기재하는 구성성분이 국제기준과 다른 점 등의 문제점이 있어 이와 관련된 「산업안전보건법」이 2021. 1. 16.부터 개정·시행될 예정입니다.

우선 MSDS 작성자를 화학물질을 제조하거나 수입하려는 자로 변경하여 그 적용범위를 확대하고, MSDS에 기재하는 구성성분을 국제기준과 같이 유해·위험한 화학물질로 하며, 의미가 명확히 전달되도록 용어도 통일하여 변경합니다.

또한 화학물질을 제조·수입하려는 자는 화학물질을 양도·제공받은 자뿐만 아니라 고용노동부 장관에게도 MSDS를 제출하도록 하여 유해·위험한 화학물질에 대한 정부의 관리를 체계화합니다.

(2) MSDS 비공개에 대한 사전승인

영업비밀을 이유로 MSDS를 적지 않는 경우가 많은데, 현재 영업비밀 여부에 대한 판단을 화학제품 양도·제공자가 합니다. 이로 인해 화학물질 정보에 대한 근로자의 알 권리가 심각하게 제약되고 직업병 예방 및 치료를 위해 정보제공요구권도 제한적으로만 허용되고 있습니다.

2021. 1. 16.부터는 MSDS상 구성성분의 명칭 및 함유량을 비공개하려는 경우 우선적으로 고용노동부 장관의 사전승인을 받아야 합니다. 비공개 승인을 받더라도 노출시 유해성·위험성을 유추할 수 있도록 대체명칭 및 대체함유량을 기재하여 인체 유해성 등을 유추할 수 있어야 합니다.

비공개 승인 제외대상 물질 및 승인기준은 산업재해보상보험및예방심의위원회에서 심의하여 결정되는데, 승인의 유효기간은 5년으로 하고 신청을 통해 연장 승인을 받은 경우 승인 유효기간을 5년 단위로 연장할 수 있습니다. 신청인은 MSDS 비공개 정보 승인결과에 대하여 이의 신청을 할 수 있습니다. 만약 거짓 또는 부정한 방법으로 승인 또는 연장 승인을 받은 경우 등에 대해 승인사실이 취소됩니다.

비공개 정보의 제공 요구권자의 의사 외에도 역학조사 실시 기관 및 업무상질병판정위원회가 추가됩니다.

(3) 국외제조자가 선임한 자에 의한 정보제출 등

개정법의 시행으로 수입 화학물질의 경우 국외 제조사가 제품복제 등을 우려하여 해당 정보를 국내 수입업체에 제공하지 않을 가능성이 있습니다.

이에 수입화학물질의 경우 MSDS, 구성성분 정보, MSDS 비공개정보 승인 심사 등에 필요한 자료는 국외제조자가 국내 수입자를 갈음할 수 있는 자를 선임하여 제출할 수 있게 됩니다.

참고문헌

- 고용노동부, 채용절차의 공정화에 관한 법률 업무 매뉴얼(2019. 7.), p.4
- 취업규칙 해석 및 운영지침(근로기준과-1118, 2009. 4. 24.)
- 감시·단속적 근로자의 근로·휴게시간 구분에 관한 가이드라인(고용노동부, 2016. 10.)
- 「직장내 성희롱」 예방지도 지침(여성고용팀, 2007. 11.)
- 출퇴근 재해 업무처리지침(근로복지공단, 2018. 1.)

제1장 채용과 입사

1) 서울고등법원 2000. 4. 28. 선고 99나41468 판결

2) 서울지법 남부지원 1999. 4. 30. 선고 98가합20043 판결

3) 중앙노동위원회 2001. 5. 18.자 2001부해44 결정

4) 대법원 1980. 7. 8. 선고 80다590 판결

제2장 취업규칙

5) 대법원 2017. 12. 13. 선고 2017다261387 판결

6) 대법원 2010. 1. 28. 선고 2009다32362 판결

7) 근로기준과-3516, 2004. 7. 9.

8) 근기 68207-132, 2002. 2. 3.

9) 근기 68207-3019, 2002. 10. 7.

10) 근로기준과-1296, 2004. 3. 16.

11) 대전지법 2015. 6. 17. 선고 2014가합106391 판결

12) 대법원 1993. 5. 15. 선고 93다1893 판결

13) 대법원 2015. 8. 13. 선고 2012다43522 판결

14) 근기 68207-3019, 2002. 10. 7.

15) 대법원 2010. 1. 28. 선고 2009다 32362 판결

제3장 근로시간

16) 대법원 1993. 5. 27. 선고 92다24509 판결

17) 대법원 1992. 4. 14. 선고 91다205478 판결

18) 근로조건지도과-722, 2009. 2. 6.

19) 대법원 2017. 12. 5. 선고 2014다74254 판결

20) 근로기준과-1112, 2005. 2. 24.

21) 대법원 2008. 11. 13. 선고 2007다590 판결

제4장 임금

22) 대법원 2010. 5. 20. 선고 2007다90760 전원합의체 판결

23) 대법원 1995. 2. 28. 선고 94다8631 판결

24) 대법원 1998. 4. 24. 선고 97다54727 판결

25) 대법원 1995. 2. 28. 선고 94다8631 판결

26) 평균임금 산정상의 상여금 취급요령, 고용노동부예규 제96호, 2015. 10. 14.

27) 연차유급휴가청구권·수당·미사용수당과 관련된 지침, 임금근로시간정책팀, 2006. 9. 21.

28) 대법원 2020. 1. 22. 선고 2015다73067 전원합의체 판결

29) 대법원 2013. 12. 18. 선고 2012다89399 전원합의체 판결

30) 대법원 2017. 12. 28. 선고 2014다49074 판결

31) 근로정책기준과-6245, 2019. 12. 11.

제5장 근로계약서, 연봉계약서 및 월급명세서

32) 대법원 2010. 5. 13. 선고 2008다6052 판결

33) 임금근로시간정책팀-2624, 2006. 9. 8.

34) 대법원 2001. 10. 23. 선고 2001다25184 판결

35) 대법원 2012. 10. 11. 선고 2010다95147 판결

제6장 휴일, 휴가, 휴업

36) 근로기준과-2325, 2004. 5. 10.

37) 대법원 2009. 9. 10. 선고 2007두10440 판결

38) 대법원 2013. 12. 26. 선고 2011다4629 판결

39) 대법원 1995. 7. 11. 선고 93다26168 전원합의체판결

40) 근기 68207-65, 2000. 1. 12.

41) 임금복지과-591, 2009. 6. 15.

42) 근로개선정책과-3091, 2014. 5. 28.

43) 근기 68207-1138, 1998. 6. 5.

제7장 연차유급휴가

44) 대법원 2013. 12. 26. 선고 2011다4629 판결

45) 근기 68207-65, 2000. 1. 12.

46) 임금복지과-591, 2009. 6. 15.

47) 대법원 2019. 2. 14. 선고 2015다66052 판결

48) 임금근로시간정책팀-489, 2008. 2. 28.

49) 연차유급휴가청구권·수당·미사용수당과 관련된 지침, 임금근로시간정책팀, 2006. 9. 21.

50) 근로기준과-351, 2010. 3. 22.

제8장 인사권과 징계권

51) 하갑래, 「근로기준법」, (주)중앙경제, 2018, p.790

52) 서울고등법원 2014. 2. 13. 선고 2013누48677 판결(확정)

53) 대법원 2009. 3. 12. 선고 2007두22306 판결

54) 서울고등법원 2015. 11. 4. 선고 2015누43485 판결

55) 대법원 1996. 10. 29. 선고 95누15926 판결

56) 대법원 2007. 11. 30. 선고 2005두13247 판결

57) 대법원 2007. 2. 23. 선고 2005다3991 판결

58) 대법원 1993. 10. 22. 선고 92다49935 판결

59) 대법원 1992. 3. 27. 선고 91다29071 판결

60) 대법원 2017. 3. 15. 선고 2013두26750 판결

61) 대법원 1997. 12. 26. 선고 97누11126 판결

62) 대법원 1993. 10. 22. 선고 92다49935 판결

63) 대법원 1992. 3. 27. 선고 91다29071 판결

64) 서울행법 2014. 11. 16. 선고 2013구합58887 판결

65) 서울행법 2002. 11. 26. 선고 2002구합15631 판결

제9장 근로관계종료

66) 대법원 2017. 4. 27. 선고 2016다271226 판결

67) 대법원 2000. 7. 7. 선고 98다42172 판결

68) 대법원 2010. 5. 20. 선고 2007다90760 전원합의체판결

제10장 노동법의 적용범위

69) 대법원 2016. 10. 27. 선고 2015다221903(본소), 2015다221910(반소) 판결

70) 대법원 2018. 6. 15. 선고 2014두12598, 12604 판결

71) 노조 01254-2642, 1988. 2. 19.

72) 대법원 2003. 9. 26. 선고 2002다64681 판결

73) 대법원 1992. 12. 22. 선고 92다28228 판결

제11장 비정규직

74) 대법원 2019. 10. 17. 선고 2016두63705 판결

75) 대법원 2018. 6. 19. 선고 2017두54975 판결

76) 대법원 2011. 4. 14. 선고 2007두1729 판결

77) 대법원 2017. 2. 3. 선고 2016두50563 판결

78) 근기 68207-1248, 2002. 3. 26.

79) 대법원 2019. 3. 14. 선고 2015두46321 판결

80) 대법원 2019. 12. 24. 선고 2015다254873 판결

제12장 차별시정 및 위장도급

81) 대법원 2016. 12. 1. 선고 2014두43288 판결

제14장 업무상 재해

82) 대법원 2015. 2. 26. 선고 2010다106436 판결

83) 근로자 파견의 판단기준에 관한 지침(고용노동부, 2019. 12. 30.)

84) 하갑래, 「근로기준법」, (주)중앙경제, 2018, p.562

85) 찾기쉬운 생활법령정보, http://easylaw.go.kr(2021. 1. 21.)

86) 대법원 2017. 4. 28. 선고 2016두56134 판결

87) 하갑래, 「근로기준법」, (주)중앙경제, 2018, p.565

88) 노직산-5912, 1966. 11. 23.

89) 대법원 2005. 11. 10. 선고 2005두8009 판결

90) 대법원 2002. 11. 26. 선고 2002두6811 판결

저자 **이채형** 공인노무사

- 경북대학교 사범대학 졸업
- 공인노무사(제25회)
- 대한적십자사 근무 등
- 경기도 일자리 우수기업 인증 심의위원
- 노무법인 한수

감수 **박진호** 공인노무사

- 고려대학교 노동대학원 졸업(법학 석사; 노동법 전공)
- 한양대학교 대학원 법학과 졸업(법학 박사; 회사법 전공)
- 공인노무사(제9회)
- 국제경영컨설팅협의회(ICMCI) 공인경영컨설턴트(CMC)
- 경기도 노사정위원회 공익위원
- 전) 한국공인노무사회 이사
- 한국HR 서비스산업협회 이사
- (사)노동법이론실무학회 이사(학술연구 담당)
- 노무법인 한수 대표

노무법인 **한수**

- 홈페이지: http://nomuhansoo.com
- 이 메 일: jupiter0303@hanmail.net
- 전 화: 02-3487-3029~30